dtv

»30 Minuten Zeit – mit höchstens 8 Kilo Gepäck pro Person – am Bahnhof sich einzufinden – diejenigen, die gegen diesen Befehl verstoßen, werden nach den Kriegsgesetzen bestraft.« Sommerende 1945. Die tschechischen Behörden nehmen ihre Vertreibungen vor, und die deutsche Minderheit flieht aus dem Sudetenland. Vier Frauen – die einzigen Mitglieder einer großen Familie, die den Krieg überlebt haben – und ihre Geschichten stehen im Mittelpunkt: Vertreibung, Verlust der Heimat, Entwurzelung und das neue Leben in der Fremde in einem kleinen ostdeutschen Dorf nahe der »Zonen«grenze bis in die Gegenwart des Jahres 2002 in Berlin. Jirgl erzählt in einer auch formal einzigartigen Sprache. »Noch nie ... ist die deutsche Nachkriegszeit so überzeugend geschildert worden wie in dem Roman ›Die Unvollendeten‹ von Reinhard Jirgl.« (Iris Radisch in ›Die Zeit‹)

*Reinhard Jirgl* wurde 1953 in Berlin (Ost) geboren. Nach einer Lehre als Elektromechaniker studierte er Elektronik an der Berliner Humboldt-Universität. Ab 1975 arbeitete er als Ingenieur, gab seinen Beruf 1978 jedoch auf, um sich mehr dem Schreiben widmen zu können. Seinen Unterhalt verdiente er als Techniker an der Berliner Volksbühne. 1990 erschien sein erstes Buch »Mutter Vater Roman«. 1996 gab Jirgl die Tätigkeit an der Volksbühne auf und arbeitet seitdem als freier Schriftsteller in Berlin. Seit 2009 ist er Mitglied der Deutschen Akademie für Sprache und Dichtung.

Jirgls Werk wurde mit zahlreichen Preisen ausgezeichnet, u. a. mit dem Anna-Seghers-Preis (1990), dem Alfred-Döblin-Preis (1993), dem Josef-Breitbach-Preis (1999), dem Kranichsteiner Literaturpreis (2003), dem Dedalus-Preis für Neue Literatur (2004), dem Bremer Literaturpreis (2006), dem Lion-Feuchtwanger-Preis (2009), dem Grimmelshausen-Literaturpreis (2009) und zuletzt mit dem Georg-Büchner-Preis (2010). Seit 1998 erscheinen die Werke von Reinhard Jirgl auch im Deutschen Taschenbuch Verlag.

# Reinhard Jirgl

# Die Unvollendeten

Roman

Deutscher Taschenbuch Verlag

Von Reinhard Jirgl
sind im Deutschen Taschenbuch Verlag erschienen:
Abschied von den Feinden (12584)
Hundsnächte (12931)
Die atlantische Mauer (12993)
Genealogie des Tötens (13070)
Abtrünnig (13639)
Die Stille (13997)

MIX
Papier aus verantwortungsvollen Quellen
FSC® C019821
www.fsc.org

4. Auflage 2012
2007 Deutscher Taschenbuch Verlag GmbH & Co. KG,
München
Lizenzausgabe mit Genehmigung des Carl Hanser Verlags
© 2003 Carl Hanser Verlag München
Umschlagkonzept: Balk & Brumshagen
Umschlagfoto: picture-alliance/dpa
Satz: Fotosatz Amann, Aichstetten
Druck und Bindung: Druckerei C. H. Beck, Nördlingen
Gedruckt auf säurefreiem, chlorfrei gebleichtem Papier
Printed in Germany · ISBN 978-3-423-13531-3

# I Vor Hunden & Menschen

Später rückten Lautsprecherwagen in die Ortschaft ein, danach Miliz.

Zuerst, u wie in Früherenzeiten vor der-Pest, drangen von-Überall-her die Warnschreie menschlicher Stimmen an : *!Heutmorgen sind Viele schon erschlagen & erschossen worden –.–* In der kleinen Stadt Komotau im Sudetenland wurden seit Stunden Straßen & Gassen mit immerdenselben Durchsagen in tschechischer Sprache beschallt.

30 MINUTEN ZEIT – MIT HÖCHSTENS 8 KILO GEPÄCK PRO PERSON – AM BAHNHOF SICH EIN-ZUFINDEN – DIEJENIGEN, DIE GEGEN DIESEN BE-FEHL VERSTOSSEN, WERDEN NACH DEN KRIEGS-GESETZEN BESTRAFT –

Und war nach-Kriegsende der Beginn jener *Wilden Vertreibungen*.....

Die beiden Geschwister, Hanna u Maria mitsamt ihrer Mutter Johanna, gehörten zur *deutschstämmigen Bevölkerung im ehemaligen Sudetengau*; die Schallscherben von den Lautsprecherwagen galten an diesem Morgen auch für !sie. Hanna, schon Mitte 40, um zehn Jahre älter als Maria, hieß, u genau wie ihre Mutter, Johanna. Anfänglich nur für Fremde zur Unterscheidung, später der Gewohnheit halber, behielt sie den Namen Hanna. Für sie u Maria, zusammen mit ihrer fast siebzig Jahr alten Mutter, von einer großen Familie hier=im-Ort nur noch zu-Dritt übriggeblieben, begann 1945 an einem Nachmittag unterm reglosen Weiß des Spätsommerhimmels *der-Treck*.....

Zuerst leitete man die Züge mit den Güterwagen, dadrin zu Hunderten Flüchtlinge mit weißen Armbinden hin1gepfercht, nach Bayern, bis knapp vor München. Niemand konnte diese verlumpten Habenichtse gebrauchen, die Streitereien zwischen amerikanischen u: russischen Besatzern über die Grenzziehung ihrer Zonen sowie über die Bedingungen & die Zahl der jeweils aufzunehmenden FLÜCHTLINGS-KONTINGENTE spitzten sich zu. Die–Amerikaner bestanden auf den hierfür in Jalta getroffenen Abmachungen: 25 Kilo Gepäck pro Person, keine Trennung der Familien, keine Evakuierungen vor 1946 –: Die Flüchtlinge kamen Einhalbesjahr zu früh, denn die tschechischen Behörden hatten der Willkür Freienlauf gelassen & die *Sudetendeutschen* nach eigenem Gutdünken aus dem Land geschmissen (die sowjetische Seite ließ gewähren.....). Mehrere Tage&nächte kampierten am Rand einer Landstraße im Straßengraben zwischen Schierling u hohem Ried die-Flüchtlinge-aus-dem-Sudetenland, die Bürgermeister verweigerten deren Unterbringung, & am Sonntag gingen die Dorf-Bewohner an den im Dreck apathisch hockenden Flüchtlingshaufen schweigend vorüber, zum Gottesdienst..... – Schließlich übernahmen sie die sowjetischen Besatzungsbehörden; was den-Vertriebenen noch zum-Glück gereichte, wären sie doch ansonsten ins Sudetenland zurückbeordert & dort als ILLEGALE RÜCKKEHRER verhaftet worden. Denn wo Flüchtlinge sind, sind immer auch Die Lager.....

Die beiden Frauen Hanna & Maria hätten sogar nach München gekonnt, Man sagte ihnen, sie müßten sich nur von der Alten trennen. Denn für Alte hatte Niemand *Verwendung*..... Hanna lehnte entgeistert ab. So mußten sie erneut *auf-Transport*, wieder gepfercht in Güterwaggons tage&nächte=lang: von München nach Dresden nach Leipzig – dann Magdeburg –

–und die Bahnhöfe u die Wartehalln !voll-von-Menschen da mußt man über die Menschen drüber wegsteigen so voll war das da und die Luft drin stickig wie zum

Schneiden !Dreck=überall u Ungeziefer das kann sich Heute keiner vorstelln mir wurde speiübel hatten auch seit Achwerweißwielangerzeit nichts Richtiges mehr zu essen gehabt u waschen konnten wir uns auch Nirgendwo – ich hiels nich mehr aus dort=drin – Damals wurden die Fahrkarten noch geknipst bevor man den Bahnsteig betreten durfte aber ich hab den mit der rotn Mütze gefragt ob ich mich draußen auf den Bahnsteig hinsetzn darf – Doch er hat gesagt Bleim Sie man lieber hierdrin bei Ihrer Familje Jungefrau Naja draußen warn die-Russn – Ja die-Russn & die-Fraun – Und später dann im Zug alle Fensterscheim zerbrochn Man hatte aus den Rahmen & den Sitzbänken Feuerholz gemacht wir mußten stehen über Stunden-und-Stunden wenn man sich mal für paar Minuten aufn Boden kauern konnte riß einen schon wieder Jemand hoch od trat mit den Füßen weil der sich auch hinsetzn wollt So ging das Stunden-über-Stunden Tageundnächte=lang. Und plötzlich hielt der Zug. Als wär er gegen ?Was gefahrn. Wir alle durcheinander Gepäck stürzte auf uns runter die Leute schrieen. ?Was is ?!los. Eben warn wir unter ner Brücke durch u 1 der Soldaten die aufm Waggondach saßen denn sie waren Alle in Siegerlaune & soffen viel der war bei der Fahrt gegen die Brücke geknallt und die Brücke hatte ihn vom Wagendach runtergefegt. Mit Eimmal Trillerpfeifen Geschrei. Die tschechischen Soldaten die den Zug bewachten brüllten ALLES !RAUS !RAUS AUS DEN WAGEN !SCHWEINEBANDE. Wir also hoch & runtergesprung auf den Schotter. Und Draußen die Tschechen mit ihren Gewehren die hielten sie auf uns & schrien immer noch & rannten umher. Der Soldat lag neben dem Gleis rührte sich nich mehr, Schotter u Gleise voller Blut. Ein Mann vom *Transport* wollte hin & helfen aber n Tscheche riß das Gewehr hoch dachte wohl der wollte dem-auf-den-Schienen was antun. Der Tscheche brüllte & fuchtelte mit seiner

Puschke JEDER 6. WIRD !ERSCHOSSEN. Wir mußten in 1 Reihe Aufstellung nehmen die Arme hoch uns hinknien in den Graben neben den Schienen. Da hab ich gedacht !Jetz isses !aus. Hier is Alles zu Ende. Nun gehts nicht mehr weiter. Aber kurz darauf hieß es !ZURÜCK IN DIE WAGEN !LOSLOS. Bis Magdeburg kamen wir. Der tschechische Soldat aber ist noch vor der Grenze gestorben.– Es ging weiter.

In Magdeburg konnten sie über die Wintermonate Januar und Februar 46 bleiben, per Zwangseinweisung in ein von Bomben beschädigtes Haus. Im unbeschädigten Seitenflügel mußte ihnen 1 ältere, mürrische Witwe Quartier gewähren: 1 Zimmer, kahl, kaum Möbel, kein Ofen, wurde den 3 Frauen zugewiesen. *Flüchtlinge u Dünnschiß kann eben niemand aufhalten.* Schnauzte die Witwe & räumte aus dem Zimmer das 1zige Bettgestell raus. Die 3 Frauen mußten sich 1richten auf dem Boden, auf zersplitterten Dielen. Das war Anfang Januar, das Mauerwerk um die Fensterrahmen kaputt, die Scheiben zerschlagen, zwischen dünnen über die Risse genagelten Brettern fegte Schnee ins Zimmer, im 1zigen Waschlavoir gefror das Wasser. Auf zerlegenen, naßfaulig stinkenden Matratzen unter dünnen schmutzstarren Armeedecken (die sie aus Ruinen geklaubt hatten), fanden die 3 Frauen vor Kälte u Zugluft selten Schlaf. Morgens war Schnee im Zimmer der Ersatz fürs Wasser aus der zugefrornen Leitung.

Niemand wollte die 3 Frauen, die Älteste war mittlerweile von den Strapazen auf *dem-Transport* erkrankt, in keiner der zerbombten Städte, durch die *der-Treck* gezogen war, & in keinem neu entstehenden Betrieb als Arbeitskräfte gebrauchen. Die beiden Geschwister unterzubringen, sie waren ja noch leidlich jung, wäre kein Problem gewesen – im Sudetenland hatten beide Frauen als Sekretärinnen bei der Deutschen Reichsbahn (die dort nach Dem Krieg der Tschechischen Staatsbahn eingegliedert war) gearbeitet; das Problem war die kranke Siebzigjährige (wie man ihnen desöfters kopfschüttelnd zugeraunt und die Türen wieder verschlossen hatte). Hanna blieb unbeugsam. *Wer seiner Familie den Rücken kehrt*, sagte sie stets, *der taugt Nichts − Alles was man besitzt kann einem genommen werden, aber Anstand u Stolz, die kann einem !keiner nehmen −.−* Hanna glaubte, die wesentlichen Regeln für menschliches Zusammenleben beruhten auf ungeschriebenen Gesetzen − Vereinbarungen: *Alles-im-Leben kennt die richtigen Bräuche −*, an die sich Jeder zu halten habe; sie war hilflos gegenüber Menschen, die dagegen verstießen. Diese angenommenen Vereinbarungen stellte Hanna über die Bedeutung des 1zelnen, sie=selbst eingeschlossen. Brutaler Eigennutz machte sie unfähig zur Gegenwehr. Je häufiger sie Derlei mitansehen mußte, umso mehr fühlte sich Hanna in ihren Grundsätzen bestärkt. Hitler war für sie Ein Verbrecher − ihm, dem Unerreichbaren Toten, die Schuld am Verlust ihrer Heimat: *Noch den Leichnam hätt man vierteilen müssen −*, aber: Er war immer=hin DIE-OBRIGKEIT..... Und Die setzt RECHT & ORDNUNG. *Sobald Obrigkeit verlorengeht*, mochte Hanna sich sagen, *muß ich=selbst & zumindest für-mich= allein die Obrigkeits-Werte bewahren.* Je größer dergestalt ihre Einsamkeit, desto bestärkter fühlte Hanna sich in ihrer Haltung; während Andere materielle Güter hamsterten, hamsterte sie CHARAKTER. Durch mehrfach geprellte Sehnsucht (Kontusionen des *inneren Leibs*) waren ihr Menschen u Gemeinheit längst synonym geworden, und was sie dennoch Menschen aufsuchen ließ, das war ihre Furchtlosigkeit vor Ansteckung. So wuchsen in ihr neben Bitterkeit vor=allem Unerbittlichkeit.

Also resignierte Hanna nicht, als sie auch in Magdeburg keine Arbeit bekamen. Bei der neuen Reichsbahndirektion konnte niemand sich entschließen, sie einzustellen, der Termin zur Wohnungszuweisung lief ab − auch hier war das Problem die kranke siebzigjährige Mutter −; die 3 Frauen mußten wieder weiter, *auf-Transport.* Hanna, der mittlerweile eine Art Familienvorstand zugekommen war, blieb Trotz=dem unbeugsam. Schließlich wollten sie nicht noch eine Verwandte verlieren.

Denn Hannas 18jährige Tochter Anna (ebenfalls nach ihrer und nach deren Mutter auf den Namen Johanna getauft) mußten sie am Tag, als in der Kleinstadt Komotau der Befehl *zum-Transport* kam, dort im Sudetenland zurücklassen. (Hannas Ehemann, ein Tscheche u fast zwanzig Jahr älter als seine Frau, war bereits 1940 verstorben.) Annas wegen wollten sie bei den-Russen bleiben, war doch zu vermuten, daß die Tochter noch irgendwo im gleichfalls *russisch besetzten* südlichen Sachsen, vielleicht in dem kleinen Grenzort Reitzenhain, wo viele Flüchtlingstransporte aus dem Sudetenland eintrafen, geblieben sei. Während des *Trecks* hatte Hanna 1-aufs-Anderemal Wachtposten & an den Stationen das Bahnpersonal – Deutsche Tschechen Russen – zu bestechen gesucht, damit sie von jedem der Orte, an denen *der-Treck* sie für 1 Weile abstellte, die beschriebenen Zettel herausschmuggelten & als Nachricht über den augenblicklichen Verbleib an die verloren gegangene Tochter weiterreichten. Das Bißchen an Wertsachen, das die 3 Frauen noch besaßen, war für diese Bestechungen draufgegangen, der Erfolg blieb aus.

Von Magdeburg schickte Man die 3 Frauen weiter, Richtung Norden in die Altmark – nach Stendal zunächst. Hier wars dasselbe wie in Magdeburg – keine Wohnung, keine Arbeit; keine Arbeit, keine Wohnung –, sie konnten nicht bleiben. Indes die Zahl derer auf *dem-Transport*, die noch nicht untergekommen waren, sie wurde immer kleiner nach jedem Halt auf den Dörfern. Viele der Flüchtlinge verdingten sich zur Landarbeit bei den-Bauern, die Felder lagen brach seit der-Krieg die Bauern genommen hatte. Flüchtlinge, die noch übrig blieben, das waren Alte u Frauen mit Säuglingen, die Niemand haben wollte & Überall wars das Gleiche. –*Laßt mich doch hier zurück & geht !eurer Wege. Laßt mich=Altefrau hier, ich sterbe sowieso bald.* Hatte die Siebzigjährige anfangs in jeder Stadt, in jedem Lager od Notquartier nach jedem Abweisen, von ihren Kindern verlangt. Umsonst. –*Wer seiner Familie den Rücken kehrt*, sagte Hanna wiederholt, *der taugt Nichts.*– Später war die alte Frau verstummt.

Nach etlichen Aufenthalten in Flüchtlingslagern od in zugewiesenen Quartieren, in denen sie nirgends lang hatten bleiben können, nach einem Halbenjahr *Treck,* waren im Frühjahr Sechsundvierzig Johanna, Hanna u Maria schließlich in der kleinen Stadt Birkheim im Nordwesten der Altmark angekommen. Vermutlich war *der-Treck* nur deshalb hier, in diesem Ausläufer der sowjetischen Zone, zuende, weil 5 Kilometer weiter, im Wendland, die jetzt britische Besatzungszone begann. Die-Amerikaner waren seit Juni Fünfundvierzig von-dort abgezogen und hatten Hessen u Bayern besetzt; zudem war die Grenzziehung vor-kurzem wegen der Aufteilung Berlins in die 4 Alliierten-Zonen revidiert worden. Unmittelbar vor diesem Austausch Mitteldeutschland für Berlin hatten viele Einwohner dieser Gebiete die Flucht in die Westzonen dem Bleiben vorgezogen; die sowjetischen *Besatzer* fürchteten das Entsiedeln dieser neu eingenommenen Gebiete.– Als 1ige der Letzten vom *Transport* sollten die 3 Frauen auf einen Gutshof kommen, als Dienstmägde & zur Aushilfe bei der Feldarbeit. Bei Ankunft des Zuges standen auf dem Bahnsteig in Birkheim einige Bauern, sie besahen die eintreffenden und aus den Güterwaggons heraustappenden Flüchtlinge wie minderwertiges Arbeitsvieh, das es möglichst günstig zu ersteigern galt. Danach verlud Man diese *Zuteilungen* auf bereitstehende Fuhrwerke – so ging für die übriggebliebenen Flüchtlinge *der-Transport* seinem Ende entgegen.

Das Dorf Schieben lag etwa fünfzehn Kilometer südwestlich von Birkheim entfernt. Als sie dort 1trafen, regnete der April in grauen Fäden auf endlos scheinende schwarz dahingebreitete Erde herab, die bei jedem Schritt an den Schuhn in Batzen kleben blieb, in Pflugfurchen glänzend schäumiges Wasser. Und den Horizont entlang, wie von dunklem Fettstift geschmiert, Kiefernwälder als seis der Trauerrand um die Kondolenzkarte für ein tischflaches Land –. Nun waren auch die Berge des Erzgebirges endgültig im-Krieg geblieben. Und das schüchterne *Grüßgott* dieser Flüchtlinge, als sie im Hof Dem Bauern gegenübertraten, klang ebenso aus einer Anderenwelt, wie zum Abschied (nicht das Brummen der-Leu-te=hier, oft gingen sie grußlos davon) der Flüchtlinge *Gottbe-hütdich* sowie statt des Wortes Danke ihr *Vergeltsgott* von den Einheimischen oft als Niesen aufgefaßt wurde.

Der Bauer kotzroh wien Feldwebel, sein wurstroter Zeige-finger schnellte sofort gegen Johanna: Für die Alte müßten die beiden anderen mitarbeiten, sonst Essen & Quartier nur für 2. Denn die 3 Frauen, sie sollten beim-Bauern als Lohn für ihre Arbeit in den Ställen & auf den Feldern kein Geld, dafür zu essen haben & 1 Dach-überm-Kopf (in 1 Mägde-kammer für insgesamt 5 Personen, rostiger Kanonenofen, Was-serpumpe und Klo auf dem Hof). Für die Flüchtlinge in der SBZ gabs keine Geldzuwendungen, weder von der Gemein-de noch von sonstigen Behörden, dafür bot Man den Flücht-lingen – im Gegensatz zu den in den Westalliierten-Zonen Eingetroffnen, die dort als *staatenlos* galten – hier die Einbür-gerung an. Hatten die Flüchtlinge keine Arbeit gefunden, für die sie entlohnt werden konnten, verfügten sie über keinen Pfennig Barschaft. (Geld – einige Bündel fettiger Scheine, mit dem Aufdruck Reichsmark noch immer gültig – hatte, in ein Kopfkissen eingenäht, Johanna aus *der Heimat* geschmuggelt.) 1zig die Tatsache, Fahrkarten für die Bahn kaufen zu müssen, um die Suche nach Anna in Reitzenhain fortzusetzen, sobald die Arbeit auf dem Gutshof das erlaubte, konnte Johanna dazu veranlassen, auf dieses Geld zurückzugreifen wie desglei-chen Hanna dazu bewegen, es überhaupt in die Hand zu neh-men & auszugeben. Die 3 Flüchtlinge, sie hatten Unterkunft, Essen, Kleidung (abgelegte Sachen von der alten Bäuerin) u die sture=Hoffnung *!Bald gehts wieder zurück in die-Heimat.* Aber sie würden fortan nicht mehr fliehen müssen; würden in sauberen Kleidern !Schlafenkönnen die Nächtelang bis zum andern Morgen. Und zusammen=bleiben fürs 1. – –

## 2

Damals, am *Tag-der-Transporte*, warens nur wenige Stunden, die Anna von ihrer Familie trennten, als *der-Treck* im späten Sommer Fünfundvierzig auch im Sudetenland für *die-Deutschstämmigen* befohlen wurde.

Der Grund für die Trennung war ein Vorkommnis, in das die Tochter zufällig geriet, als sie aus dem Zwangsarbeitslager in der Landwirtschaft turnusgemäß alle 2 Wochen nachhause gehen & sich neue Kleidung holen sollte. Das Lager stand acht Kilometer von Komotau südlich in dem kleinen Dorf Zuscha – der Fußweg, den die 18jährige von-dort bis nach Hause & zur befohlenen Stunde wieder zurückzugehen hatte, brachte sie am Ortseingang von Komotau am Gymnasium vorüber, einem vom Krieg & den Bombenangriffen aufs nahe Mannesmann-Werk verschont gebliebenen Backsteinbau aus dem letzten Jahrhundert. Unmittelbar ab Kriegsende hielten Schilder an Bahnhöfen, in öffentlichen Gebäuden & an den Schulen 𝔷𝔲𝔱𝔯𝔦𝔱𝔱 𝔣ü𝔯 𝔇𝔢𝔲𝔱𝔰𝔠𝔥𝔢 𝔰𝔱𝔯𝔢𝔫𝔤𝔰𝔱𝔢𝔫𝔰 𝔳𝔢𝔯𝔟𝔬𝔱𝔢𝔫! mithin auch für Anna diese Schule verschlossen. Statt dessen, seit dem Juni bis jetzt in den Spätsommer 1945, hatte Man auch die früheren Gymnasiastinnen in Zwangsarbeitslagern für die Landwirtschaft interniert.

Ihr Heimweg führte Anna durch stille Gartenanlagen hindurch, dort bereits der Frühherbst in seinen 1. schwachen Feuern glomm u reife Äpfel Pflaumen Birnen, von Bienenfliegen&wespen umschwirrt, mildfruchtige Aromen verströmten. Die Besitzer waren lange fort, die Gärten reiften ohne sie. Das Mädchen schlüpfte durch die Lücke in einem Zaun, und wie in Früherentagen sammelte sie Fallobst aus dem zu hohem Unkraut aufgeschossenen Gras –.

Hinter der Gartenkolonie wäre Anna dann auch am Sportplatz vorübergekommen. Dort im Stadion war an diesem Morgen ein anderer *Transport* eingetroffen: ehemalige SS-Männer & Kollaboratöre, vermeintliche u echte, unterwegs von einem Gefangenenlager ins andere, hier auf dem Rasen des Fußballfeldes zusammengetrieben. Tschechische Einwohner & Milizionäre hatten in der Schar Gefangener, neben den FMs, auch Angehörige der SS-Wachmannschaften aus dem Mannesmann-Werk wiedererkannt. Es hieß, die-SS hätte noch kurz-vor-Kriegsschluß viele der im Werk beschäftigten Zwangsarbeiter erschossen.– Zuerst bemerkte Anna im Stadion wohl nur die Menschenmasse auf dem Fußball-Rasen, zusammengetrieben rund um den Kreidekreis in der Mitte; erst später, was Dort geschah. Einwohner & Milizionäre waren gerade dabei, die gefangenen SS-Männer & Kollaboratöre mit Eisenstangen & Steinen zu erschlagen. Das nahm sicher schon geraume Zeit in Anspruch und es waren derer Viele.

All-1 dem gebannt vor dem Drahtzaun gebliebnen Mädchen schien eine seltsame Stille als undurchdringlicher Schatten um dieses Exekutions-Feld zu liegen. Vielleicht riß ja der herbstfeuchte Wind das Geschrei in andere Richtung davon, und nur manch 1 Bö warf der Reglosen 1ige Schreie-Fetzen herüber –. Das Mädchen hörte Nichts, als wäre sie in die submarine Welt eines tiefen Wassers hineinversenkt, aus der sie heraus- u hinüberschaute auf das Geschehen in einer Fremden=Welt.....

Und seltsam: Niemand unter den Zusammengetriebenen=dort, der gegen das Erschlagenwerden sich ernsthaft zu wehren schien od gar Anstalten machte zu fliehen. Anna stand bis auf wenige Schritte vor dem Zaun – die Menschen auf dem Rasen, Gefangene u Posten, waren zum ununterscheidbaren Knäul geballt, Stangen & Fäuste fuhren aus der Masse hoch wie Beine eines auf den Rücken gestürzten Rieseninsekts, die grauweiße Septemberluft nach 1 Halt durchstochernd –, und ab&an stürzte eine der Gestalten roh aufs Gras nieder, als fiele von der Masse ein schwerer Ballast ab.

–!Wek Doitsche geh !wek.

Plötzlich stand der tschechische Militärposten vor Anna (aus ihren Händen stürzte das Obst). Der Mann blickte auf

Annas weiße Armbinde &, obwohl allein, flüsterte er mit aufgeregt rauher Stimme noch einmal *–!Wek hier Doitsche Hier !nicht weitergehn Ge!heim !Rasch !Geh !heim* – dabei, als wollte er Hühner verscheuchen, vollführten seine Unterarme & Hände heftig Zuckungen gegen das Mädchen. Und er schaute sich dabei um in Furcht, der Menge auf dem Fußball-Feld könnte das Geschehen=hier vor dem Stadionzaun auf-fällig..... werden.

Anna mußte einen weiten Umweg machen; es dauerte lan-gezeit. Als sie schließlich den Häusern Straßen und Plätzen im Ort wieder näherkam, geriet sie in die Lautsprecherdurch-sagen, die mehrfach aus verschiedenen Richtungen, an Mau-ern in Straßenzügen sich brechend und wie Stacheldraht sich in1ander verhakend, den Ort durchschallten, in tschechischer Sprache ohne Unterbrechung immer dieselben Befehle:

30 MINUTEN ZEIT – MIT HÖCHSTENS 8 KILO GEPÄCK PRO PERSON – AM BAHNHOF SICH EIN-ZUFINDEN – DIEJENIGEN, DIE GEGEN DIESEN BE-FEHL VERSTOSSEN, WERDEN NACH DEN KRIEGS-GESETZEN BESTRAFT –

Anna hätte den Wortlaut auch nicht verstehen müssen; Ge-rüchte über Deportationen *Sudetendeutscher* waren aus allen Landesteilen hergedrungen, hatten seit-Wochen die Debatten im Ort bestimmt, & in den Nächten den Schlaf der Men-schen vertrieben –. Als sie nun die Scharen aus Männern-frauenkindern dort auf den Straßen erblickte – sämtliche mit weißen Armbinden (wie sie; doch instinktiv verbarg Anna mit der Rechten unter 1 Stoffalte das verräterische Mal), an Bündeln Koffern Taschen schleppend (die meisten hatten weit mehr als die 8 erlaubten Kilo, sie sollten es nicht lang behalten) – erkannte sie in etlichen der-Menschen=Dort Nachbarn, doch erschienen deren Mienen auf seltsame Weise entstellt. In den Gesichtern selbst der Jüngsten schon jenes Erschrecken, als hätten Böen aus Kalksturm auch diesen Ge-sichtern bereits die Züge des Ewigen Deportierten aus allen Jahrhunderten – Angst Hunger Wut Dreck Krankheiten –

tief 1gebrannt. Und Nachbarn (ohne weiße Armbinden) rings-um-Anna im Spalier; jedes Mal, sobald 1-im-Zug auf der Straße stolperte, hinschlug, nicht rasch genug wiederaufstand, war ein Posten bei ihm, trat & schlug fluchend auf ihn ein; die Menge am Straßenrand lachte dazu, schrie wie zur Kirmes & applaudierte – Wogen aus Geschrei voller Wut Spott Hohn schwappten wie Jauche von den Straßenrändern über die Vorbeigetriebenen. (Nur Manches Blicke, als fiele 1 Widerschein der Kalkbleiche von der Straße her auch auf sie, schauten starren Augs wie Blinde u stumm auf das Geschehn.) Mehr und immer weitere Menschenscharen aus Seitenstraßen u Gassen, zunächst wie eilig schnürende Rinnsale, dann schubweis wie Erbrochenes hinein in den Hauptstrom und, in-Mitten der Allee gehalten, dort voran durch Spaliere Milizposten & Einwohner, von spittsigen Pfiffen Geschrei Verwünschungen aus Generationen=alter Wühlarbeit in Mühsal Hunger Verlorenheit Demütigung & Verachtung getrieben, Jetzt & Hier all dies zu Tag Geförderte in die Menschenströme reingeworfen als giftiger Abfall der Zeiten –.– Bald schon ließ Man es nicht bei Geschrei & Applaus für ausgeteilte Schläge; bald aus den Spalieren flogen Steine od Man zerrte 1 der Vorübergetriebenen Koffer od Kleiderbündel aus der Hand – eine Frau neben Anna stürzte plötzlich hervor, auf die Straße & riß wutschreiend 1 anderen Frau die Ohrringe fort – :Anna sah noch den dünnen Faden Blut der wie 1 zerreißende Schmuckkette am Ohrring haftend der Faust der wutschreienden Frau ins Spalier am Straßenrand nachschnellte. Anna erkannte diese immerfort weiter tobende Frau (als hätte man sie mit ihrem Raub schlußendlich doch betrogen), erkannte diese kleine marderhafte Gestalt, die Augen ohne Helles schwarz wie Porzellanknöpfe, der Mund 1 böses spitzgezahntes Loch : Das war dieselbe Frau von jener Nacht im Luftschutzkeller.....

.....Qualm erstickender Qualm – Feuerhitze Gestank nach verbrennendem Fleisch u die Nacht mit rotem Himmel die Bomben so nah Einschlag/auf/Einschlag als

seis der eigene Körper die Leute im Keller um-mich-
herum sie schrieen als die Decke schwankte die Mauern
knirschten und Mörtel schütteweis auf uns runterfiel
auch der war rot u heiß als würde Stein verbrennen Und
dann diese Frau=Draußen vor dem Kellerfenster ihr
Mund weitoffen Kreischen aber wir hörten es kaum bei
all-dem-Getöse Und ich sah das Haar dieser Frau=dort
vor dem Kellerfenster Brennendes Haar Sie wollte zu
uns in den Keller rein aber das Fenster war zu schmal für
einen Menschen Sie starrte auf uns mit weitaufgerissenen Augen auch die leuchtend rot Sie mußte Draußen
bleiben u sie brannte u schrie streckte die Arme zu uns
rein blutige Arme die Haut dreckig u in Fetzen Und im
Keller brüllten die Anderen zu der Brennenden sie solle
!verschwinden !Weg-da !Fort Denn das Kellerfenster
war die 1zige Öffnung für Luft – aber die Frau=Drau-
ßen krallte ihre zerschlagenen dreckigen Finger um den
Fensterrahmen, starrte uns immer weiter schreiend an
Sie wollte nicht weg u: die-Leute-im-Keller wollten sie
weghaben Schließlich kamen aus dem hinteren Keller-
raum zwei Männer mit Stangen & Brettern u eine kleine
Frau ihr Mund 1 böses spitzgezahntes Loch Aus der
Schar wie Tiere zusammgekauerter Gestalten sprang sie
im Kellerdunkel zu den Männern vors Fenster Ihre
kleine knochige Faust eine Kehrichtschaufel schwin-
gend hieb sie wie mit 1 Spitzhacke auf die Finger der
Brennenden=Draußen die noch immer in ihrer Verzweiflung den Fensterrahmen umklammerte & die marderhafte Frau schrie am lautesten voller Wut gegen die
Brennende vor dem Fenster & die Männer mitsamt der
kleinen Frau stießen immerwieder gegen die Fremde
mit dem wirren brennenden Haar Und trieben sie
schließlich zurück in die heulende schwankende Nacht
aus Feuer – aber ich hörte nichts mehr schmeckte plötzlich dumpfen trockenen Stoff denn Mutter hatte mir ein
Tuch in den Mund gestopft weil ich nicht aufhören

wollte zu schreien. Dieses Tuch muß wohl all meine
Schreie aufgesogen haben als wären sie aus Wasser Nichts
als verschüttetes Wasser –

Posten schlugen die Beraubte, die sich zur Wehr hatte setzen
wolln, sofort in die Kolonne zurück & voran, !schnellschnell,
hin zum BAHNHOF..... Dort sollten sie verladen werden in
Güterwaggons. Das Wort BAHNHOF stieg plötzlich auf zur
Drohung : Immer werden auf BAHNHÖFEN über Menschen
ENTSCHEIDUNGEN gefällt – –

Dort aber standen an diesem Tag die Züge nicht bereit. Das
heißt, lange Reihen dunkelroter Waggons hatten noch Letz-
tenacht dort gestanden, waren inzwischen aber fortgeholt
worden –: ein Fehler in der Organisation od: ein Militärtrans-
port, der diese Wagen benötigte. Jedenfalls, der Zug war verschwunden, und die Scharen Zusammengetriebener mußten
wieder zurück u noch einmal durch den Ort. Aber nicht
mehr zurück in ihre Häuser (dort waren zumeist schon dafür
vorgesehene *Nachfolger*, Tschechen, eingezogen –); die für
*den-Transport* Bestimmten kamen in ein provisorisches Sam-
mellager im Mannesmann-Werk; die Häftlingsbaracken von
den Zwangsarbeitern der-Deutschen standen ja noch & Heim
ins Reich! die Kreideschriften am Tor.– Erst nach Tagen konnten neue Transportzüge bereitgestellt werden, und der Spieß-
rutenlauf der Vertriebenen durch die Straßen von Komotau
geschah zum Drittenmal..... Kaum 1 der Flüchtlinge blieb
Danach von seinem Gepäck, außer den Kleidern-am-Leib,
noch was übrig. Nachbarn..... Dachte Anna. Noch vor wenig
Nächten waren wir=alle im selben Keller.....

Auch aus dieser Schar=dort-auf-der-Straße kam so gut wie
kein Laut, u ganz wie bei der Menge auf dem Sportplatz setzte sich niemand zur Wehr – so, als würden in Eile u Hast den
Menschen auch die Laute ausgetrieben und davongelaufen
sein. Und würden, sprachlos die kalkbleichen Schatten die
Mienen verschlossen & hart wie beim Erfüllen eisern=stren-
ger Pflicht, fortan sich selbst, ihren Wörtern wie der restlichen Leben's Zeit nacheilen müssen.

Dachte Anna, langsam rückwärts aus dem Spalier der Gaffer am Straßenrand sich lösend. Um nicht aufzufallen, beschrie auch sie jubelnd die Schläge auf die Vertriebenen, brüllte sich in den Straßenkor-der-Masse rein, zu applaudieren wagte sie nicht: Die Hände, als würde sie frieren (sie fror), hielt Anna um die Oberarme geklammert, die weiße Armbinde..... verbergend. Später begann sie zu laufen – schneller und schneller –: sie wollte endlich nach-!Hause.

Weit kam sie nicht. Auch den Straßenzugang zum Haus ihrer Familie, einer Gegend mit ehemals *deutschen* Einwohnern, hielten tschechische Milizposten bereits versperrt. Als vor-Jahren die deutschen Besatzer ins Sudetenland kamen, wollten SIE wegen Hannas tschechischem Ehemann die Familie enteignen. Den Urkunden nach jedoch gehörte Hanna das Haus u Hanna war eine Deutsche. Die Familie behielt das Haus. Nun kamen die-Tschechen zurück u sahen, den Urkunden nach war das Haus deutscher Besitz. Die Neuen Behörden konfiszierten das Haus.

Anna machte sofort kehrt, lief zurück ins Lager, die zwei Stunden Weg nach Zuscha –. Und weil der Wind sich drehte, mußte sie durch süßbrandigen Gestank hindurch, der über die Gegend als klebrige Wolke sich auszubreiten begann und in der verlassnen Gartenanlage den Duft überreifer Früchte mit verschmortem Menschenfett erstickte; im Stadion wurden die Leichen der Erschlagenen verbrannt.– Auf diesem Weg traf sie keine Flüchtlinge mehr, der Staub schien glühend vor Verlassenheit; hier war sie all-1. Die Arme hielt sie auch während des Laufens um-sich-geklammert, als wollte sie an 1 kalten Tag sich wärmen. Sie lief, wie sie hergekommen war, mit leeren Händen – nicht mal ihr Atem machte hörbaren Laut. In ihren Gedanken war kein Wort geblieben, als seien innerhalb 1 Stunde auch ihr unterm tief herabgestürzten Himmel Töne u Wörter davongerannt.

## 3

–Und ?!ich. ?!Warum habt ihr Damals auf !mich nicht ?gewartet: !Ausgerechnet an Diesemtag, von dem ihr doch wußtet, daß ich aus dem-Lager heimkommen würde. Weil Vater ein Tscheche war – er ist zwar schon tot gewesen Damals – galtest du, Mutter, trotzdem bei den-Behörden zumindest als ½-Tschechin, & darauf achtete Man selbst noch bei diesen *Wilden Vertreibungen*. Vaters Nationalität als Tscheche, das hätten sogar-!Die respektiert. !Ihr hättet gar nicht raus gemußt; jedenfalls nicht an !Diesemtag. Und wenn im-Haus von Vaters Verwandten in Prag deutsch zu sprechen über-all-die-Jahre auch verboten war u: sie seine Entscheidung, !ausgerechnet eine Deutsche=dich, Mutter, zur Frau zu nehmen, ihm !niemals hatten verzeihn können: ?Vielleicht wären diese Verwandten, zur-damaligen-Zeit, trotz Allem nicht darauf scharf gewesen, uns so 1fach dem-Pöbel auszuliefern..... Das, Mutter, also kann Damals kein Grund gewesen sein, dich so mir-nichts=dir-nichts rausschmeißen zu lassen. Allein Großmutter, die früher mit nem Deutschen verheiratet war, !die=all-1 hätte rausgemußt. Du & Tante Ria, ihr wolltet eure Mutter nicht im-Stich lassen. *Wer seiner Familie den Rücken kehrt, der taugt Nichts.* Aber dieser Grundsatz, Mutter, der galt wohl nicht für ?mich. ?!Warum hast du nur auf mich !nicht ?gewartet. Du wußtest doch, daß ich aus dem Lager in Zuscha an genau-!Diesemtag heimkommen & mir frische Sachen holen müßte, denn die 2 Wochen waren wieder rum. !Du, Mutter, hast wohl nicht 1 Moment daran gedacht, daß ich mit jeder Nacht-im-Lager eine Nacht weiter Frausein..... mußte. Diesenächte: Ich hörte meine Unterwäsche, die 1zigen noch heilgebliebenen Sachen, zerreißen. Spürte in der Finsterness die schweren Mannskörper voll Schweiß & ihren bitteren Speichel in meinem Mund. (Ich kniff jedesmal die Augen zu, wartete aufs Ende.) Aber Jedenacht hieß Weiterleben, vielleicht nur bis zur nächsten Nacht..... Für dich, Mutter, waren deine Nächte mit einem Mann Dienst=Pflicht,

der du nachzukommen, durch Vaters Tod vor-Jahren aber
dich !endgültig entzogen hattest. Du wolltest Nichts wissen
vom wa(h)ren Preis fürs Leben 1 Körpers aus Frauenfleisch &
vom Glück..... diesen Preis abverlangt zu bekommen fürs
Leben von 1 Nacht zur andern. !Ja: du hast Das gewußt u:
mich wegen meiner Schande !verachtet. Und Deshalb mich
zurücklassen wolln, weil für dich Leben-in-Schande schlimmer ist als Keinleben. Und du hast auch gewußt, daß ich
dort=im-Lager nicht mehr lang würde sein müssen, die
Landarbeit war bald zuende. Und !was sollte dann aus mir
?werden; ?wo hätt ich hingesollt, wenn ihr=Alle *weggewesen*
ward. !Mutter: ?!Warum hast du Damals auf mich !nicht ?ge-
wartet.

## 4

Am Ausgang des Winters liegt die frühe Zeit eines jeden Jahres als glänzendfrischer Spiegel zwischen Himmel u: Erde :
Oben das harte Licht, von Winterwolken noch zerklüftet mit
eisscharf gezogenen Rändern, doch alsbald zerschmelzend,
wie Unten jene Batzen schmutzigen Schnees auf Feldern u
auf Weiden, während grünende Saat schon aus der Erde herauf wie das Fell von jungen Tieren dem leuchtenden Blau
entgegensprießt. Und, in die Böen hoch hinaufgeworfen, immer wieder Krähenschwärme – ihre schwarzen Rufe ritzen
Kerben in die hellblaue Luft. Der lange Winter Sechsund-
vierzig-Siebenundvierzig, als Frost wie eisiges Feuer das
Holz der Bäume gefressen u Schneewehen über erfrorne
Leiber Tier&mensch geworfen, als die Überlebenden die
paar schrumpeligen zu Eismurmeln erstarrten Äpfel&birnen,
die vom Herbst noch in den Zweigen hingen, von den wenigen übriggebliebenen Bäumen gerissen hatten –, dieser Winter ist weit ins Frühjahr 1947 hineingezogen, unvergessen:
Frostgesichtiger Kriegsrückkehrer aus erkaltetem Brand u ver-
hallten Explosionen..... Mit eisernem Gewinde Kälte u Tod

festgeschraubt ins Fleisch des Über-Lebens. Was in kriegs-
erschütterten Städten ruiniert, und länger als die Häuser, das
waren immer die Öfen : Draußen unter Minus 20 Grad, auch
in den Zimmern Frost, Strom & Gas abgesperrt Wasser einge-
frorn über Wochen − :Die großen Fäuste dieses Winters hatten Menschen-u-Tiere noch ein Mal niedergeschlagen, vom
Kriegsfeuer ins Friedenseis.

Der Tag im harten Frühjahrslicht, als Maria den russischen
Militärjeep (den die-Russen KJUBEL nennen) & dahinter den
Mannschaftswagen − vom Horizont in rascher Fahrt näher-
kommend − wahrgenommen, hatte sie das Erscheinen dieser
Fahrzeuge !sofort auf=sich bezogen. Od: vielmehr auf je-
nes Vorkommnis zur blaßhellen Morgenstunde, das sie vom
Dachfenster ihrer Mägdekammer her beobachtet u dabei den
Alt-Bauern samt Frau gesehen hatte, wie sie in jener huschig-
verhaltenen Art von Menschen die möglichst unbemerkt u
sofort zu fliehen suchen (wobei selbst den Schritten & dem
Geklapper von Gegenständen gewissermaßen der Mund zu-
gehalten wird) aus dem Wohnhaus in die Stallungen & zurück über den Hof hetzten, dann in den Beiwagen des großen
Motorrads einige Koffer & Säcke warfen − (?!ahnen im Haus
die beinahe achtzigjährige Mutter des Bauern, sein Sohn &
die Schwiegertochter denn ?nichts von dieser heimlichen
Flucht − od: hatten Die zuvor längst Alles untereinander
?abgesprochen) −, dann selber auf das Motorrad sprangen &
schließlich mit der Maschine unter aufspritzenden Erd-
brocken durchs Hoftor davon und hinaus auf die Landstraße
gen Westen rasend verschwanden −.− Maria war schon Mitte
Dreißig, außer 1 Verlobungszeit (die ihrerseits schon Jahre
zurücklag) mit einem Amtmann ihrer Dienststelle − er
stammte aus 1 Nachbarort von Komotau − hatte sie mit Männern nie Etwas zu tun gehabt. Auch mit ihrem Verlobten,
hieß es, sollte es außer 1igen schülerhaft=scheuen Küssen zu
nichts Weiterem gekommen sein. Die Mutter hatte einesabends den Mann kurzerhand aus dem Haus geworfen; es
hieß, an genau=!diesem Abend hätte der Mann in Marias

Zimmer, der reinplatzenden Mutter offenbar, Einiges sich vorgenommen das über das-Verlobtsein hinausgegangen wäre. Der Mann war nach dem Rauswurf niemals wieder zu Maria zurückgekommen. (Alsbald schrieb er ihr 1 Abschiedsbrief, & heiratete wenig später nach Prag eine reiche jüdische Kaufmannstochter. Jahre später, u das war das Letztemal, daß Maria etwas von diesem Mann hören sollte, seien er & seine reiche Frau zum TRANSPORT nach Theresienstadt ABGEHOLT worden.) So verschwand dieser Mann zwar aus Marias Nähe, nicht aber aus jenem unversinkbaren Zwielicht ihrer Erinnerung, darin Leidenschaften u jene vor allen Wörtern liegenden Tragödien stattfinden. Und das verblassende Licht ihres Er-Innerns schuf gegenüber der-Männlichkeit zum einen jene Art Grauen, die ihr beinahe guttat, während dem Empfinden der Faszination alle Unterdrückung galt –. Über solch seelisches Gefälle stürzten bisweilen schnell die Tränenströme herab, so daß die Mutter die damals mollig werdende Maria, als *!Heulsuse* u *Alte!jungfer* beschimpfend, 1zig zum Aufspringen-bei-Tisch und zu weiteren Tränen aus ihren wasserblauen Augen brachte. – An diesem Morgen, nachdem der Altbauer & seine Frau mit dem Motorrad die wenigen Kilometer in Richtung Zonengrenze geflüchtet waren – ZUM-ENGLÄNDER –, hatte Maria sich früher als die übrigen Landarbeiter auf den Weg zum Feld gemacht. Zu dieser Stunde lief sie all-1 die im großen Halbkreis die flache Landschaft vom Horizont her umfassende Straße entlang, in Händen nur das Ackergerät & in einem Korb die Brote für den Mittag. Ihre Mutter Johanna, für die Feldarbeit ohnehin zu alt, würde wie an Allentagen beim Ausmisten & beim Viehfüttern in den Ställen & danach in der Gesindeküche aushelfen müssen, während noch früher an diesem Morgen die Schwester Hanna bereits zum Bahnhof gefahren war, um wieder einmal nach Etlichenstunden Bahnfahrt, wenn sie Glück hatte u keine Schienenbrüche unterwegs od: Züge ausgesetzt od: Militärtransporte vorgezogen würden, nach vielen Malen Umsteigen – Warten – Umsteigen –, schließlich

vor der tschechischen Grenze im deutschen Teil von Reitzenhain angekommen, in diesem einem Heerlager aus Flüchtlingen Schiebern Dieben Militär Versehrten Heimkehrern
Zuhältern & Schmugglern gleichenden Ort, nach ihrer Tochter Anna zu forschen. Die dürr u sehnig wirkende Hanna
würde auch dieses Mal die Strapazen der Reise, in Tabak-
kwalm u ins atemerstickende saure Gedunste ungewaschner
u kranker Menschen in den Waggons 1gepfercht, über-Stun-
den-hinweg aufrecht stehend gegen die Wand gelehnt od mit
durchgedrücktem Rückgrat an der Vorderkante der Holzbänke sitzend aushalten, ohne Klagen stumm & aufrecht, die
Finger um die Tragriemen der großen violettfarbenen Igelit-
tasche geklammert, darin die vorbereiteten Briefe & Zettel
samt Schmucksachen für ihre Bitten um Gefälligkeiten bei
wild=Fremdenmenschen. Wie zu all-diesen Reisen quer
durch die Sowjetische Besatzungszone trug sie das dunkelgraue Kostüm (das sie nach ihrer Rückkehr auf den Gutshof
jedesmal an 1 Kleiderbügel zum Auslüften auf den Dachboden hängte –), ihr bestes Kleidungsstück, noch ein Geschenk
ihres vor einem Halbenjahrzehnt verstorbenen Mannes, das
sie über die *Monate-des-Trecks* hinweg, vor allen Plünderun-
gen, hatte bewahren können. Auch früher trug sie dieses
Kostüm zu Anlässen, bei denen sie *anständig angezogen* erscheinen wollte; meist waren das Gänge zu den-Behörden.....
gewesen. Auf all ihren Fahrten vom Dorf in der Altmark nach
Reitzenhain an der tschechischen Grenze trug sie dieses
streng geschnittene u bis unters Kinn geschlossene Kostüm
so, als könne das-Anständige in ihrer äußeren Erscheinung
ihrem Vorhaben behilflich sein. Denn es war nur einige
Atemzüge her, daß Frauen *auf-dem-Transport*, um das Elend
der Deportierten zu übertünchen, die Wangen mit eigenem
Blut sich schminkten, den prüfenden Blicken der Selek-
Tierer 1 Chance zum Weiteramlebenbleiben..... abzurin-
gen.– Abgesehn davon, daß zu dieser-Zeit im Frühjahr 47 u
dann noch für 1 Frau als Flüchtling auf dem Dorf nichts un-
erreichbarer gewesen wäre als Kosmetikartikel, würde Hanna

zu solchem Anlaß wie der Suche nach dem Verbleib ihrer Tochter sich gewiß sogar geschminkt & Parfume benutzt haben –, obwohl sie Derlei von-jeher als das Getue betrachtet hatte, das allenphalls *den-Kokotten* zustand, keineswegs aber einer ANSTÄNDIGEN FRAU MUTTER & WITWE wie ihr. So also, in das hochgeschlossne, eng anliegende Kostüm gehüllt, harrte sie all-die-Stunden Bahnfahrt, zu unzähligen Halten auf der Strecke & etlichen Umsteigenmüssen gezwungen, aus – ihre Gestalt die hartnäckige, unnachgiebige u stumm vorgeführte Ermahnungen an 1 freßgierige schuftige Lebenszeit..... Um dann, im ersten blauen Abendlicht in Reitzenhain angekommen, wie 1 gespannte, seit-Langem zurückgehaltene Sprungfeder aus dem Wagen&menschendickicht heraus-, ins andere Menschendickicht des Ortes hin1geschnellt, immer&immerwieder in diesem von Geschrei dampfenden umgewühlten Ort nahe der tschechischen Grenze 1 Irgendjemand aufzufinden, der selbstverständlich gegen-Bezahlung-mit-Wertsachen=im-Voraus sich erbot, Briefe & Zettel (darauf Hannas Adresse auf dem Dorf in der Altmark) an=sich zu nehmen & bei-Gelegenheit, wie man versicherte, an diese-junge-Frau (eine Photographie zeigte Annas Bild) weiterzugeben; jede von Hannas Reisen=hierher nach Reitzenhain, jede ihrer Bittgesuche Bestechungen Nachforschen-auf-eigene-Faust waren bislang ohne Erfolg geblieben.

Im hellen, harten Morgenlicht sah Maria den russischen Kübel- & den mit einer dunkelgrünen Plane geschlossnen Mannschaftswagen auf der Landstraße rasch ihr entgegenkommen, und wieder spürte sie jene Beklemmung aus unbestimmtem Grauen u niedergedrückter Faszination wie einen mit langsam stärker, bezwingend werdender Hand ausgeführten Griff um ihre Kehle –, da hielten der russische Kübel- & dahinter der Mannschaftswagen !direkt vor ihr, den Weg versperrend, und ein Mann sprang aus dem Kübelwagen & baute sich vor ihr auf. Der um mehr als einen Kopf größere Offizier in seiner olivgrünen Uniform mit den dunkelblauen Breeches & den breiten roten Streifen an den Nähten sowie den glänzend gebürsteten hellbraunen Stiefeln hatte schon während des Abspringens von seinem Sitz Maria angerufen & ihr stillezustehn befohlen –, Maria gehorchte erstarrend. Vor ihr in Tuchfühlung stehend, in gebrochenem viel zu laut gerufenem Deutsch (was seiner Befehls-Stimme noch gröberen Tonfall gab) rief dieser Mann den Namen des Altbauern & seine Frage, ob !sie wüßte, wohin er sich abgesetzt habe. Hinter der Plane des Mannschaftswagens einzelne Stimmen u derbes Hundegebell, der Offizier-vor-ihr stehend & ihre Antwort fordernd (an seinem ebenphalls hellbraunen Koppel an der Seite wie ein im Lederetui verborgenes Geschlechtsteil, hing schwer die große Militärpistole herab; von diesem Körper roch Maria scharfen Tabak u einen kompakten leibwarmen Geruch, der ihr als Gemisch aus Stiefelleder Waffenfett Schweiß & dem imprägnierten Uniformstoff eines Offiziers erschien – zudem jene fleischliche Witterung..... die ihrem Empfinden nach *sämt*lich männliche Körper verströmten.) Der Mann änderte seine Stimmlage, beinahe lächelnd fragte er nach Marias Namen – er mußte seine Frage wiederholen, dann erst war sie in der Lage zu sprechen – und ebenso mit nun freundlich gedämpfter Stimme wiederholte der Offizier seine Frage nach dem Verbleib des Altbauern. Jetzt hätte sie sagen müssen, was sie früh an Diesemmorgen gesehen hatte, !wohin der Altbauer mit dem Motorrad gefahren war – *und wenn er auch bei der-SS gewesen ist, und wenn er auf seinem Gut Zwangsarbeiter beschäftigt hatte & wie es hieß einige russische Kriegsgefangene im Kiefernwäldchen=dort-drüben auf seinen Befehl hin erschossen wurden : Er ist & bleibt doch Der Bauer –* :Marias Lippen bewegten sich wie im Flüstern, ihr Blick war von Tränen verwischt, der Offizier die Pistole der Kübel- & Mannschaftswagen wie hinter rasch sich schließenden Vorhängen verschwindend. Mühsam, als müßte ihr Arm eine Ungeheuer=schwere Last anheben, wies sie dem Offizier stumm mit ihrem ausgestreckten Arm die falsche Richtung –. Für 1 Augen-Blick schien der Offizier diesem geröteten, unter Tränen verschwimmenden Frauengesicht noch die Chance zum

26

Widerruf geben zu wollen. Er wartete, seine Freundlichkeit schien verschwunden, er sah ihr streng ins verheulte Gesicht. Dann, plötzlich, änderte sich seine Miene erneut. Zum Kübelwagen sich abwendend, befahl er mit dünnem Grinsen dem Soldaten die Abfahrt, sprang selbst auf den Sitz neben dem Fahrer – & ließ eine Richtung einschlagen, die entgegengesetzte zu der von Maria gewiesenen. Der Weg führte direkt in den kleinen Kiefernwald hinein, dort, wo Maria u Hanna, weil es im Dorf geheißen hatte, in diesem Waldstück wären bis-zum-Schluß deutsche Soldaten gewesen & Vieles an Brauchbarem sei dort noch zu finden man müsse nur 1wenig die Erde aufkratzen –, vor Wochen also das faulnasse Laub durchwühlend, tatsächlich Kochgeschirre u Eßbestecke aus Zinkblech gefunden hatten (ihr erster neuer Besitz). Und einestags machten die beiden Frauen dort den wahrhaft Großen=märchenhaften Fund: !Fallschirmseide – ballenweise (u kaum von Nässe und Schimmel beschädigt); die nahmen sie heimlich mit=sich in die Kemenate unterm Dach, versteckten sie auch vor den anderen Mitbewohnern – sie wollten Kleider aus dem Fallschirmstoff schneidern – –

Der Konvoi russischer Soldaten nahm den Weg in den Kiefernhag, und kurz nachdem sie zwischen den Bäumen verschwunden warn, machten sie gewiß die Hundestaffel los – weithin & noch Langezeit in Richtung Westen verhallend erschütterte das spitzzahnige Gebell der Bluthunde die Luft. Aber vielleicht hatte der Offizier längst vorher eingesehn, daß er zu spät gekommen war. – Maria blieb all-1 auf der Landstraße zurück, gefangen im derben, hellen Licht. Und mit 1 Mal verstand sie, weshalb der Offizier plötzlich grinsend sich von ihr abgewandt haben mochte: ihre Beine hinab spürte sie warme helle Rinnsale, über die Holzpantinen auf die windharte Straßenerde fließen und zur Pfütze sich verbreitern –. Scham, weit größer als ihre Angst, senkte auf Marias jetzt tränenlose Augen sich herab.

## 5

Weil sie auf die-Evakuierung seit-Langem eingerichtet war, hatte Hanna vor-Wochen mit Nachbarn in Komotau eine Verabredung getroffen (die Tochter Anna, derweil im Lager in Zuscha, konnte Davon nichts wissen): Sobald Anna das nächste Mal aus dem Arbeitslager nach Komotau zurückkommen würde, sollten Nachbarn sie bei-sich aufnehmen. Deren Tochter war mit Anna in derselben Klasse des Gymnasiums gewesen; nun ist auch für sie das Gymnasium verboten & die Zwangsverpflichtung zur Landarbeit verordnet worden, nur war sie auf einem anderen Gut als Anna interniert. Bei den Neuen Behörden sollte Anna daraufhin als *die Nichte die mit einem der letzten Transporte hergekommen* wär, gemeldet werden; und sobald der Befehl zur Evakuierung auch diesen Nachbarn gelten würde, sollten sie Anna nicht all-1 zurücklassen, sondern gemeinsam mit auf *den-Transport* nehmen. (Seinerzeit nahm Hanna den Nachbarn dieses Versprechen ab.) Und als die-Stunde zum *Transport* dann auch für sie gekommen war, hielten sie ihr Wort u nahmen Anna mit-sich auf *den-Treck.*

Alle *Flüchtlings-Transporte* über die tschechische Grenze waren derweil ins Stocken geraten. ?Vielleicht hatten russische Verwaltungsbehörden solch *Wilden Vertreibungen*, die gegen alle Abkommen der Siegermächte verstießen, zumindest vorübergehend 1halt geboten als diplomatische Kompromißlösung im Ringkampf der-Russen mit den West-Alliierten beim Zonen-Monopoly um Rest-Deutschland..... ?Wohin aber mit den Tausenden schon auf *dem-Treck* befindlichen Vertriebenen. Die Auffang&sammellager waren längst überfüllt, schon fürchtete man dort Typhus Ruhr u andere Interniertenplagen : Die *Flüchtlinge-aus-dem-Sudetenland* wurden innerhalb des tschechischen Gebiets den verschiedenen, mittlerweile von Tschechen in Besitz genommenen, dh. tschechischen Familien von den-Behörden zugeteilten, Bauernhöfen als Arbeitskräfte zugestellt. Viele dieser nicht immer freiwilligen tschechischen Neu-Bauern hatten niemals zuvor mit Landwirtschaft etwas zu tun gehabt; durch verordnete Umsiedlungen auf diese Höfe wollte man von seiten der-Behörden der drohenden Entsiedelung dieser Gebiete begegnen; die herbeibefohlenen Hilfskräfte waren ihnen willkommen. Daher hielt man die Familien *der Flüchtlinge*, vorerst, zusammen, *die Flüchtlinge* wurden nicht mehr so häufig wie zuvor beschimpft überfallen ausgeraubt & geschlagen. Quartier bekamen sie in Scheunen, das Stroh darin war feucht u roch faulig, Unmengen Ratten & Wanzen auch hier (von überallher das raschelnde Gehusche & Kratzen winziger Krallpfötchen, Horn auf Holz –), die Fenster in den Scheunen aber waren nicht mehr vergittert, u die Tore blieben zur Nacht zwar verschlossen, doch nur schlecht bewacht. Die Angst der *Flüchtlinge*, man würde sie hier=drinnen zusammenpferchen und die Scheune in Brand setzen..... – diese Ur-Angst aller Deportierten –, sie sank allmählich zu Schatten zusammen.

Drinnen in den Scheunen dumpfe Feuchtigkeit, Ausdünstungen von Schweiß u Auswürfen, alter stockiger Geruch aus Schande Erniedrigung & Trotz, der Aufsässigkeit Gram Unverbesserlichkeit mit erstickender Walze zum Gestank aus menschlichen Tierleibern niederhielt. Doch Tiere gab es hier keine mehr, Pferde Schweine Rinder hatte man längst davongetrieben od: geschlachtet, vor den Pflügen für die Frühjahrsäcker schirrte Man *die Flüchtlinge* an. Also waren die Ausdünstungen in den Scheunen die Ausdünstungen von Menschen, die Arbeit von Tieren verrichteten. Und von den-Tieren hatten Menschen auch die drei Grundbedürfnisse: Fressen Entleeren und dazwischen die-Sache zwischen Weib&-mann – so vergingen auch hier die Stunden von Arbeit zu Arbeit. Bisweilen, insbesondre zur Nacht-Zeit wenn tiefe Stille auf die Landschaft niedersank, ließen diese ruhigen, stagnierenden Tiermenschdünste in den Scheunen die Leiber im Stroh enger sich zusammendrängen, das Stroh wisperte unter den Bewegungen dunkelmännisch & voller Spott. Und die Leiber dampften, wenn Draußen im Niemandsland zwi-

schen Winter u: Frühjahr der Nachtfrost im eisigen Regen niedersank. Er fiel auf die Scheunendächer nicht trommelnd u
perlend wie Sommerregen; dieser Regen kam in Knöcheln aus
Eis, er kam durch die Lücken in den Dächern, biß herab ins
Stroh, u draußen durch die noch winterstarren Bäume u Sträucher rannten mit heiseren Stimmen die großen kalten Schauer
entlang – –

Zu diesen Stunden waren *die-Flüchtlinge* sogar besser dran,
als ihre Bewacher=Draußen in Regen u Frost. Die fluchten,
und verkrochen sich mit ihren Hunden irgendwo in Unter-
ständen; man paßte jetzt nicht besonders gut auf *die-Flüchtlinge* auf.

Anna horchte Nacht-für-Nacht, reglos lauschend, selten
Schlaf. Seit sie hier zusammengepfercht lag mit den Horden
Vertriebener war ihr heftigster Wunsch: !Raus&!weg –

Er war Tscheche, von kleiner drahtiger Gestalt. Seine Gesichtszüge, durch die Askese jener, die Vielejahre ihres Lebens
zwischen Angriff & Flucht verbrachten, hager u ausgehärtet,
verrieten im Zwielicht der Unterkunft wenig vom Alter dieses Mannes – !plötzlich war er in der Scheune hinter Anna
aufgetaucht, war 1fach da, wie von Stalldunst Kälte u Dü-
sterness hervorgebracht. *Also wieder !Das.* Dachte Anna diesen
Satzbrocken, als die nach Erde u Männerschweiß dumpf
schmeckende Hand ihren Mund verstopfte. Sie spürte aus Instinkt am Druck dieser Hand, daß der Fremde sie nicht töten
wollte, jedenfalls vorerst nicht. *Nicht töten. Nein. Also wieder
!Das.* ?!Glaubte der Fremde, sie würde ?schreien. Sie würde
nicht schreien. Nicht im-Traum dächte sie daran zu schreien,
wenn *!Das wieder dran* wäre –.– Die andere Hand des Mannes,
die plump auf ihrer Schulter pratzte, müßte eigentlich spüren, daß sie nicht schreien u sich nicht wehren würde –.

Aber der Fremde schien das nicht zu spüren, war vielleicht
*unerfahren*, und seine Finger krallten sich in den Stoff ihres
dünnen Kleides u ins Fleisch des Oberarms hinein, als müßten sie 1 Regenrohr umklammern. Regen –, das eisige Ge-

raune des Regens −.− Anna bemerkte, daß die Stimme des Regens auch die Stimme des fremden Mannes neben ihr war, dicht an ihrem Ohr. Sie roch fauligen Atem − das war nichts besonders Ekliges, dieser Atem roch wie ihr eigener Atem u wie der Atem all der Übrigen zu dieser-Zeit: nach Hunger Haß & Wut u immerfort nach Angst −. Dann auch hörte sie mit Worten flüstern, was die Hand des Fremden ihrem Mund schon längst befohlen hatte: *!Pšt. Keineangst.* Vorsichtig, als befürchte er, Annas Gesicht möge auseinanderbrechen, löste er die Hand von ihrem Mund, griff hastig unter seine Jacke, holte Papier & Zettel hervor, und hielt sie dicht vor Annas Augen. Zuerst, befremdet, glaubte sie in dem spärlich grauen Schimmer an 1 jener Heiligenbildchen, wie sie zum Religionsunterricht od sonntags vom Pfarrer in der katholischen Gemeinde in Komotau im Gottesdienst an die Kinder vergeben wurden −, undeutlich und sehr langsam hoben von dem zuoberst liegenden Papier, 1 Photographie, schließlich die Konturen des Gesichts von 1 Menschen sich heraus − das Gesicht 1 Mädchens offenbar, mit 2 ringförmigen Zöpfen zu beiden Seiten des bleichen, schmalen Gesichts, darin die großen Augen von der Dunkelheit verlöscht u den Zugang zu diesem Gesicht nur in zwei tiefschattenden Höhlen gaben −. Lange benötigte Anna, bis sie im Schummerdüster, hier in einem Interniertenlager auf 1 Photographie − und hätte jetzt beinahe wirklich geschrieen − :ihr eigenes Gesicht erkannte.

Der Fremde schien das zu erwarten, eilig verschloß seine Hand wieder Annas Mund. Doch statt der beschwichtigenden Worte flüsterte der Fremde in Allereile, weswegen er sich hierher zu Anna ins *Flüchtlingsquartier* her1geschlichen habe. Der Mann (ehemaliger tschechischer Partisan, wie er ebenso beiläufig wie eilig in sein heiseres Flüstern streute) kam letzte Nacht von Reitzenhain, machte hin&wieder illegal Grenzübertritte für *Flüchtlinge*, die jenseits der Grenze noch festsaßen; viele dieser *Flüchtlinge* hatten Wertsachen zurücklassen müssen, vergraben in Kellern & Gärten; er (der Mann stockte, das Stroh nebenan raschelte harsch unter 1igen Körpern der dort Liegenden –:?schliefen die=alle ?wirklich –,– 1ige Momente vergingen –; er (u nahm sein heiseres Flüstern wieder auf) schaffte So–Manches aus Kellern & Gärten für manch–1 der *Flüchtlinge=hinter–der–Grenze* wieder herbei; auf diesem Weg (und schüttelte die Photographie, als erbrächte das deren Echtheitsbeweis) hatte er Annas Mutter in Reitzenhain getroffen. Dann wendete er zwischen den Fingern wie der Zocker seinen Trumpf die Photographie : Und Anna sah auf der Rückseite undeutlich Geschriebenes –, zu dunkel, das zerfließende, enge Wörternetz zu entziffern. Der Fremde drückte die Photographie samt der Zettel in Annas Hand und schloß ihr noch mit sanftem Druck die Finger, als könnten Photographie & Zettel sonst wie Nachtfalter entflattern. Dann, ohne 1 weiteres Wort, auf allen 4, kroch er über das nassdumpfe Stroh zurück in einen Winkel der Scheune, und ließ von Regen u Finsterness=Draußen spurenlos sich wieder 1atmen –.

Anna aufrecht sitzend im Stroh, hellwach als schrillten Trillerpfeifen in ihrem Kopf, hielt die Photographie geistesabwesend noch immer in der geschlossnen Hand.– Später, als in den klammen Dunst der Scheune Morgenschimmern sickerte, las sie, die Schultern um das Papier in ihren Händen gekrümmt, auf der Rückseite der Photographie die vor Feuchtigkeit schon beinah verwischten Zeilen in der Handschrift ihrer Mutter. Da stand geschrieben die Anschrift von jenem windsigen Dorf in der Altmark; dorthin sollte Anna 1 Nachricht senden, sobald sie in Reitzenhain, auf der deutschen Seite des Orts, angekommen wäre. Sie solle dann dort warten, Hanna würde nach Reitzenhain kommen und sie wieder zu=sich holen. *Damit wir endlich wieder beisammen sind.* Schloß die kurze, beinah ausgelöschte Schrift, und darunter, auf den Restmillimetern Papier verloren, die Unterschrift: *Mutter*

# 6

Im nassendunklen Morgen in der Scheune regten sich wie Steine auf dem Grund eines Flusses, in Unruheströmungen der frühen Stunde geworfen, die Leiber im Stroh. Bald würde Man von-Draußen die Scheunentore aufstoßen –, Geschrei & Pfiffe zerrissen die Nacht, und mit einem Schwall Eisnebel stürzte 1 neuer Tag herein, während die-Menschen-im-Stroh eiligst hinaustappten, den Faustschlägen u Tritten zu entgehn & die kümmerliche Morgensuppe nicht zu verpassen.

Anna hatte in der vergangenen Nacht keine Minute Schlaf gefunden, vor brennenden Lidern taumelte der neue Tag heran und fraß sich ins wach=wunde Gehirn des Mädchens hin-1..... Schon als sie zur diffusen Nachtstunde von dem Fremden die Photographie in die Hand gedrückt bekam, erschien ihr das Papier wie Pappdeckel so stark –, im helleren Lichtschummer bemerkte sie unter dem Photo mit ihrem Gesicht noch anderes Papier, das ihre Mutter dem Fremden in Treu&glauben übergeben hatte: einen gültigen Evakuiertenschein mit dem Namen ihrer Mutter u ihrem eigenen Namen sowie 1 loses, dünnes Blatt Papier, das sie schließlich als die vielemale gefaltete, 1. Seite von einem Sparbuch – dem Sparbuch ihrer Mutter – erkannte.

–!Kind: du mußt !schnellstens !weg-von-Hier, bevors Draußen wieder losgeht..... (hörte Anna plötzlich neben sich die flüsternde Stimme der Nachbarin, als deren Nichte Anna bei den-Behörden galt.) –Ich hab gehört, was dir der Mann erzählt hat heutenacht – du brauchst dich nicht zu fürchten, ich habe ihn schon paar Mal gesehen: der Mann-von-Heutenacht gehört zur Familie die den Hof=hier bekommen hat (fügte die Frau, ebenso angestrengt flüsternd, hinzu, während ihre Hände eiligst 1-paar Sachen zum Bündel zusammenrafften) –Du mußt !weg: !Aufderstelle: Wenn SIE die-Papiere..... bei dir finden, würde Alles auffliegen von wegen du=meine Nichte. DIE stelln uns an-die-Wand, dich u mich und Werweißwen noch. (Die Frau packte weitere Sachen in das pralle

Bündel) —So. Das & das noch, & zieh das=hier an & achte darauf, dassdu die !Armbinde nich verlierst und !sieh dich vor du wirst die zwanzig Kilometer zurück bis Komotau fast nur durch den Wald laufen müssen. Im Wald aber dasweißtuja sind die-Russen..... !Achte auf dich Kind und geh so schnell du kannst. Zieh die Regenpelerine nicht aus ?!hörst du. Unter !Keinenumständen. Und behalt das Bündel auf dem Rücken unter dem Umhang u laß auch das Kopftuch umgebunden. !Gottschützedich und grüß deine Mutter von uns. Vielleicht kommt ihr durch. Vielleicht kommen wir alle durch. Wenn es noch einen Gott gibt. So. Und !geh. Geh da-hinten raus, dort in der Stallecke, wo heutnacht auch der Mann=rein&raus ge-kommen ist. Halte deine Sachen zusammen, verlier den Eva-kuiertenschein nicht, & !rasch. !Gehdoch Kind. In!gottesna-men: rasch be!eile dich –

Der Himmel, aus schwindender Nacht herabhängend auf das Land, hielt die Kälte vergehenden Winters noch im Nebel fest=gefangen, Regen flüsterte in laublosen Zweigen. Annas derbe Schuhe schleiften über den Kiesweg, der allmählich im dichten Nadelwald versank. Tief unter dem dunklen Kopf-tuch 1 schmales, von den Nächten ohne Schlaf mit schmut-zigen Schatten überzogenes Gesicht. Es war das Bündel, das die Nachbarin ihr soeben noch mit etwas Wäsche Geld und Kommißbrot geschnürt hatte, das die viel zu große, über die hagere Mädchengestalt fast bis zu den Schuhn herabhängende Pelerine an dieser Stelle wie einen Buckel wölbte. Wer sie flüchtig ansah, konnte tatsächlich meinen, ein altes, buckliges Weib schlurfte diesen Weg entlang, mit aller Beharrlichkeit & Furchtlosigkeit, die das Alter manchen Frauen gibt. Auch die weiße Armbinde (die abzulegen allen *Deutschstämmigen* !STRENGSTENS !VERBOTEN war) hielt das undurchsich-tige Grau des Umhangs verborgen. Der Anblick des weißen Stückes Stoff sollte nicht jeden Xbeliebigen zu Rachegelüsten anstacheln; bei einer Patrouille dagegen konnte Anna jeder-zeit den Arm mit dieser Brandmarkung rasch freibekommen. Viele der noch auf tschechischem Boden verbliebenen Deutschen machten in Diesentagen auf eigene Faust sich in Richtung Grenze auf-den-Weg; Gerüchten zufolge wurden vorerst keine weiteren *Transporte* aus dem Sudetenland zusammengestellt & abgeschickt. Alle dann noch verbliebenen *Deutschstämmigen* sollten in Gefangenenlagern der ehemaligen deutschen Besatzer für unbestimmte Zeit zur Zwangsarbeit interniert werden. Andere Gerüchte raunten von Massenexekutionen an da=gebliebenen Deutschen –:– Es war eine jener Zeiten, in denen Gerüchte immer stimmen können.....

Anna befolgte den Rat der Nachbarin nicht. Sie ging nicht den Weg durch den Wald, sondern bog davor an einer Kreuzung ab und nahm die Straße in Richtung auf die Bahnstation des Ortes. Auch hier, meinte sie, dürfte ihre Tarnung sicher sein; sie sprach zudem hinlänglich Tschechisch, mußte also kaum befürchten, als Deutsche erkannt u beim Übertreten des !STRENGEN !VERBOTS für Deutsche, öffentliche Verkehrsmittel zu benutzen, ertappt & verhaftet..... zu werden.

Die Straße führte am Waldsaum den Kamm einer Böschung entlang, davor warfen sich Felder, brach u von zerknicktem Unkraut der Vorjahre verfilzt; bisweilen auf der Straße kamen ihr Lastwagen & Pferdegespanne, Militär & Zivil, entgegen od überholten sie; niemand achtete auf das vermeintlich alte Weib, das hier, selbstvergessen all-1, den Straßenrand entlangtrottete; niemand, der sie zum Einsteigen & Mitfahren aufforderte (:?werweiß, die Alte mochte vielleicht nicht ganz richtig im Kopf sein, dann gäbs nur Scherereien –), auch machte sie keinerlei Anstalten hierzu. Jeder war letztlich froh darüber, niemanden beachten zu müssen auf all solchen diesseitigen Zutreibungen, diesseitigen Fluchten aus einem langsam erkaltenden Krieg.....

Wind fuhr plötzlich heran –, nicht lang und das Gewölke zerriß, unvermittelt Sonnenlicht, hellgelb u heiß wie eine Platte geschmolzenen Metalls herabsinkend. Die Rinde an den Baumstämmen, schwarz von Winter u Nässe, glänzte auf und Millionen Tropfen Regen u Tau an noch laublosen

Zweigen am Nadelgewirke von Kiefern u Tannen sprühten feine Gespinste Sonnenlicht in den aufleuchtenden Tag, während aus dem Innern der kompakten Wälderblöcke Nebel aufstiegen und glucksende Geräusche, als würde ein großes, formloses Uraltwesen mit seinen launigen Gewohnheiten zurückkehren in den Erstentag des neuen Frühjahrs. Krähen wie schwarze Hände warfen die spitzigen Kiesel ihrer Schreie in den Wind. Schwer u feucht wog die Luft voller Fleischesgeräusche, der Atem schmeckte nach nassem Holz u nach Erde, unter der Pelerine sickerte Schweiß in dünnen Rinnsalen über Annas Rücken und wurde vom groben Stoff ihrer Kleider aufgesogen, Schweiß zu altem Schweiß, das Flanell durchfeuchtet u starr sogleich, wieder rieb die Haut sich wund an Hals u an den Beinen. Doch Anna lief ohne Rast beharrlich weiter, den ganzen Weg um die Ortschaft mit dem Gutshof, auf dem sie mitsamt einigen Dutzend Anderen zur Zwangsarbeit gehalten worden war, herum, ohne 1 Mal stehnzubleiben. Trotz der plötzlich feuchtheißen Schwüle legte sie weder Pelerine noch Kopftuch ab, der Schweiß floß ihr mittlerweile den Leib hinunter; unbeirrt den Blick starr gradaus, zwängte sie sich schließlich durch die Gassen des Ortes zum Bahnhof, achtete nicht auf die Menschenknäuel, wieder Militär & wieder Zivilisten, die um die kleine Bahnstation lagerten, auf Züge wartend, sie drängte sich hindurch, wortlos, als würden ferne Kräfte sie steuern –, die Leute in ihrem Weg machten ihr murrend Platz –, und blieb erst stehn, als sie das Schalterfenster zur Fahrkartenausgabe im Innern des kleinen Backsteinbaus erreicht hatte.

Als sie an der Reihe war, trat sie heran, wartete, bis der Beamte das ovale Türchen in der Glasscheibe wieder öffnete – und ließ trotz ihrer Worte in Tschechisch den Mann-in-Uniform sofort stutzig werden.

Zwar hatte sie ihre Stimme, um den deutschen Akzent zu kaschieren, nuscheln lassen wie das häufig bei Landbewohnern geschieht, aber: –?Weshalb sagen Sie ›bitte‹, wenn Sie 1 Fahrkarte wollen. (Bemerkte der Mann hinter dem Schalterfenster & sah Anna mißtrauisch entgegen.) –Ich muß Ihnen die Karte so od so verkaufen. – Und zögerte, ihr auf dem Metalltellerchen unterhalb der Glasscheibe die Fahrkarte samt Wechselgeld herauszudrehen. Unschlüssig, was tun, musterte er die Fremde weiter. *Über Komotau nach Reitzenhain will sie fahren*, mochte der Schalterbeamte überlegen: *Reitzenhain – das ist doch seit Monaten ein geteilter Ort, halb Tschechisch, halb Deutsch : ?War die=hier vielleicht !doch ne ?!Deutsche, die, ohne Armbinde, frech das Verbot übertritt & eine Fahrkarte verlangt (sie wäre die 1. nicht, die von meinem Schalter weg verhaftet würde).* – In seiner Gepflegtheit, den Schnauzbart dünnrasiert & die Fingernägel blank u halbmondförmig gefeilt, wirkte dieser Mann in seiner straff sitzenden Uniform, als hätt er den Ganzenkrieg hier, in seinem Büro = außerhalb der Welt, hinter Glas = in einer Anderenwelt ohne Störung, zugebracht. Noch immer zögernd hielt der Mann den kleinen Pappstreifen in den Fingern, blickte abwechselnd mit strengem Blick der Fremden in die Augen & hielt Ausschau nach 1 Streife, die er heranwinken wollte. In Annas Augen nichts als die glanzlosen Schleier von Müdigkeit, etwas Aschiges wie Erde unter verbranntem Gras. Auch war keine Patrouille in Sicht – schließlich warf der Mann die Fahrkarte zum Wechselgeld in die kleine Metallschale & drehte sie am Hebel zu Anna, auf die andere Seite des Glases, hinaus. Beinahe hätt Anna daraufhin sich bedankt, sie zwang ihre Stimme noch rechtzeitig zu 1 unbestimmten Laut, griff nach Fahrkarte & Restgeld, und ging durch die Bahnhofshalle vor die verschlossne Tür zu der Gruppe Menschen, die dort in der Ecke dicht|an|dicht wie zusammengefegt ausharrte, um bei Einfahrt des Zugs nach Komotau auf den Perron hinausgelassen zu werden. Wolken Schweiß von schmutzigen Menschen, vermischt mit beizendem Urin u Desinfektionsmitteln, u noch Anderes, das mochten Hunger sein fieberheiße Krankheiten Verzweiflung & niedergehaltene Wut, kalte schalgewordne Enttäuschung, u in die scharfen Schwaden mischte sich der Gestank von Tod aus Kellernächten zum zähen Dunst, der schloß sich um sie, kaum jemand sprach, nur 1 Kind greinte mit schon schwacher Stimme, hier würde Anna nicht mehr auffallen (der Beamte im Fahrkartenschalter, er schien noch immer unentschlossen, ob er die Militärposten auf die seltsame Fremde aufmerksam machen sollte, wandte sich schließlich ab, hörte auf, Anna mit Blicken zu verfolgen; möglicherweise nur aus dem Grund, weil sein Beamten-Pflichtgefühl gegenüber dem Bürger-Pflichtgefühl des Anzeige-Erstattens größer war & ihn somit am Schalter hinter seiner Glaswand sitzenbleiben hieß). Müd setzte sich Anna inmitten des Brodems auf schmutzige, zer-scharrte Fliesen, auf 1 kleinen noch freien Fleck zwischen all den dahockenden Menschen & deren unförmigem Gepäcke-wust. Sie versank in der Menge wie in stagnierendem Tüm-pel, sorgsam raffte sie nochmal die Pelerine über dem Arm mit dem weißen Stück Stoff – jetzt u hier würde sie Nieman-dem auffallen –, und alsbald schloß steinschwere Müdigkeit ihr die Augen.

Richtig wach wurde Anna erst, als sie bereits im Zug saß. Wieviel Zeit inzwischen vergangen sein mochte, wußte sie nicht. Automatenhaft, mit den Reflexen des Flüchtlings, hatte sie von der niederhockenden Menge sich erheben, hinaus auf den Bahnsteig & in die blechernen Wagen des Vorortzugs hineinschieben lassen. Geborgen im Drang der Masse, be-schützt von Wärme u Ausdünstung auch hier dicht|an|dicht zusammgekwetschter Leiber, im Rütteln&schaukeln der Fahrt die alten, ausgeschlagenen Schienenwege entlang, erreichte sie schließlich den Ort ihrer Kindheit. Komotau = das nun **Chomutov** auf frisch & eilig geschriebenen Schildern hieß; 1 Ort, zu dem sie=die Fremde, nicht länger zu gehören hatte.– Das Licht an diesem taunassen Frühjahrstag lag ausgebleicht u seltsam farbenlos auf Zäunen Hausdächern u in den Vor-gärten, als hätte Sonnenlicht mit kalkigem Staub sich ver-mischt.– Annas Weg durch den Ort führte sie an bekannten Adressen vorüber, Schulkameraden hatten hier gewohnt, Nachbarn, Bekannte der Eltern –, Haustüren & Fenster stan-den zuweilen offen & fremde Gesichter schauten heraus,

Menschen mit anderem Schrittemaß eilten hin&her, verschwanden im Dunkel der Häuser, Türen schlugen zu. Anna schritt rasch aus, beinah ohne 1 Mal aufzuschaun – *Heimat*, dachte sie, wütend über dieses Wort, das ihre Mutter u die Verwandten aussprachen, als läge Plüsch auf ihren Stimmen, *Heimat: das ist nichts als 1 wundgeriebene Ferse.* Und bückte sich mit schmerzverzerrtem Mund nach ihrem Fuß. Sie wußte auch, sie hatte keine Zeit mehr u schon gar keinen Grund, länger hier sich aufzuhalten; in 2 Stunden sollte der Zug nach Reitzenhain fahren (wenn die Fahrpläne noch galten), zuvor war ihr Ziel die Gemeindeverwaltung (den Evakuiertenschein hielt sie fest in ihrer Hand unter der Pelerine), sie benötigte den Stempel dieses Amtes auf dem Stück Papier, für den Grenzübertritt später in Reitzenhain.

Erst auf dem Flur der Behörde streifte sie (heimlich nach allen Seiten spähend, damit niemand ihre Enttarnung bemerke) Kopftuch & Regenschutz ab; die weiße Armbinde vorzuzeigen war hier Pflicht. Sie meldete sich bei der Gemeinde – unter ihrem richtigen Familiennamen – zurück von der Landarbeit mit der Begründung, die Frühjahrsarbeit sei getan, der Bauer habe sie fortgeschickt, wegen der Evakuierung, setzte sie hinzu & wies die Bescheinigung vor (insgeheim hoffend, der Beamte möge nicht zum Telefon..... greifen & anrufen, dort auf dem Gut. 1 Anruf, und aller Schwindel, auch der frühere mit der angeblichen Nichte, käme auf-der-Stelle ans Licht). Und hatte auch Diesesmal !Glück, die Leitungen blieben gestört, & der Beamte auf der Gemeindeverwaltung hatte für längeres Nachforschen Keinezeit. (Draußen zog Anna die Pelerine wieder über die weiße Armbinde, und eilte ohne Abschied im Blick dem Bahnhof entgegen –)

Die Reise von Chomutov nach Reitzenhain zog sich über Stunden hin, zersplittert in Dutzende Versuche 1 zusammenhängenden Fahrt: kaum 1 Stückweit gefahren, hielt der Zug, verstockt & starrgestellt in Eisenruhe. Bis wieder unter den Füßen sacht Grummeln & Racken begann – langsame Weiterfahrt – wieder nur 1 Stückweit (wußte man im-Voraus), und dennoch erleichtert das Aufatmen, sobald die Lok den Pfiff ausstieß, Funken spie und aus nasser schlechter Kohle grobkörnige Wolken Ruß. Tatsächlich, wieder nur 1 Stück, dem langes Warten folgte –. Die Strecke war zumeist 1gleisig u die Schienen vom Krieg beschädigt. Bei jedem Halt der Ausblick auf Bahndämme und Felder mit störrisch gesträubtem Unkraut, seit Jahren brachliegende Erde auch hier, manchmal in der Ferne im wässerigen wie verheult anzuschauenden Frühjahrslicht aus Bergrücken schmutzig starre Nebelschwaden od waren das vom Regen der letzten Tage noch vergessene Batzen Schnee – mit 1tönigem Geheul schleifte Wind an den Blechwaggons entlang, geriet manchmal in 1 der scheibenlosen Fenster u schwappte eine Schütte nassblauer Luft herein –, (für Anna, 1 Frösteln vortäuschend, Gelegenheit, die während des stundenlangen Dahockens verrutschende Pelerine über der weißen Armbinde zurechtzuziehen). Dann wieder 1 Ruck, & wieder 1 Stückweit voran, die noch intakten Telegraphendrähte zerkratzten schräg den hellen Fensterausblick. Niemand sprach während der Ganzenzeit, kein Unmut keine Klagen od die auf Deportationen bis zum Letzten-Moment unvermeidlichen Angebereien & Witze (:werweiß, ?ob nicht der 1 od andere ebenfalls Deutscher war, der, das STRENGE VERBOT mißachtend, nicht hier im Zug sein dürfte –). In den rissigen Holzabteilen dahockende Menschen, vom Rütteln & Stottern der Fahrt gegen1ander geworfen, von 1 Halt zum andern, Gestalten, zerschundne Gesichter mit bleichschwammiger Haut, Jung&alt gleichviel u gleichwenig unterscheidbar, in den Mündern schlechte od gar keine Zähne, faulgewordne Flüche stiegen hinauf in glasige Augen u zerklüftet die Haut auf den Lippen wie von Säufern. Aber das waren nicht nur Säufer, das waren Menschen deren Blicke mürrisch übelnehmerisch & kirr – vielleicht weil sie, ob Tschechen od Deutsche, diesen Krieg überlebt hatten u: fortan im noch größeren Elend saßen als zuvor, mit ihrem sogenannten Leben nicht zu leben, aber mit

Leben aufzuhören ebensowenig wußten, und in die rußig stinkende Luft immer neuer Schweiß zu immer neuen Demütigungen, die nichts als Wiederkehr der alten Demütigungen waren – die Bomben der Alliierten waren in den letzten Jahren in Komotau u in den anderen Orten im Sudetenland auf Tschechen u auf Deutsche gleichermaßen gefallen. Die Übriggebliebenen hockten hier, anonymes Menschen=Vieh mit dem Mief von Tier=Vieh auf *dem-Transport*, stumpf & heimtückisch wie Galeerensklaven insich zusammengesunken in nuschelnd speicheliger Andacht od: wars 1fach nur kretinhaftes Dämmern, während die Lippen wortelos nach Greisenart mümmeln; ohne absehbares Ende dauerhaft ausgezerrte Zustände wie ihr altes schmuddeliges Flanell, geplündert verhökert & gefressen mit allem Übrigen, das Früher als der-!unveräußerliche-Besitz gegolten hatte – :A Pfui!deibel was fürn !Blödsinn, Plüsch aus einer andern, einer zusammgestürzten & veraschten Welt..... & selbst aus Der vorKurzem rausgeschmissen. Was bleibt von Liebe Tod u Heimat: im-Ende nur Gestank.

Desöftern schon hatten Zollbeamte, in Begleitung von tschechischer Miliz, durch die zusammgekauerte Menschenmasse in den Waggons sich hindurchgedrängt & 1zelne Reisende immer wieder stumm, streng & mit angewiderter Miene in Augenschein genommen; vermutlich rückte man allmählich Reitzenhain, dem Grenzübergang, nahe. Jedesmal, & jedes Mal länger, betrachteten die Zöllner Annas Arm (da=drunter die weiße Armbinde – :?!Schimmerte..... gar der helle Fetzen Stoff durchs Grau der Pelerine durch). 1 der Zöllner zog es seit geraumer Weile mit der magnetischen Kraft aller boshaften Absichten immerwieder in dieses Abteil, zu Anna, heran. In immer kürzerer Folge stakte der ältere, zierlich wirkende Mann – die grauen Haarbüschel quollen unter seiner Dienstmütze heraus, der Kneifer ließ ihn wie 1 Gymnasiallehrer für Erdkunde u Geschichte erscheinen, der mit dem groben Drillich einer Zöllnerkluft sich womöglich nur verkleidet hatte, um seinen Schülern den-Lauf-der-Historie zu dämonstrieren – durch die Schar apathisch dahokkender schmutziger Gestalten hindurch & stellte sich, zunächst wortlos, vor Anna hin. Anfangs hatte Anna dem Mann freundlich entgegengeblickt (so freundlich ihr müdes, aller Freude entwöhntes Gesicht das zuließ), erkannte zunächst nicht die Wut in der Miene des Alten, dem die freundlich blickenden Augen des Mädchens nur ein Grund mehr zum Zorn sein mochten – –:Dann, erschrocken, wandte sie den Blick von ihm ab und starrte wieder auf den speckigen Mantelstoff, der spannte wie eine Schwarte über dem Rücken der vor ihr hockenden Frau. *?!Was mochte der Alte bloß !wollen – !Meingottdu!liebezeit: ?Hatte er mich am-Ende ?!erkannt.....* Anna durchraste die Erinnerung an Leute-aus-Komotau; wie in der davonfliegenden Registratur eines Polizeibüros suchte sie die bekannten Gesichter durch –: Lehrer, Kaufleute, Beamte bei der Bahn, also Kollegen ihrer Mutter, Nachbarn – :Nichts. (Noch 1 weiteres Mal zu dem Mann aufzuschaun und sich möglicher Ähnlichkeiten mit tschechischen Bekannten-von-Früher zu vergewissern, mochte Anna nicht mehr wagen, fühlte sie doch den haßerfüllten Blick des Alten mit Zentnerschwere auf sich lasten.) ?Weshalb zog es diesen alten, schmächtigen, mit den hellen Augen u dem offensichtlich nur mühsam Beschimpfungen od gar Tätlichkeiten sich verkneifenden Mann ausgerechnet zu ?ihr. – Und wieder trat er vor sie hin, wieder schaute sie auf, sah den Speichel auf der Unterlippe des Alten, der warf aus seinem Mund das tschechische Wort für !WERTSACHEN dem auf dem Boden hockenden, ihren Rucksack fest umklammernden Mädchen entgegen. Und noch ein Mal: –!WERTSACHEN. ?Haben Sie !WERTSACHEN zu verzolln. – Anna (insgeheim ausatmend –) schüttelte heftig den Kopf, hielt dem Blick des Alten stand. Dann fiel ihr das Blatt vom !Sparkassenbuch ein –, in ihren Augen mußte der feste Ausdruck zerbrochen sein –:der Alte sahs, schnaufte, sein Arm mit dem ausgestreckten Zeigefinger schnellte auf Anna zu: –In Reitzenhain auf dem Bahnhof bleiben Sie !stehn. Ich werde Sie dem ZOLLAMT überstellen.

!Wagen Sie es jaa nicht, sich davonzumachen. !Ich – :die Stimme des Alten hatte sich zum Gebrüll erhoben, Speichel spritzte von seinen Lippen, dicht vor Annas Gesicht zerbissen die braun verfärbten Zahnstummel wie auf&nieder fahrende Messer die Wut dieses Mannes zu Brocken haßerfüllter Flüche – !Flittchen, du elende Nichts=würdige !Nutte – vielleicht hätte er die erschrockene Anna wirklich am Arm gepackt (drunter der verräterische weiße Fetzen Stoff) & hochgezerrt –, als der Kollege des Alten, 1 unscheinbarer Mann von mittleren Jahren, ihn beim Ärmel & somit aus seinem Zornesrausch gerissen hatte. Die beiden Beamten stakten durch die zu Klumpen geballt dahockenden Reisenden davon, der Jüngere den Älteren am Arm führend als sei der verhaftet, während der Milizposten Anna unverschämt ins Gesicht grinste und mit Zeige-, Mittelfinger & Daumen die-Feige herzeigte. Viel später, erst als Anna in Reitzenhain 1 Unterkunft gefunden hatte im ehemaligen Bahnhofshotel (das in der Nach-Kriegszeit zur Absteige für Allerleigesindel & für Heimkehrer Schieber & Soldaten zum Puff geworden war) verstand sie, !was den alten Zollbeamten derart in Zorn fahren ließ & was auch der Soldat-im-Zug bei ihrem Anblick vermutet haben mochte. Denn viele junge Tschechinnen benuttsten die geteilte Grenzstadt, um mit sowjetischen Besatzern – !Offizieren – sich 1zulassen. Vielleicht war Anna für den alten Mann genau das 1-Mädchen=zuviel in all den Scharen, denen er in den Zügen Richtung Grenze Tag-für-Tag begegnen mußte; die (wie Anna selbst alsbald sehen sollte) sich hergaben schon auf dem Bahnhofsklo – 1 türlosen Verschlag unterschiedslos für Männer & Frauen, auf dem Boden zu gräulich stehenden Pfützen Verjauchtes das am Atmen würgte – & in den Nischen alldie Umschlagplätze für Fleisch.

Als hätt der alte Zollbeamte bei Ankunft auf dem Bahnhof Reitzenhain nichts Wichtigeres zu tun gefunden, wühlte er sich brutal durch die Menschenknäuel, ohne Rücksicht teilte der schmächtige Mann Hiebe & Stöße nach allen Seiten aus, trampelte gegen Waden Kniee Schenkel, bekam wohl selber manchen Stoß, hastete, zum Golem verwandelt, auf Anna zu –, die steckte inmitten eines zäh sich voranschiebenden Pulks – :wortlos packte er sie beim Arm & schleifte sie roh durch die menschenverstopfte Unterführung, in die Wartehalle vor ein separates Büro mit der (tschechischen) Türüberschrift ZOLLAMT.

In dem Moment, als der Alte die Tür aufriß, Anna neben sich in den Büroraum hin1zuschieben, brüllte ein Beamter hinter dem Schalter über die Köpfe der zusammengetriebenen Menschen hinweg, man solle !gefälligst !Draußen warten & solange, bis man !aufgerufen würde. Dazu wedelte der Mann-hinterm-Schalter aufgeregt mit Händen&armen, als könnte er dadurch nicht allein Anna u: den mürrischen Alten, sondern darüberhinaus diese hier hereingetriebene, ausgerechnet vor !ihn aufgestellte, jammernde, klagende Baggage 1=für=Allemal vertreiben. Noch im ärmlichsten Büro nistet der Großetraum von Stille Geheimnis=Dunkelheit & von Verrat – :die steißblaue Magie der Amtsstuben; dadraus – vom Westwall bis Marienthal – die Herrschafts=Bunker auferstehn.....

Während der wenigen Augenblicke, die Anna von dem alten Beamten im Zollbüro festgehalten worden war, schien Draußen plötzlich ein Orkan losgebrochen – :Bis auf wenige in den Ecken zusammengesunkene Menschen, Schlafende Betrunkene od Tote, war !niemand in der Halle verblieben. Ja, ein Orkan mußte sie=Alle davongefegt haben, die Zeit war in Sekundenschnelle mit der Flut von Jahren davongeschwemmt od die Züge fuhren wieder & Menschen hatten sich innerhalb von Minuten auf die Bahnsteige & weiter in die Waggons gestürzt –.– Der alte Zöllner sah, daß auch für ihn Höchstezeit zum Weiterfahren war, er konnte Anna nicht länger bewachen. Er ließ ihren Arm fahren, ruckte den Kneifer auf seiner Nase zurecht & stöhnte. Und noch 1mal, schon im Davonlaufen, drohte er ihr mit Strafen & wie 1 religiöser=Eiferer schüttelte er die dürre alte Faust gegen sie –, dann rannte er auf seinen gichtverkrümmten Beinen (Die Angst des Dienstmanns vorm Versagen) den Horden auf den Bahnsteigen hinterher, und verschwand als grauer Brocken Mensch im dampfenden Strom der Flüchtlinge Gauner Schmuggler Heimkehrer Diebe, irr=lichternde Scharen im schwankenden, von Wolken gejagten Frühjahrsabendlicht; die Menge atmete den Alten ein, mischte seinen Zorn in bodenlose Leibernacht, in die von Schüben–zu–Schüben Angeschwemmten aller Fluten Krieg..... – Anna blieb all–1 auf dem speckigen Bankholz vor der Tür zum ZOLLAMT sitzen.

Aus 1 Hallenecke näherte sich 1 Mann, der einen Besen schob.

Das Blatt vom !Sparkassenbuch fiel Anna ein: !Das war die-Gelegenheit es verschwinden zu lassen. Wenn der–Zoll es fände, dürfte sie die Grenze nicht passieren. !Schlimmer: Denn zu den Wertsachen, die mitzunehmen den Flüchtlingen !STRENGSTENS !VERBOTEN war & nach denen Man bei Flüchtlingen immer suchte, gehörten auch Sparguthaben. Wenige Meter vor dem Schlagbaum zur deutschen Grenze wäre Anna verhaftet und wieder ins–Lager gesperrt worden –.– Anna fand das Blatt in ihrem Rucksack, zog es heraus –, dann zerriß sie heimlich das Papier zu winzigen Fetzen, den mit der aufgedruckten Kontonummer aß sie auf, die übrigen warf sie zu Boden. Gleichmütig fegte der Mann–mit–dem–Besen die Schnipsel zum übrigen Kehricht aus der Bahnhofshalle.

Kurzezeit später, die Stempeldrucke auf dem Evakuiertenschein glänzten feucht, hatte Anna den Schlagbaum passiert; stand auf der deutschen Seite im geteilten Grenzort Reitzenhain. Vorübereilende drängten sie davon, stolpernd übers Kopfsteinpflaster faßten ihre Beine Tritt –, lang fiel ihr Schatten ihrem Weg voraus u heillos sich verflechtend mit dunkelgezackter Masse Schatten auf ihrer Sucht nach wieder menschlicher Gestalt.....

Das Rudel Hunde fegte kläffend durch die Flüchtlingsscharen, prallte gegen müde Beine, stob weiter. Zuerst bemerkte Anna nur den Pulk, eine Masse Fellgeborstes grauschwarz u grellrot klaffend die Schnauzen voll grobgehustetem

Bellen, spitzbezahnt. Die Hunde rissen sich kläffend Stücke aus dem Mief und tobten weiter durch die Straßen voran. In großer Schleife kehrten sie wieder – da erst sah Anna den kleinen Hund vorneweg, 1 ausgehungerte Töle mit schwärenden Blessuren an der Flanke u am Hals, wohl war auch die 1 Pfote verletzt, vielleicht hatte das Tier vor-kurzem erst aus einer Falle sich losgerissen, konnte nicht so schnell wie seine Verfolger laufen, wenige Sprünge noch, und die Meute hatte ihn gestellt. Auf dürren Beinen hechelnd wirkte das Tier hautlos nackt, bebend die zerschundnen Flanken, aus den Lefzen Speichel, grauweiße Fäden –. Aus der Meute sprang ein klobiger Hund hervor, schwarzzottig, ein Rammbock aus Fleisch u Wut, schlug die Vorderpratze dem kleineren mehrmals u schnell über die Schnauze als wolle er ihn niederboxen, jaulend stürzte das matte dürre Tier, die Pfoten zum Zeichen des Sichergebens in die Luft gereckt. Da fiel das Rudel über ihn her. Gebisse schlugen wie dreckige Sägeblätter in Hals Flanke u Bauch – das Tier-am-Boden jaulte kreischend auf – und wieder und wieder schlugen die Hauer in den zitternden Körper hinein; für 1 Moment sah Anna ein Auge des kleinen Hundes auf sie gerichtet: er lebte noch, sein Blick aber schien seltsam still, gefaßt u erfüllt mit Todeswissen. Als hätte das schwache Abendlicht allen Schmerz aus dem Tierauge herausgestrichen – ohne Angst, denn er brauchte sich nun nicht mehr zu wehren. Rasch verschlang der Haufe Fell&fleisch&pfoten den Anblick im Staub – gierig feucht das Röcheln der Meute..... Anna wartete das Blut nicht ab, sie wußte was weiter geschähe. !Da: der spitze hohe Schrei, im klagenden Gejaule verzitternd –, 1 Lebensfaden zerrissen, 1 Köterleben..... – Hinter ihr hoben grölige Stimmen an, Menschen, die auf die Hundemeute eintraten: mit ein=ander hatten sie ihren Spaß gehabt, jetzt wollten Alle fressen u: waren ein:ander wieder Feind.

Anna lief weiter, sah nicht mehr zurück..... Noch immer spürte sie den Geschmack, beißend u scharf, von 1 Fetzen Papier.

## 7

Nach der überstürzten Flucht des Großbauern & seiner Frau vom Hof, hatten die sowjetischen Besatzungsbehörden am selben Morgen den Sohn, die Schwiegertochter & die alte Bäuerin, die noch auf dem Hof geblieben warn, verhaftet & zur Kommandantur in die Kreisstadt, nach Birkheim, geschafft.– Das Gesinde u die 1quartierten Flüchtlinge waren nun allein auf dem Gutshof. Die Stunden vergingen – der Himmel sank in tieferes Blau –, noch immer kam Die Herrschaft nicht auf den Hof zurück. An Diesemtag war keiner hinaus auf die Felder gegangen; die Tiere im Stall blieben unversorgt, ohne Futter. Die Arbeit für diesen Tag fiel aus. Das geschah nicht so sehr aus Gleichgültigkeit oder aus Renitenz, vielmehr schien es, als ob niemand wagen mochte, 1 Handschlag zu tun auf einem Hof, den die-Behörden ein Mal ins Visier gefaßt & die-Hand daraufgelegt hatten. Als laste seither auf dem Anwesen ein Fluch..... Obwohl die Tiere-im-Stall gewiß hungrig waren, gaben sie nur spärlich Laut – in das gesamte Anwesen stellte sich gespanntes banges Warten, die Stille voller Unheil vor einem großen Wetter, das seine Kräfte sammeln muß zum vernichtenden Schlag.

Einige der Landarbeiter durchstreiften derweil die herrschaftlichen Gebäude, zogen in ihren Drillichs wie schmutzige Wolken die Flure entlang, brachen kurzerhand Schlösser auf, stöberten in Zimmern & drangen in Kammern, dort in Schränke & in Truhen ein – im Herrenhaus, in einem Gelaß noch unter dem großen Keller, schließlich wurden sie fündig. Man hatte die schwere, mit Bohlen ausgeschlagene Falltür aufgerissen – Licht stürzte in breiter Bahn tief in das Gewölbe hinab, und was die Augen Dort erblickten, konnten die anderen Sinne so rasch nicht begreifen. – 1 älterer Landarbeiter hatte sich dann als 1. gefaßt: –!Schaut euch !Das an: – :Räucherschinken, enganeng gepackt mit fettig glänzenden Schwarten hockten wie Torsi von Legionären auf dem Steingrund –, Würste zu Ketten Ringen Zöpfen geflochten od hellhäutig grob=obszön u stapelweis wie Godemichés in einer Fantasie de Sades –, Hühnereier, in hölzerne Gestelle gelagert zu Hunderten wie die Augen aus dem Schädel des Argos geschnitten, stumpf weiß u blicklos, den heimlichen Reichtum & die Raffgier des geflohenen Bauern nicht länger bewachend –, schließlich Butter, in Holzkistchen & in Stanniolverpackung wie Steine zu einem Wall aufgehortet, als sei mit solch Mauer diese Welt-der-Verstümmlungen, u bis hinab ins Fundament, end=gültig zu teilen in Fresser u: in Hungerleider – :Sämtlich dem Abgabesoll hinterzogene Sachen in den Schwarzen Kammern, als hätte hier=Unten in Kellerstille u irdener Kühle das Schlau-Raffenland seine geheime Zentrale. – Der ältere Landarbeiter rief noch einmal u seine Stimme voll mit lautem Zorn: –Uns hatter ruiniert, der !Saukerl. Keinn Fleckn Land hatter uns gelassen. Alles weggenomm, das Partei=Schwein. Zumdank durftn wir hier-aufseim-Hof als Knechte für Ihn schuftn, fürn Appl untn Ei. Hat uns in Alldenjahrn kaum besser behandelt als seine Fremdarbeiter. Nur, dasser uns zum-Schluß nich übern-Haufen-geknallt hat, wie die. Und !DAS=DA – (aus dem Kellergewölbe stiegen die Aromen geräucherten Fleisches herauf –, die Wut verschlug dem Mann die Stimme.) – –!DAS wollte Der Alles inn-Westen verschiem, & hätte sich n Dutzend Goldenernasen dran verdient, der Kulak. Mit Sowas: !Kurznprozeß: An die !Hitlereiche das Schwein : –!!Jammerschade dasser die-Kurve gekriegt hat. –:Die Stimme 1 Jüngeren überschrie die andere.

Die Fäuste schüttelnd, sprang der junge Mann die Stufen zum Keller hinab & rief den übrigen, die an der Treppe noch verhielten, zu: –!Vorwärtzleute !ran=an-Schpeck : Jetz sind der-Westen !wir. Dem 1. den Tod – dem 2. die Not – dem Dritten das Bro – :1 Fraunstimme, hoch & aufgeregt kreischend, zerriß die seit-Stunden über dem Gehöft lastende Beklemmung, als sei die nur mottenzerfressener Stoff vorm Schrein 1 ausgespielten=machtverlornen Obrigkeit. Die Kittelschürze gerafft, trapperte die Frau ins Kellerverlies, in

Steinkühle & Räucheraromen hinab, die Pantinen schlugen hölzern auf die Kellerstufen ein –. Leuchtenden Auges, die Wangen erhitzt & den Mund lachend weitoffen unter neuerlichem Triumfgeschrei warf die Frau den Butterwall nieder & stürzte sich auf die Halden aus Schinken & Würsten – griff mit vollen Armen in die Ketten Ringe Zöpfe aus Mettrotschinkensalamileberschlackwurst hinein & behängte sich damit wie 1 Maibaum auf der Festwiese; Johlen schallte gegen die Feldsteinwände, Triumf glänzte auf in jedem Tröpfchen Tau am Gemäuer – die Leute drängten nach, die enge Treppe hinab; der Bann war endgültig gebrochen. – –!Gehtoch mal einer rauf und holt \ *die Flüchtlinge her*, mochte der Rufer noch gemeint haben.

Doch Eine Stimme überdröhnte von der Kellertür=oben allen Lärm, schnitt auch den angefangnen Satz brutal ab: –!Händeweg von diesen Sachen. – Gewaltig u mit drohendem Hall wie das Fatum=selber: –!Händeweg. Das ist !Unrecht-Gut. !Niemand hat sich Daran zu vergreifen.

Im Gegensatz zu den einheimischen Landarbeitern waren die 5 auf dem Hof 1 quartierten Flüchtlinge während des Tags still in ihrer Kammer unterm Dach geblieben. Als das Rumoren und später die Schreie & das Johlen im Haus=unten losbrachen, hatten sie angstvoll aus der Kemenate sich herausgewagt, fürchtend, die Landarbeiter könnten die Flucht des Großbauern & das Verschwinden seiner übrigen Angehörigen dazu benutzen, Rache an ihm & seinem ergaunerten Besitz zu nehmen & das Anwesen kurzerhand in-Brand stekken..... Hanna und Maria waren sogleich hinaus auf den Hof und weiter vors Tor gerannt. Johanna dagegen stieg tiefer ins Haus und schließlich zur Quelle des Lärmens in den Keller hinab. Aufrecht, im schwarzen Kleid die Arme in die Hüften gestemmt u den Kopf mit dem glatten, im Nacken zum Knoten gerafften Silberhaar hoch erhoben, war sie, unbemerkt von allen Übrigen, in dem heimlichen Gelaß erschienen. –!Hände !weg. – Und ihr mondenes Haar schimmerte wie ein Helm.

49

Augenblix Schweigen im Keller, die johlenden Triumfaus-
brüche wie Flammen unter plötzlich herabgestürzter Wasser-
lawine erloschen. Und als sei sie im Zauber eines Bannspruchs,
auch die Frau in der Kittelschürze inmitten räucherduftenden
Wurstberges den 1 Arm mit der zum Greifen noch geöffneten
Hand & den Körper hinabgebogen zu der fettigbraunen
Halde, erstarrt. Nur eine Kette aus hellen Würsten um ihren
Hals schaukelte noch infolge der abrupt angehaltnen Bewegung u verriet, daß dies kein Steinbild der Unbekannten Ein-
brecherin sei.

Wieder war es der ältere Landarbeiter, dessen Stimme,
diesmal voll Empörung u Hohn, seine Kraft zurückbekam.
−?!Wollt ihr komischn Hungerleider vielleicht weiter bei eu-
rer jämmerlichn Ratzjon Pellkartoffln u Magermilchkwark
bleim − während hier=vor-euern-Augen − −& wenn ausm
Schla=Raffenland die gebratenen Gänse angeflong kommen,
dann macht ?!ihr wohl s Maul !zu, ?!wie − (beschleunigte
voller Wut 1 der Landarbeiter die Worte des Älteren) −?Oder
habter verlernt, wasses heißt: Mal-wieder-!satt-zu-essen-
ham.

−Das ist keine Frage des Sattwerdens, das ist eine Frage des
!Anstands. − Im Rücken der Schwarzen Frau war auch Hanna
erschienen, stellte sich u ihre Stimme nach vorn und neben
die ihrer Mutter. Im Schatten Hannas schließlich auch Maria;
über ihren weichen geröteten Wangen hing 1 Schleier Tränen
− vielleicht in nagender Trauer angesichts jenes Überflusses
im Räucheraroma vorstellbaren Sattseins u: im Wissen, selbst
ohne Ausweg 1gesperrt zu sein ins Gebot-der-Älteren zum
tantalischen Verzicht.....

Der jüngste der Landarbeiter, schon auf dem Sprung die
Stufen hinab, sich anschickend mit vollen Händen an den
Eßwaren sich zu bedienen, rief gerade: −Also das kann ja ne
!Sau grausen: soviel !Blöd − :Als im Rücken Aller durch das
Haus anschwellend und die Kellertreppe hinab über den
Steinboden stampfend Behördenschritte schlugen : Die Kom-
mission aus der Kreisstadt Birkheim zur Beschlagnahme der

hinterzogenen Güter. (Hanna, beim Erscheinen der Beamten am Tor, hatte ihnen den Weg-hierher in den Keller gewiesen.) Draußen, inmitten des morastigen Hofs, stellten die Beamten die polierten Holztische, die sie aus dem Gutsherrenzimmer rausgezerrt hatten, auf, die beschlagnahmten Eßwaren wie besiegte & getötete Feinde zur Zählung & zum Eintrag ins Protokoll aufzuhäufen. Mit zorngeschwollnen Mienen, die Münder voll halblauter Flüche (und sobald Niemand der Aufsicht habenden Beamten hersah, mit derben Remplern u Tritten gegen die Flüchtlinge, diese unsagbar dämlichen Katholiken), räumten die Landarbeiter weiter&weiter die Schatzkammern des Schwarzen Paradieses leer. Die Draußen im Glutlicht versinkenden Tags im Hof auf den Tischen sich häufenden Waren glichen mehr&mehr einem großen, ausgeweideten Tier, dessen Innereien unter den Händen roher Sezierer in hellen u dunklen Verschlingungen allmählich hervorbrachen (in den Ställen brüllend u rumorend das unversorgte Vieh, als lehne auch dieser Teil der Natur gegen den Vollzug einer so unfaßbaren Selbst=Demütigung sich auf). Je weiter das Tun fortschritt, die gesonderten Fleischteile sichtbar wurden, desto größer u deutlicher geriet auf den Tischen ein lebensvolles Wesen in den Zusammenhang seines Leibes, von einer besonderen schutzlosen Nacktheit, die an das unmittelbare Angebot zum Weiterlebenkönnen Sovieler gemahnte. Und die Lichtflut der untergehenden Sonne strömte von der Horizontlinie über flach ausgebreitete, widerstandslose Felder u Erde hin; und traf gegen die Stirnwand eines Stalls auf diesem Hof, goldfarben flammte der alte Lehm, als hätte ihn tatsächlich eine Feuerlohe ergriffen.

Johanna beteiligte sich nicht an der Aktion. Hochaufgerichtet stand sie neben dem Portal des Gutshauses, der unerbittliche Posten für Anstand & Gesetz, das schwarze Ausrufzeichen zum Gastrosophischen Imperativ: »Ernähre dich so, daß *der Zugriff auf dein Mahl jederzeit zugleich als Prinzip einer allgemeinen Tafel=Gesellschaft gelten könnte!*«, und überblickte das Treiben zu ihren Füßen im Hof.

Die zurzeit aktuellen Hüter der Gesetze hatten ihre Arbeit, das tabellarische Erfassen & Fortschaffen all der beschlagnahmten Waren, inzwischen beendet. Der Vorgesetzte dieser Abordnung, 1 noch junger, kleinwüchsiger Mann mit schmalem Gesicht, schüchternem Blondhaar & Nickelbrille, klappte energisch sein Tabellenbuch zu, verstaute es in der weiten, dunkelbraunen Lederjacke, die den hageren Oberkörper wie eine Speckschwarte umhüllte, & winkte die voll kaum verhohlener Wut mürrisch umherstehenden Landarbeiter sowie die Flüchtlinge Johanna Hanna u Maria, die soeben zusammen mit den anderen Vertriebenen, den beiden wortkargen Schlesiern, still u bescheiden wieder im Haus und der Dachbodenkammer verschwinden wollten, zu-sich an einen der Tische heran. Zu gleichen Teilen hatte der Mann vom paradiesischen Speisentisch 1iges der beschlagnahmten Waren abgeteilt – als Belohnung fürs Anzeigeerstatten, wie er sagte & das in seinen Akten vermerkt. Im Gänsemarsch ließ er zuerst die vor Zorn stummen Landarbeiter herbei, drückte jedem Bißchen Wurst, Eier, Schinken in die Hand &, weil er den Unmut der Leute sah, redete er laut das Gerücht, das bereits seit-Wochen übers Land sich verbreitet hatte: *demokratische Bodenreform – unnachgiebige & ausnahmslose Enteignung der reaktionären=Großgrundbesitzer – dem Beispiel der Sowjetunion folgend die Beseitigung der Grundlagen für Junkertum, Militarismus & Imperialismus – Bündnis von Arbeiterklasse u: Bauernschaft –* –!Jedem landarmen Bauern wird !eigener Boden zukommen & eigener Tierbestand. (Rief er den noch immer stummen, einstigen Pächtern des Großbauern zu, während das Vieh in den Ställen erneut zu mahnendem Gebrüll anhob.) –Also !kümmert euch um diesen Hof: er wird schon-!bald !euer Hof sein. – Wortlos & voll mit blindem Trotz nahmen derweil die Leute das Almosen in Empfang – der wirkliche Hunger-von-Heute fraß gegen die Versprechungen-für-Morgen, u Windböen zerrten am blauen, verschlissenen Drillich –

Nach ihnen trat Johanna gehorsam vor den hageren Mann – der hielt auch ihr die abgeteilte Ration entgegen (wobei

unschwer zu erkennen war, daß er das Grinsen sich verknei-
fen mußte bei !soviel Heroismus Uneigennutz u Stolz also
Dämlichkeit von dahergelaufnen Hungerleidern), und in den
Ernst hinein sich räuspernd dieser Beamte nur die Worte
zustande brachte: −Na Oma, nu machense sich maln schön
Eierkuchen von −, & ihr 5 Hühnereier entgegenstreckte. −
Johanna indes griff nicht zu. −Das ist u bleibt Unrecht Gut.....
− fingerte ihre Stimme beharrlich wie zum Gebet an den Per-
len vom Rosenkranz; und leise murmelnd: −Also ist es nicht
recht, davon so-ohne-weiteres zu nehmen.− Ihre alten Hände
brachten aus einem Tuch einige Geldscheine hervor, die sie
ohne Zittern ihrerseits dem verblüfften Beamten entgegenhielt. Und als der das Geld nicht anrührte, fragte sie unerschüttert, ob die Summe für 3 Rationen − ihre, Hannas &
Marias −, als Bezahlung vielleicht nicht ?ausreichend sei, und
bat um Vergebung, weil ihr die Lebensmittelpreise Heutzutag
nicht bekannt seien. − Der sprachlose Mann nickte daraufhin
nur 1igemale den Kopf so, als könne er damit vor seinen Augen
die düstere Erscheinung einer Wahn-Sinnigen auslöschen. −
Unbeeindruckt davon legte Johanna die Banknoten neben den
Arm des hageren Mannes nieder und strich sie mit ihren Händen auf dem von all den Räucherwaren fettigen Tischholz
glatt.− Hanna & Maria griffen rasch zu ihren abgeteilten Rationen − jeweils 1 Ring Schlackwurst, 1 Rollschinken, 200
Gramm Butter & 5 Hühnereier −, und huschten davon, die
enge Treppe hinauf unters Dach, in die Mägdekammer.

Während dieser Vorgänge, von Allen unbemerkt, hatte die
alte Bäuerin den Hof betreten. Sie war all-1 aus der Kreisstadt, in die Man sie am frühen Morgen zusammen mit ihrem
Enkelsohn & der Schwiegertochter zum-Verhör abgeholt
hatte, mit dem für diesen Tag letzten Zug hierher zurückgekehrt. Enkel & Schwiegertochter, hieß es später, mußten derweil in Birkheim noch in-Gewahrsam verbleiben. Als sie, Tage
später, wieder auf-Freienfuß gesetzt wurden, erzählte man,
wären sie auf kürzestem-Weg dem Alt-Bauern in die West-
zone gefolgt −.

Auf ihren schwarzlackierten Stock gestützt, war an diesem Abend die alte Frau den Weg vom drei Kilometer entfernten Dorfbahnhof Kuhfelde bis zum Gutshaus=hier, in viele kleine schmerzhafte Rheumatikerschritte zerstückt, gegangen –; was ihr bei der Rückkehr auf ihren Hof bevorstand, mochte sie ahnen. Johanna war die Einzige, die der etwa Gleichaltrigen sich zuwandte, den knochigen, vom mühsamen Gehen erhitzten Körper unterfaßte und die Frau ins Haus geleitete, immerfort ihren Spruch *Es ist Unrecht Gut Nein das ist nicht recht* vor-sich hinmurmelnd. Oben auf der Freitreppe zum Haus angekommen, drückte Johanna der alten Bäurin ihr soeben erkauftes Essenspaket, wortlos u energisch ohne Dulden zur Widerrede, in die magere Greisinnenhand. Niemand nahm Davon Notiz, die Abgeordneten aus der Kreisstadt hatten den alten Holzgaswagen mit den konfiszierten Gütern beladen & waren inzwischen vom Hof – :?!Wer mochte all-diese Waren eigentlich bekommen –. Mit solch unbeantwortbaren Überlegungen zerstreute sich langsam, voll grimmigen Verdachts, die mißmutige Schar Landarbeiter. Ins verblassende Abendlicht versenkt lag der Hof, die leeren, fettig schimmernden Tische dort wie ein nutzlos gewordnes Schafott, nur das Vieh-in-den-Ställen schrie u 1ige Hühner blaßhell im Hof durchscharrten weinerlich kakelnd den aufgewühlten Staub.

Derweil Hof u gesamtes Anwesen zusehens verfielen. Das helle Frühjahr trieb rasch die Saat aus den Feldern u rascher das Unkraut hoch, u: Niemand, der sich ausreichend darum kümmern wollte. Hin&wieder erschienen 1ige der früheren Pächter, versorgten notdürftig das in den Ställen verbliebene Vieh (Pferde Schweine & manche Kuh waren inzwischen verschwunden), um Alles=übrige sorgten sie sich nicht; die Bodenreform samt versprochener Land- & Güteraufteilung ließ noch immer auf-sich warten. Im Erdgeschoß des Gutshauses standen Tag&nacht Portale u Türen, aus den Angeln gerissen od mit zertrümmertem Holz, weitoffen – durchs ehemalige Herrenzimmer stakten die noch nicht gestohlenen Hühner & Gänse, nisteten in Schränken u in rausgezogenen & längst ausgeräumten Schubladen, die schweren Teppiche im einstigen Salon (die offenbar niemand hatte haben wolln) sogen Wasser und schimmelten, Parkettdielen warfen sich auf od: dienten, rausgerissen, als Feuerholz in manchem Bauern- haus. Ein Möbelstück nach dem anderen verschwand wie vordem das beste Vieh aus den Ställen übernacht, abge- schleppt von eilig huschenden, gespensterhaften Schatten –. Erst das Morgenlicht zeigte patzige Stiefelspuren von Men- schen sowie quer durch die Zimmer des Herrenhauses, die Stufen der Freitreppe hinab, nach-Draußen gescharrt & fort über Dielen & Fliesen die aufgerissenen Riefen von grob da- vongeschleiften Möbeln, wie helle Umrißzeichnungen von Ermordeten an einem Tatort. Jede Nacht eine Nacht für Diebe & Fledderer, und die Bodenreform blieb aus.

Die Kleinbauern im Dorf, mit den lauernden Blicken aus den Schießscharten ihrer Fenster, verfolgten währenddessen gespannt das weitere Geschehen auf dem einst mächtigen Gutshof. Der Ruf der noch immer dort hausenden Flücht- linge geriet zusehens u zuhörens schlechter – Niemandem entging, daß sie es waren, die – wenigstens zum Teil & so gut sies vermochten – die Felder des geflohnen Großbauern wei- terhin bestellten sowie um die alte Bäuerin & um das verblie- bene Vieh sich sorgten. Jeder wußte, sie taten derlei !kei- neswegs nur, um sich=selbst mit Nahrung am-Leben..... zu erhalten –.– Alsbald machte die Rede vom *Sicheinnisten* im- Dorf die Runde u auch, daß diese Flüchtlinge, !besonders die 3 Weiber aus dem Sudetenland, die auf-den-1.-Blick seiner- zeit so kreuz=dämlich sich aufgeführt hatten angesichts all der aufgefundenen Eßwaren-im-Gutshaus, wiederum so däm- lich gar nicht sein mochten; schienen sie doch, im wahrsten Sinn, mit der Wurst nach der Speckseite zu zielen.– Die Dörf- ler also begegneten diesen 3 Flüchtlingsfrauen, die übrigens kaum im Dorf=bei-den-Leuten sich zeigten, bei den oh- nehin spärlichen Begegnungen mit größtem Argwohn u offener Unfreundlichkeit. Nicht lange und das seltsame Verhalten der Fremden rief weitere üble Nachrede & andere, kaum versteckte Böswilligkeiten hervor. So ließ Man die Frauen, die zuweilen Lebensmittel od: Medizin für die immer stärker hustende alte Frau auf anderen Gehöften erwerben mußten, selten nur mit Bargeld zahlen, dafür übervorteilte Man sie unverhohlen durch den Zwang zum Zahlen mit Schmuck & Wertgegenständen (die Johanna, neben den fettigen Bündeln Reichsmark, seinerzeit aus der-Heimat herausgeschmuggelt haben mußte). Die 3 Flüchtlingsfrauen aber quittierten derlei Boshaftigkeiten stets ohne Widerwort, bereitwillig u gott=ergeben; was die Dörfler nur zu weiteren Gehässigkeiten aufstachelte. : Die 3 wollten offenkundig von-Anfang-an, seit der 1. Stunde ihrer Ankunft=hier, sich zurückziehen, am liebsten klein sich machen, kleiner als der kleinste Käfer vor lauter Demut u Gewissensangst; wollten auf Nichts u Niemanden hier sich einlassen. ?Wozu auch (mochten die sich denken), denn das=hier ist ja nur vorübergehend, ist nur Provisorium, und schon Bald – vielleicht schon gleich=Morgen – gehts wieder zurück, in *die-!Heimat.* !Ja, *die-!Heimat* ist unser !wahres=!einziges Zuhause (so gewiß die Überzeugung dieser Flüchtlinge mit aller Überheblichkeit u Arroganz der Demütigen). ?Wozu also sich einlassen auf provisorische Menschen in 1 provisorischen Kuhbläke wie diesem Dorf. Selbst=genügsam wie Raupen verhielten sich diese Flüchtlinge, dazu von unverstelltem, scheinbar durch nichts zu brechendem Stolz u von 1=jeglichen Menschen Bescheidenheit überschreitendes Maß an Gesittung durchdrungen, so daß jede 1zelne der 3 Hungerleider dem hl. Franz vollauf Ehre gemacht hätte – :!Soviel Anstand ist !unanständig. Irgendwo !muß bei deren Gehabe doch der menschliche Haken sein – von ihren Flüchtlingslumpen abgesehn, schauen sie doch wie Menschen aus – :?!Wo ist bei solchen Menschen das-Menschliche.....

Und als die-Leute-im-Dorf schließlich rausbekamen, daß die vielleicht schon nicht mehr ganz-bei-Trost seiende Alt-

bäurin an ebendiese Flüchtlinge das ihr noch verbliebene
Hab&gut – Möbel Kleidung Stoffe Tafelsilber & Schmuck
(:!daher also deren Zahlungsmittel im Dorf); sämtlich in der
oberen Etage des Herrenhauses noch vorhandene Sachen,
weil bis Dorthin die Plünderer aus diesem Dorf & aus den
Dörfern-ringsum bislang nicht sich vorgewagt hatten –, all
diese Wertsachen also freigebig 1fach verschenkte, fanden sie
– gewiß beinah erleichtert – aus dem Alfabet-des-Lebenwol-
lens: Arschkriechen Betrügen Chauvinismus Diebstahl Faul-
heit Geilheit, über Raffsucht Schweinkram Treuebruch, hin
bis Z wie Züchtigung – den für diese Fremdlinge offenbar
passenden Buchstaben heraus: E wie Erbschleicher.– Denn
man tut den-Menschen großes Unrecht an, mißt man sie mit
anderem Gewicht als mit dem für Menschen angemessnen.
?!Was scherts das Schwein, obs eine Eiche ist, an der sichs
kratzt –.– Vielleicht sogar hatten Die mit dem geflohnen
Bauern-im-Westen noch Verbindung, hofften auf dessen
Rückkehr & somit auf reiche Belohnung für ihr Kriecher-
tum, weil sie Ihm die-Stellung & Treue gehalten hatten.
*?Wer!weiß: ?Vielleicht kommts ja Alles doch wieder anders.....*
(Denn die Bodenreform samt versprochener Land&güterauf-
teilung ließ auf-sich warten.) *Wir habens von-Anfang=an !ge-
wußt: Die habens !faustdick hinter den Ohren. Katholen..... is eben
nich zu traun, während ihnen Alles zuzutrauen ist.*
    Als eines Mittags – die Sonne ein glühender Gong im
Himmelsweiß, ihr Licht schlug grell u von Hitze schwer auf
das Land wie ein zeitlos hallender Bronzeton – Hanna und
Maria vom Feld zum Gutshof zurückkehrten, fiel ihnen
schon von-weitem im Dachbodenfenster die Gestalt der alten
Bäuerin auf, die dort, in den Fensterrahmen gestellt wie 1
Skulptur, reglos u aufrecht, als blickte sie unablässig & streng
den beiden Frauen entgegen. Dann, im Näherkommen, schrie
Maria plötzlich auf: sie hatte die sacht pendelnde Bewegung
des dürren alten Frauenleibs bemerkt u das straffe Seil, das
hinter dem Kopf der Frau zum Fensterbalken hinauf sich
spannte –.– Und die Aufregung fuhr ins Dorf hinein wie

heiße Sturmböen in lichte Spreuhaufen, als kurz nach Entdeckung des Selbstmords der alten Bäuerin die Dorfstraße entlang, benzinbellend & knatternd, Lastwagen & Motorräder wiederum eine Abordnung aus Birkheim herbrachten: Dieses Mal, rief es, ist Die-!Bodenreform !endlich auch Hierher gekommen & Alle kriegen !eigenes=Land. – Die Schießschartenfenster sprangen auf – Männerfrauenkinder rannten die Dorfstraße hinab, Geschrei Hundebellen und der Staub von aufgerührten Menschen legte sich über die Stimmen –.

Und wieder war der ehemalige Gutshof Mittelpunkt zu diesem Geschehen: Wie in einem Heerlager vor dem Befehl zum Angriff verteilten die-Abgeordneten-aus-der-Stadt vom offenen Lastwagen herunter an die Bauern-aus-dem-Dorf Spaten Seile & die aufgespreiteten Zirkelhölzer zur Landabmessung –: alles Ackerland, jede Weide & sämtliche Wälder über 100 Hektar fielen unter hölzernen Spagatschritten der Verteilung zu – später wurden aus 1 Filzmütze Lose gezogen, wem welches der abgemessenen Landstücke in-Zukunft..... gehören sollte. – Der Tod der alten Bäuerin, vor noch keinem ½-Tag geschehn, schien längst vergessen hier im Dorf. Unbeachtet vom Geschäft's Getümmel im staubzerwühlten Gutshof hatte man einstweilen den Leichnam auf dem 1 Tisch, der noch vom Tag der Beschlagnahme der gefundenen Eßwaren auf dem Hof zurückgeblieben war, niedergelegt (die übrigen Tische verschwunden & gewiß längst zu Feuerholz zerhackt. Diesen 1 hatte das Winterende und der Beginn des Frühjahrs bewahrt). Einzig Johanna in ihrem schwarzen Kleid hielt am Kopfende die Totenwache, verscheuchte so gut sie konnte Fliegen Spott u Hunde..... Der Tisch mit den aufgebahrten toten Bäuerin war abseits gerückt, als wäre das von Windsonneregen inzwischen aufgeworfne Furnier u darunter das schimmlig-faulende Holz auf seinen wassersüchtigen 4 Beinen von-selber einsichtsvoll=bescheiden irgendwann aus der Mitte des Lebens in den Schatten, zu Unrat u vergärendem Mist neben die leere Hundehütte in 1 Winkel des Hofes, gestakt. Erst spät am Abend, nachdem so unauffällig wie die

Tote selbst, der Amtsarzt erschienen & den Totenschein aus-
gestellt hatte, schafften die-Leute aus der Kreisstadt den
Leichnam fort, luden die Tote auf einen der offenen Lastwa-
gen, mit denen am selben Tag beim grellen Gongschlag zur
Mittagsstunde Die-Bodenreform hierher nach Schieben ge-
kommen war. Ein Tag im Gewirre grauer diensteifriger
Schritte & Lichter im Staub um den Abend –, und am andern
Morgen waren sie nicht mehr da.

Wenige Tage später luden Lastwagen am Dorfrand Ziegel-
steinhaufen ab – in Nachbarorten hatte man Guts- & Bürgerhäuser eingerissen, um Baumaterial für Neubauern-Häuser
zu beschaffen; & Steineklopfen, mörteliger Herzton nach
dem-Krieg, hämmerte nun hier=im Dorf.

Natürlich dachte Man auch an die Flüchtlinge. Aber: Den
3 Frauen aus dem Sudetenland soll !kein Grund&boden zu-
stehn, riefen etliche Stimmen gehässig, niemand will Die hier
im Dorf als Neubauern sehn. (Die 3 Frauen schwiegen zu
diesen Stimmen.) Als Man jedoch ans einstige Gut der alten
Bäuerin wollte, wies Johanna – dunkel aufrecht u wortlos –
den Beamten das Schriftstück, voll mit rheumatisch verzitter-
ten Worten, doch in deutlich lesbaren Zügen geschrieben &
notariell beglaubigt, die einst von der alten Bäuerin verfaßte
Schenkungsurkunde vor –; niemand konnte dagegen etwas
einwenden. Auf die Zuteilung von Ackergrund & Vieh ver-
zichteten die 3 Frauen von-selbst. Also ließ Man ihnen wenigstens die Sachen der alten Bäuerin u damit auch das Recht,
unterm Dach im ehemaligen Gutshaus zu bleiben was sie
waren, während einstweilen ihre Dienstherren gewechselt
hatten. In-Zukunft, hieß es, solle ihre Arbeit-auf-dem-An-
wesen !ordnungsgemäß bezahlt werden; die Zeiten der Fron
seien ab-Heute !vorbei.

Schon wollten die 3 Frauen sich damit zufriedengeben und
für noch Längerezeit auf dem Hof in ihrer Dachkammer sich
1richten (die beiden Schlesier hatten Land erhalten & waren
ausgezogen), als im staubsatten Abendlicht am selben Tag 1
Fremder auf dem Gutshof in Schieben 1traf, leise die Dorf-

leute nach Hanna fragend –: Man wies ihm argwöhnisch deren Unterkunft. Der Fremde (Heimkehrer aus sowjetischer Kriegsgefangenschaft, auf seinem Weg nach Osterburg) übergab Hanna 1 Zettel, aus Reitzenhain die Nachricht von ihrer !Tochter. : Also nur 1 Mal noch würde Hanna Dorthin fahren müssen –. –Gleich morgen=früh.

Voller Aufregung lief sie in der engen Kammer umher, raffte Sachen für die Reise zusammen. Von Johanna erhielt sie einige der Scheine 𝕽𝖊𝖎𝖈𝖍𝖘𝖒𝖆𝖗𝖐 (so schmutzig & abgegriffen, daß sie in den Fingern statt an Papier an speckige Topflappen erinnerten) für die Fahrkarten zur letzten, nicht länger vergeblichen Reise an die tschechische Grenze. (Wehmütig, doch ohne 1 Wort, dachten die 3 Frauen an Komotau=die-Heimat, so nahegelegen Dort u: so weit entfernt –.) –!Diese Nachricht schickt uns Der-HErr grad zur rechten=Zeit. – Überspielte Hanna laut die trüb=seligen Gedanken. –Denn von=nun-ab muß Es auch für uns !anders werden. Wo wir bald zusammensind und das Kind wieder zur Schule kann. Bevor ich noch nach Reitzenhain fahre (sagte Hanna bestimmend, während sie für die Bahnfahrt=morgen-in-Allerfrühe das dunkle Reisekostüm ausbürstete, jenen alten Stoff in Grau&schwarz, gewissermaßen die Familienfarbe), –werd ich in Birkheim sehn, ob ich wieder bei der-Bahn Arbeit kriege. Wir brauchen eigen verdientes Geld-in-Händen. (Denn *Heimat* ist teuer geworden & teurer der Weg Dorthin.) –Dann ziehen wir !fort von=hier. Wir sind schließlich keine Bauern u: Mägde erst recht nicht. Jetzt, wo die alte Bäurin tot ist – (sie u die anderen beiden Frauen bekreuzigten sich rasch) – –gibts keinen Grund, länger hier zu bleiben & uns rumschubsen zu lassen wie Vieh. – Setzte sie voll neu erwachtem Stolz hinzu. –Das Kind, wenn es wieder bei=uns ist, braucht ein !richtiges Zuhause, fürs 1. in Birkheim. Wir müssen zusammenbleiben. Dürfen uns nicht mehr verlieren. Damit, wenn Es soweit ist, wir=alle !end=!gültig wieder Dorthin zurück-können, wohin wir gehören: in *unsere-!Heimat* – –

## 8

Rauch im Erzgebirge in der Talschaft über dem kleinen Ort Reitzenhain; eine Hülle aus glasiger Stickluft. Als würden die Lazarette & Obdachlosenasyle ihre warmen Miasmen hier=hinein ausstoßen – das Fleisch von schmutzigen Menschen, zusammengetrieben & ausgehängt in diesen 2geteilten Ort = halb deutsch, halb tschechisch – voll mit großmäuligen Brocken Gelärme Dialekte-Ragout, grobsehniges Brüllgemansche, immer fleischwärts zielend; Bahnhof Kirche Hotel, Kopfsteinpflaster überschwemmt von schmieriger Abzucht; !Handelszeit – !Paarungszeit – die Nackten & das Geld – raschelnde Stoffe & raschelndes Papier : an Bäumen Mauern Zäunen Zettel mit Namennamennamen – der Wind geht mit heiserem Flüstern umher nach Vermißten Verschollnen Flüchtlingen, nach allem was vertrieben ist & verloren –, Rascheln Knistern auf huschenden Pfoten – !Ratten – Ströme sprudelig & grau in langen Strahlen von der Erde plötzlich ausgespieen, von einem Gemäuerloch zum andern – und verschwunden. Nur ins Gehör hin1gebohrt dies fiepige Pfeifen, gemein fordernd & voll verlogener Angst. Sie machen sich her über Alles, auch über Zettel u Papiere, und so manche Hoffnung von den Ratten gefressen. Fleischerzeuger & Fleischvertilger – Gelächter wie Fettaugen schwimmend auf öligen Lachen Schnaps – sauer sticht Erbrochenes in den leimigen Dunst –, und die Köter fallen drüberher, schlappen den Kotter aus der Gosse –, Abströme Zuströme, Menschen Schiffbruch im Sturm, kommen sich sämtlich in die Quere, niemand gibt nach, keiner macht dem andern Platz – alles wirft sich her & ein:ander entgegen – man kollert bölkt rempelt sich um, dann kwätscht man sich zusammen !Dorthin wo Töpfe rauchen wos !Fressen gibt – die Fähnchen auf dem Bahnhofsvorplatz: Die Erste Adresse am Ort: Chez La Croix-Rouge –:die Rote-Kreuz-Kesselschlacht um Wurstgesupp geiläugig u fett, und Kräutertee, pottheiß u gütevoll den Magen füllend –:– Fäuste gegen Rippen, Dürrwanst gegen

Dürrwanst, dreckige Finger bohren in Aughöhlen –, Mäuler weit=auf Gesichter ausgehärtet schründig, als würden Mauern einander verfluchen, u wie in einem zitterigen Traumbild inmitten glasweißer Luft reicht 1 Arm langsam ein Stück Brot von 1 Mensch zum Andern –, aber der Schemen verblaßt und schwindet –. Drüberhin schieben sich Pferdefuhrwerke Leiterwagen klapperig & schwankend, bepackt mit Gerümpel, nasse Matratzen in scheußlich verblichnem Blau auf denen Menschen gelegen u geblutet haben – große rostfarbne Flecken, die Schatten einstigen Lebens..... & neben den Vetteln unter Kopftüchern die abgehagerten Griebsvisagen hervorstarrend wie aus zerstürzten Kellerlöchern böse & lauernd, & überall Gören, wie Graupen über den Stein geschüttet – in Häusernischen auf wurmzerstochnen nassverquollnen Möbelhaufen, in1andergeklammert pennend od still=diebisch wachsam die kleinen Wieselaugen voll Glut, die Finger zu Tatzen gekrallt, Kinder ohne Kinderzeit, Lumpenkreuzzügler, aus den kleinen Mäulern Schimpfworte wie rotznasse groteske Ungeheuer, Landserflüche Nuttengekeif mit peepsigen Stimmen, die so recht noch nicht sich fügen wollen dem grobschlächtigen Viehzeug aus Wörtern –, lattendürre Gestalten flatterich umhüllt von Altmänner&fraunklamotten, die dünnen Kwarkbeine stakend, unten klobige Schuhe od Lappen&filz, schwere Gewichte die am Boden halten, auf der Erde bei ihren lumpigen Alten im Dreck – sonst ?vielleicht würden sie fliegen – fliegen – Fliegen in böse summendem Gestöber aus Mühsal Urin Gier u Verlassenheit herfallend über all=das brandig schorfige Gefetze–&wieder Beschimpfungen Flüche blechbellig dahergescheppert im schartigen Diskant, die Alten die Jungen, die Nochgesunden die Schonkranken, mit langen triefigen Augen lassen sie nicht von1ander & klauen selbst was angewachsen war: Weil der Rubinring sich nicht abstreifen ließ, wurde einer Frau im Schlaf der Finger abgebrochen – *krax* – als würd 1 Hühnerbein tranchiert; Solidarität, Froint, gibts nur im Brockhaus: irgendwo zwischen Scheiße und Syphillis; Fleischerzeuger &

Fleischvertilger schwärmen aus ins Umland, in andere Täler zu Gehöften, die Bauern machen die Hunde los, aber die Heimatlosen in Überzahl, kommen immer aufs neu, tag&nacht, *1 Mal Flüchtling immer Flüchtling*; manchmal werden die Hunde abgefangen, aufgeschlitzt, zerschnitten, die Brocken Fleisch verschwinden in blutigen Fäusten – die Töpfe rauchen, was lebt will fressen & sich paaren – & handeln schieben klauen schmuggeln, Koffer Taschen giermäulig offen, Hosen Röcke runter hoch & hastig –; !A & überall das-Zeichen-des-Kreuzes, aus Holz aus Eisen aus Stein & mit tatterigen Händen in die Stickluft geschlagen, die Faulmünder voll Kristi Namen – beim Ficken & Krepieren is Gott populär wien Ufa-Star – u nach Dem Krieg wieder die Stunde der Wa(h)ren Menschen, die Uhren ticken, vom Kirchturm prallt es erzen herab –: Es stinkt, u beinahe stärker als verdorbnes Fressen Fieber u Latrine, auch in diesem Heerlager der Angeschwemmten, nach Segen-des-Friedens..... in den 1. Tagen dieser Noienzeit. Die dem-Menschen 1zig glückende Revolution – das Kotzen. Und GOttderherr ist immer auf Seiten der Sieger.....

Auf ihren Streifzügen-für-Nahrung weg von Reitzenhain (hier, außer der gelegentlichen Schöpfkelle vom Roten-Kreuz, war jeder Bissen fast unerschwinglich geworden) hinaus ins Umland, begegnete Anna *dem Jungen* schon mehrere Male. Schien, er hatte die gleichen Wege für die gleiche Zeit sich ausgesucht. ?Od: stieg er ihr ?!hinterher; ver?!folgte er sie; ?lauerte der Kerl ihr !auf..... :!Soviele Zufall's Begegnungen sind ein paar Zufälle zuviel – –

Stromsperren waren täglich über mehrere Stunden hinweg, nachts immer. In den Ort in die Häuser u die Zimmer hinein stürzte dann zur nächtlichen Dunkelheit noch eine besondere Finsterness, als würde eine Dunkelheitsmaschine dies stumpfe Schwarz erzeugen, etwas von Anbeginn jenseits allen Lichts Gelegene, etwas technisch Nächtiges..... darin die Echos des Kriegs widerhallten –. Anna empfand in diesen Stromsperren das behördlich Verordnete, gleichsam die Dumpfluft der Amtsstuben, jene Stickigkeit, die weder Kriege noch Bomben-u-Feuer je aus den Büros=verbrennen konnte. Und alles Gelärm in der Ortschaft sank dann insich zusammen, bedämpft zum heuchlerischen Flüstern, während das Schurren & Rascheln in den Gassen umherhuschender Schatten die Bedrohlichkeit von Menschen erhielt – im Sonnenlicht sind alle Menschen flach u klar, erst in Finsternis werden Menschen & ihre Begierden unverstellt u wirklich..... – Heutnacht war es *sein* Geruch, der das enge Zimmer unterm Dach im Gasthof ausfüllte. Ein fremder Geruch mit 1 Spur Grauen durchmischt, was Anna faszinierte: Aus den alten, viel zu lange getragenen & vom Schweiß vielstündiger Mühen beim Nahrungstehlen durchtränkten Woll&filzkleidern erstand jener andere, frische Lebensgeruch, der, offenbar unberührt geblieben von aller Bissigkeit & kalkigem Lebensausbrand, Anna den Fellgeruch von jungen Hunden erinnern ließ. Die ersten Nachtstunden waren ohne Wolken, irgendwo über den Häusergiebeln der Mond – 1 Widerschein seines kalten farblosen Lichts auch hier unterm Dach, riß Möbelkanten Tisch Bett Schrank aus der Stromsperrenacht, ließ das gesprungene angeschlagne Emaille im Waschlavoir matt erglänzen, in der engen Kammer, die der Wirt Anna überlassen hatte. Und das mit jenen=gewissen hinter-Gedanken: –*Müßt !eichntlich für 3 zuweisen Mejdchän*, hatte der Wirt fettzüngig verkündet. –*Sone !scheene Kammer, nur weil !dus bist. Wenn der Umsiedler-Obmann=im-Rathaus !Das erfährt: daß ich n Quartierfür-3 nur an 1 abgehm tu* – :& mimte Verschwörung, & hielt die rübige Pfote auf, nahm im Voraus von Anna die Miete für 3. Sein Vorwand für den abendlichen Aufstieg die Himmelsleiter=hinan: Er schaffte, 1zeln & Abend-für-Abend, Blechtasse, Teller, Messer, Gabel, Löffel, das Besteck aus Zink, dann 1 Topf zu Anna hinauf – seine roten Derbhände umschlossen das Blech als wärs der Heiligegral – wartend drehten seine Finger an der Kammertür das Garn der Verlegenheit (während aus den Rissen in seiner Jacke & aus dem offenen

Hosenstall Schweißwolken in den engen Raum reindampf-
ten.....) −D-damge, würgten Annas Lippen. Er war danach
stets schnaufend & latschenschlappend wieder treppab, und
plierte von−Unten immer nochmal zurück, in den Suffaugen
schwimmend hündische Erwartung. Im−Ort erzählte man,
seine Frau läge seit Zigjahren krank u nörgelig im Bett, über-
wache indes mit dem Radar 1 Fledermaus alle Schritte ihres
Mannes (besonders jene nach Schankschluß hinauf unters
Dach −); er habe, hieß es weiter, indem er zu−Hitler's−Zeiten
das Gerücht verstreute, seine Frau sei nicht−ganz−richtig−im-
Kopf, alle Mühe sich gegeben, die Frau den−Krieg in Einer-
Anstalt nicht überleben zu lassen. Sie hatte ihn überlebt, den
einen Krieg, u: er auch, & so ging dieser beider Lebens=Krieg
mit seinen verborgenen Alltags=Schlachten weiter.− Manchmal knarrten die Treppenstufen zu Annas Kammer, die Die-
lenbretter, dann Schritte schwer & golemfest, verharrten zö-
gerlich vor der dünnen Brettertür; und: Atempfiffe als fiepten
Ratten dort=draußen; Schattenkloben dicker Schuhe zertraten den hellen Schimmer unterm Türritz − ein Tritt & Eintritt wäre passiert −;− Anna u der Junge hielten die Luft=an,
stellten sich abwesend; die Kammer summte täuschend Leere
−.− Dann knarrten die Schritte wieder treppab, davon.

−Wenner dich hier erwischt, fliegen wir beide raus − (flüsterte Anna) −er hatte mir ausdrücklich eingeschärft: !Kaine
Härränbäsuche, und: Mein Haus iest schließlich kain !Puuf − :
−!Schließlich is gut.− Der Junge lachte auf, erschrocken sprang
Anna hoch, hielt ihm den Mund zu, so berührten sie einander
zum 1. Mal. : Und verharrten, als setzte 1 Bann ihre beiden
Leiber fest. Mit einemmal wollte Anna diese enge Kammer
unterm Dach, allem draußlärmigen Getöse dem Sausen Fluten & den schwarzen Pfiffen enthoben, selbst als eine Umar-
mung erscheinen −. Etwas das nur !ihr=in−Diesemaugenblick
geschah. Im winzigen Raum unter den Dachsparren klamm
eingenistet noch schwere Lumpen Winternässe, doch gut
dunkel u mild im Ticken des Weckers auf dem Tisch, der
erregte Herz-Leben's-Schlag −, −, menschenstiller Flecken

Welt, voller Aug=u=Atemhände, und weit=offen allem Berühren – –

Sie fanden sich und tastend hastvoll Arm&fingergewirre
über beider Haut – 2 Münder flüsterten und bissen mit straf-
fen Lippen=Paaren in1ander zum Kuß –, *Du Armer* dachten
ihre Fingerspitzen, als sie über schmale Schultern – Rippen-
bretter – Rückgratsäge abwärts glitten –, u wußten sich auch
in !diesem Hunger gleich. Die Kleiderhüllen störten –
!wekkdamitt. Und nach den Händen packten beider Augen
zu : nahe und näher – *Komm* und *Komm sei vorsichtig* – *!hschsch*
*– nich so grobb – dumusdas dseerdlicher machn vielviel dseerdlicher*
*weisdu – schsch-h-, nichsoschnell, du mu – mußd, mußd vor, mußd*
*vor=Allem vor – h – !hh – si!h – chtich,* dumußt-!aufpassn-?ja – :
Aber seine Stimme schon so rasch voll Rauh u Nacht, und 1
Fetzen Atemheiß aus seinem Mund über ihre Wange den
Hals hinab –. Die Kammer-unterm-Dach mondfarben u um
keine Spur anders: *Danach.*

Nur Augen Blicke hielten länger in1ander fest. Leibanleib,
die feuchte Haut auf ihren Bäuchen geilte schmatzend 1sil-
benflüsterlaute, Haargeringel zwirnte zwischen Lippen u
Fingergitter – ihr strenggeflochtener dunkelblonder Zopf
schlang auf dem Kissen davon – *Anna Konda,* zündelte er insgeheim mit dem Kalauer in der Dunkelstille –, 1 Rinnsal
Warmes, sie dachte dabei ans Buchstabieren: *!so-also-ist-Das*
*ohne Lagernacht.....* Anna belauschte die eigenen Gedanken-
worte, roch aus Winterklamm als wärens erwärmte Früchte
Fleischiges von Mann-u-Frau, die rotenschweren Düfte, und
tunkte heimlich die Fingerspitze in den Bauchnabelsee –:
*Nun hab ich Das auch !anders erlebt –. –?*Hast du schon: Er-Fahrung – (hatte er vorhin geflüstert). Anna war still geblieben,
nur ihren Leib durchzuckte die Antwort: *Meine Er-Fahrung*
*heißen Nächte im Arbeitslager.* Aber !wer ?versteht schon die
Sprache eines Leibs. Ein Atmen hob und senkte die Brüste
*Hch-jaa so ist Das –,* dann Leibanleib reglos liegend in Kam-
mer=Geborgenheit.

Und Flüsterscherben. Anna bewegte die Zehen, starrte im

Finstern auf ihre hellschimmernden Füße. –Die habich von meiner Mutter. Richtige Kwadratlatscher. – Der Junge-neben-ihr atmete hügelan hügelab. Anna inspizierte weiter ihren Körper. –Magst du meine Brüste. – Frag=forderte sie mit sachlich prüfender Stimme & drückte sie mit ihren Händen gegeneinander. Der Junge nickte eifrig das Dunkel nieder, schluckte, aber sie schaute gar nicht zu ihm hin, während Draußen die Nachtgeräusche des ins Stromlos 1gesperrten Orts geschäftelten, rauchig schnoben, zärrten, & Hunde boxten wütend mit schütterem Gebell.

In diese Stunden einer Nacht kehrte endlich der Sommer ein – und sobald die Dunkelheits-Geschäfte ruhten, drang hörbar aus den Wäldern heraus das Knispeln u Wischeln das Knistern u Prasseln der sich rekelnden Natur –, etwas Lebendiges nahm von der Finsterness Besitz, von jenen Jahren aus Eisen..... Der Himmel bezog, verwischte den Mond, nahm die Sterne aus dem kleinen Dachfenster fort, ein schweres Seufzen hob die Nacht, und gleich darauf, aus lauen Wolken, stellte sich ein dunkler Regen auf die Stadt. –

Anna, nackt, blecherte an dem kleinen Waschlavoir, zersplitterte das kalte Wasserrund zu schwappenden Scherben (*Das* war schon geronnen u spannte auf der Bauchhaut wie Schorf), sie wusch Bauch & Schenkel, bleich gebeugte Hieroglühfe vor spitzwinkliger Kammerdunkelwand. Schüttete dann das Wasser in den Eimer (der müßte Morgen=früh runter zum Ausguß neben dem Schankraum, dort wieder fett&äugend der Herr Wirt), und schlüpfte zurück ins Bett, unter die dünne Decke, zu ihm –

–Wir solltn zusammenbleim. – Hörte sie die Lippen neben ihrem Ohr. Und weiter: –Du bist gut im Organisieren. Seit wir gemeinsam losziehn, ham wir keinen schlechten Umsatz gemacht. – Sie hatten, seit sie vor-Tagen ein:ander immerwieder begegnet waren, schließlich sich zusammengetan & in den kleineren, auch weiter entfernten Ortschaften u Gehöften, Lebensmittel gegen andere Waren & umgekehrt, je nach Bedarf, eingetauscht, manches auch kurzerhand gestohlen;

die Waren hatten sie von Flüchtlingen gegen Lebensmittel erhandelt, diese wiederum gegen Waren-auf-dem-Schwarzmarkt gleich hinterm Bahnhof umgesetzt. Aber ?wielange würde Das noch so weitergehn können –.

–Was meinstu – (noch einmal sein angeregtes Flüstern) –vielleicht solltn wir auch mal rüber-ins-Tschechische. Duweißtoch: Noch nich alle Häuser der Ex-Deutschen sind schon wieder bezogen. Die stehn jetz !leer: Stelldirvor, wasses !Da zu holen gibt. (Die Decke raschelte krämern aufgeregt) –Hab auch Verbindung zun Russen bekomm: Die verscherbeln sogar !Waffen. Aber nur gegen !Dollars. Son Krieg läßt Unmengen Waffen übrig. Waffen überdauern Jedenkrieg für den nächsten. Und weil ich Das nich ändern kann, will ich wenigstens dran verdienen. Es heißt, die-Amis wolln demnächst Alliiertengeld rausgeben, neu gedruckte Scheine & nur für die West-Zonen. Aber besser ist&bleibt Richtiges Geld: !Dollars. Dazu müssen wir nach Bayern. Und dann ziehn wir das-Geschäft Ganzgroß auf – wir !beide. !Stell dir vor, Was wir !verdienen könnten – (& mit großäugiger Stimme:) –?Na: ?!Was sagstu –

*Er ist n Großerjunge*, dachte sie mit einemmal voll dunklem Ernst. *Nichts als n kleiner Großerjunge, der vom Abenteuer träumt* – und wollte mit ihrer Hand durch sein Haar streichen: Da stießen ihre Finger auf Filziges aus Stoff: –Duhastja – deine !Mütze aufbehalten. Die Ganzezeit, auch vorhin: du, mitter !Mütze aufm – :Ihr Mund war hell u voller Lachen, und ihre Stimme verrollte zu kleinen Wellen am nächtlichen Frauenufer (*wirklich ein !Großer, Junge*). Sein zerknitterter Mund ärgerte Gebrumm: –Könntja sein dass-Mann schnell auf&davon muß – :*1 Mal Flüchtling, immer Flüchtling.* – Das Gelächter verstrich.

Tonlos geworden glitt ihre Stimme ins Dunkel: –Ich werd nich hierbleiben, werd auch mit dir nich gehn können. Heutmorgen, beim Organisieren, hab ich nen Heimkehrer aus Osterburg getroffen – der will von hier gleich weiter, wie er sagte, zurück nachhaus. Osterburg, das is ganzindernähe von dem Kaff, wo meine Mutter jetz ist. Und da hab ich ihm Nachricht gegeben an sie; hab ihr ausrichten lassen, daß ich Hier bin u daß ich Hier auf sie warten werd. Sie wird noch einmal herkommen, wie schon oft zuvor. !Diesmal aber wird sie mich Hier antreffen und mich abholen. Dann werd ich fortgehn müssen mit ihr. Hätten wir uns nur 1 Tag früher getroffen − −?Du hastnoch ne ?!RICHTIGE-FAMILIE, fragte *der Junge* ungläubig ins Regenrauschen: −Seid ihr noch am-?Leben. Meine Alten sind tot. Dresden..... − Anna begann zu erzählen.

−Mein Vater hieß Václav, zu deutsch Wenzel, und is gestorben als ich 12 war. Aber ich kann mich !genau an ihn erinnern: Eisengraue Haarstoppeln auf nem kantigen Schädl − seine gesamte=Erscheinung wirkte viereckig, als wär er selber n Eisenblock. Er war Offizier bei den Ka-&-Kas in Wien, wegen ner Palast-Rewolutzjon Siebzehnachtzehn, an der er als kleines Licht beteiligt war, hatte Man ihn strafversetzt nach Böhmen, wo er herkam. Dort hatte er dann meine Mutter kennengelernt. Der Mann war beinahe Fümmunzwanzichjahre älter; sie war Ihm vollkommen untertan. Meine Mutter hat ihn *ihren Göte* genannt, diesen Scheißkerl, bloß weiler zu Weihnachten immer aus nem Buch Gedichte vorlas &, soferns ihm in den Kram paßte, aus Göte's *Maximen* zitierte. Die Frau muß dem Manne dienen − das stand für meine Mutter fest wie Die-10-Gebote. Seine letzten zehn Jahre allerdings mußte er im Rollstuhl sitzn − Schlaganfall, konnt nich mehr ohne fremde Hilfe laufen. !Das war eine Strafe: Zeitlebens war er leidenschaftlich Wanderer & Bergsteiger gewesen − fortan mußte meine Mutter ihn mit dem Rollstuhl durch die Gegend karriolen: Berge rauf, Berge runter − !solch nen !Brocken Mann..... in dem schweren Monstrum von Rollstuhl. Aber Er=Vater blieb !unerbittlich: Jeden Sonntag, den Gott werden ließ, diese Bergtuhren im Rollstuhl..... Dabei hat sich meine Mutter das Rückgrat ruiniert u die

Hüfte. Aber kein Wort der Klage von ihr. Bis zu Seinem Tod nicht. Und damit nich genug. Sie als !Jungefrau – sie war erst Anfang 20 als sie mit dem Altenkracher verheiratet wurde, hielt sich nicht etwa heimlich schadlos mit andern Burschen (die es ohne Zweifel gab); sie blieb kalt gegen alle wie ne Flunder, mit solch märtyrerhaften Treue, daß irgendwann Großmutter sich über sie lustig machte und fragte, ob sie drauf aus sei, heiliggesprochen zu werden. !Nein: !Er, der Altebock=der Zausl, wars der rumhurte wann & wos ihm gelegen kam. Meine Mutter blieb derweil zuhause sitzen, wartete geduldig u dumm wie 1 Engel die Abende=lang auf Ihn=*ihren Göte*..... Der sie darüberhinaus noch bei jeder sich bietenden Gelegenheit demütigte & bei-Tisch, wenn seine Kumpane von der Offiziersklicke da warn, sie schlimmer als ne Dienstmagd behandelte. Blieb vom Essen was übrig, schob ers auf ihren Teller: *Das kriegt unser Hausschweinchen*, sagte er laut in die Runde und genoß das fettige Gelächter seiner Kumpane. Meine Mutter schiens überhaupt nicht zu stören; schien, als bemerkte sie nicht mal die Erniedrigungen u Demütigungen von *ihrem Göte*, der nur n Wenzel war. ?Warum mag sie !Den eigentlich geheiratet ham –. ?Nur, weil ern offi-?Zier gewesen war, sone Kasperlefigur mit Lametta & Klempnerladen vor der Brust –.– Und ?ich: mich haben Die nur gemacht, weils eben zu ner Ehe gehört, Kinder..... zu haben. (Ich willjanich fragen, ?!wie die Beiden mich zustande gekriegt haben, muß wohl ne Windbestäubung gewesen sein.) Dabei ließ Vater keine Gelegenheit aus, mir zu bedeuten, daß ich eigentlich ein Junge hätt werden solln. –?*Weißt du, was man bei anderen Völkern mit Mädchen ?macht.* Fragte er mich 1 Sonntags mit lauthin schallender Stimme – aber eigentlich fragte er meine Mutter=seine Frau, die scheu neben Ihm auf dem Gartenweg stand. Ich war 5 Jahr damals, es war an einem sommerheißen Tag, die Sonne brannte. Ich wußte nicht was ich antworten sollte. Da griff Er mich & stopfte mich in einen alten Kartoffelsack. Er hielt ihn oben mit seiner Faust zu, ich konnt nich mehr raus, das Sonnenlicht stach wie mit Nadeln durch die Poren der groben Sackleinwand. *–Mädchen werden !ersäuft wie Katzen.* Hörte ich von-Draußen Vaters Stimme & dröhnend sein Gelächter. Ich spürte, daß der Sack vom Boden aufgehoben & weggetragen wurde. *Zum !Wasser* – fuhrs mir durch&durch, *jetz schmeißn Die mich ins !Wasser.....* Auch die Stimme meiner Mutter hörte ich, schrill lachend übertraf sie noch den Vater. Die=Beiden amüsierten sich königlich, als ich vor Angst kreischend strampelte zappelte, aber ich kam nich raus aus dem Sack –!– Der erddumpfe Staub dort=drin erstickte schon bald meine Schreie; Hitze&staub im Kartoffelsack raubten mir den Atem – ich hustete, rang pfeifend nach Luft – *jetz wirstu !sterbenmüssen*, hörte ich eine Stimme-in=mir sagen und würgte, mußte kotzen –:– da kippte der Sack um, öffnete sich, ich fiel raus, auf die Erde im Garten. Und lag zu ihren Füßen, sie schauten auf mich runter, ihre Gesichter schwebten wie fette Ballons vorm tiefblauen Himmel, rot & erhitzt vom Lachen über mich u meine doofe kindliche=Angst..... Später war Krieg, u jede Kindheit zuende.

–Und jetz – (Annas Stimme versiegte wie 1 Wasserrinnsal in festgetretenem Staub) – –jetz soll ich wieder zurück=zu-meiner-Mutter zu Großmutter u Tante Ria. Ich werd zurück müssen. Das Gymnasjum weitermachen, den Abschluß, dann werd ich studieren. Organisieren Klauen Schieben Handeln –: Das geht nich ewich so weiter. Kann Morgen schon vorbeisein. !Und ?dann: ?Wovon sollt ich ?!leben. – –?Wielang wirds dauern. – Fragte seine Stimme aus Regen. – –?Was. – –Bis sie dich abholen kommt: deine Mutter. – Er hatte 1 winzige Pause gelassen zwischen *abholen kommt* und *deine Mutter,* u diese winzige Lücke hatte ausgereicht, beide frieren zu lassen; Frost aus dem Wort ABHOLEN mit seinem schwarzen

Klang, der drang zu ihnen als Lärm von Eisen & Stiefeln.....
aus dem Mittelpunkt allen Grauens herauf –: –In 10 14 Tagen.
– Sagte sie schließlich. Er schluckte. –Vielleicht richtet ers gar
nich aus, dieser Heimkehrer. Od kommt da-Heim nich an. –
–Wär nich s 1. Mal. – Erwiderte sie nachdenklich, und nahm
jedes erlegte Wort und stopfte die Silben mit bangem Un-
Glauben aus.

Er merkte nichts, rannte begeistert u schnell zur Ant-Wort:
–Dannkommstumit=!mir. Wir=halten=zusammen. Das war
das 1. Mal für mich gewe –; –Für mich auch. (Unterbrach sie
ihn rasch.) –N-nein. – Er lachte. –Ich meine: Das ist das 1.
Mal für mich gewesen, daß überhaupt Jemand !freiwillig Alles mit mir geteilt hat –.– Und noch einmal schlangen-Arme
gliedsam umeinander; flossen in wiederwarmes Hautgespür,
und, die Augen schlaflos, mit Atemzungen Spinnwebwörter
netzend, fielen sie vor Neu u Gier ins glasgraue Morgendäm-
mer ein –

Durch Wolken und Regenmauern hindurchgedrungen:
das Licht vom eiskalten Mond, als 25-Watt-Licht tölpelig
flackernd aus der schirmlos vom Dachbalken baumelnden
Glühbirne, goß verdünntes Spülicht ins spitzwinklige Schat-
tengeeck, nüchtern trat der Dachbodenraum aus dem hüllen-
den Schatten. –!Stromiswiederda –. Sie sprang aus dem Bett u
wollte zum Schalter, noch eine Ration Dunkelheit zurück-
holen unters Sparrenwerk, in die Kammer. Er, die Arme hinter dem Kopf verschränkt – ihre Blicke trafen ineinander –:–
Da entdeckte sie in der Haut einer seiner Achselhöhlen die
blaßblaue Tätowierung.....

Anna blieb auf der Bettkante sitzen, starrte *den Jungen* er-
schrocken an: –?!Du bist – ich meine: Du warst bei der ?? –.–
Rasch, als könnte er so die Entdeckung wieder rückgängig
machen, riß *der Junge* die Bettdecke bis zum Kinn, schaute
Anna ängstlich:mürrisch ins Gesicht. Und fand darin ihre
Frage, die unbeirrt auf ihn gerichtet blieb. Er spürte, daß er
Darüber erzählen mußte. Seine Stimme würgte an den ersten
Worten, als seien das Brocken aus Lehm.

–Halbesjahr vor-Schluß sollt ich als Nachrichtenmelder an die-Ostfront. Gab Allesmögliche, nur keine Ostfront mehr. Jedenfalls nichts davon, wie Man uns Das vorgestellt hatte: Soldaten in Reih & Schützengräben, die sich tapfer & vereint gegen den-Iwan zur Wehr setzten. Glaubte bis da=hin was ich auf der Schule immer&immerwieder gehört hatte, daß allein Der Entschiedene Wille & Der Unbeugsame Deutsche Mannes=Mut ausreichend seien, und der-heimtückische-Iwan (den ich mir als ne graue, kriecherische Masse vorstellte, die unseren wehrhaften Schützengräben entgegenschleimt –) müßte an unsrer vor Leidenschaft glühenden Front, an den stählernen Panzern unsrer Tapferkeit verbrennen –.– Ja!ha von !wegen. Überall nur Hinschmeißen Abhauen Türmen – Halsüberkopp=davon. Dreck u Blut u Krüppel; Den-Feind habich kein 1ziges Mal gesehn. Zu melden gabs da jedenfalls Nix mehr. Mit Ach&krach ich zurück zum Befehlsstand. Die warn grad am Einpacken, wollten *sich absetzen* – :!Auskneifen !Rettesichwerkann !Raus&!wegmitschaden :*Frontbegradigung*: solchen Kwatsch verzapften die tatsächlich noch ausm Kübelwagen raus. !Arschlöcher. Zuvor verfrachteten sie mich & paar andere als Begleitpersonal zu nem Gefangenentransport..... – Der junge Mann saß im Bett, die Augen starr vor sich nieder aufs Bettzeug. Er wiegte den Oberkörper leise hin und her, während 1 Zeigefinger heftig u wie unter Zwang die blaßgewaschnen Karos auf dem Bettuch nachzeichnete. –Habjaschonfrüher von *diesen Gefangenen* gehört. Hab gehört was jeder Davon gehört hat: *Schwerverbrecher im Konzertlager*. Aber: Zum 1. Mal sie !gesehen, mit !eigenen Augen: daherstolpernde Leichname mit Gesichtern wie verhungernde Raubvögel – von Lumpen behängte Skelette waren das – als würden die Vogelscheuchen aller Felder über diese 1 Landstraße getrieben. Aber das waren ja keine Holzpuppen, keine Gestelle aus dürren Ästen –:das sollten !Menschen sein. !Nein: !Keinemenschen: !das sollten SCHWERVERBRE-CHER sein. ?!Wer aber traute solch wandelnden Knochenhaufen VERBRECHEN zu, gar noch !?SCHWERE. So wie die heut aussehen, mußten sie auch früher schon ausgesehn haben – denn !so tief können Menschen doch gar nich runterkommen..... Dachte ich. ?!Wie aber sollten diese Skelette=da jemals SCHWERE VERBRECHEN begehn können. Die konnten ja nich mal gehen –:– Hier stimmte Was !nicht. Und dann der !Leichengestank – Fleisch verweste an noch lebendigen Körpern..... Als hätten die wirklichen Toten diese unkrepierten Toten sogar aus den Gräbern wieder rausgeschmissen. – Einige von uns, die mit mir zusammen hergekommen waren, kotzten an Ort&stelle, u bestimmt nich allein wegen dem schwärenden Gestank. Und ?ich. Muß wohl auch fürs Gehirn sowas wie Adrenalin geben. Daß ich die Ganzezeit wie zu Eis erstarrt dagestanden hab, merkte ich erst, als der Scharführer, ders Kommando hatte, mich anschnauzte, ich solle gefällixt meinen Arsch bewegen, diese Schießbudenfigurn auf-Trapp bring & in Reih&glied halten; ob ich wohl meinte ich sei hier aufnem ?!Schulausflug. Dann fluchte er noch saftig auf die Idjoten-da-Ohm, die ihm dauernd sone $\frac{1}{2}$ Kinder schickten, ob man wohl jetz mitm Schiß ausn Hosen von Muttersöhnchen die Ostfront ins Rutschen bringen wolle –. Und als in diesem Moment aus dem Gefangenenzug 1 Etwas-in-Lumpen genau vor die Stiefel des Scharführers niederstürzte, trat der zu, noch mal, und noch mal, spuckte runter, dann zog er die Pistole und schoß dem Gefangenen-am-Boden in den Kopf. !Das hörte nich !auf : Hörte überhaupt nich mehr !auf: dieser !Alptraum..... !dieser – (rief *der Junge* u starrte Anna ins Gesicht. Die rührte sich nicht, schaute wie gebannt auf das Filzgewirke der Mütze *des Jungen*, die noch immer seinen Kopf bedeckte. Es dauerte eine Weile, dann hatte er sich gefaßt. Und redete weiter:) –Ich sah das Loch in der Schläfe des kantigen, wie von Feuer versengten Schädels im Straßendreck vor den Stiefeln des Scharführers. Sah den dünnen Blutstrahl, der mit dem Herzschlag des Sterbenden immer schwächer werdend als kleiner Geysir aus dem Einschußloch hochspritzte –, aber das – war irgendwie *nicht echt*, kam mir vor wie hinbestellt, wie zurechtgemacht auf ner Bühne im Theater od wie im Traum. Vielleicht auch, weil die übrigen Gefangenen nich die kleinste Notiz Davon zu nehmen schienen, keiner rührte auch nur die Augen, unverändert zeigten die herben Ledermasken nicht 1 Spur der Regung, als hätten sie Nichts=Garnichts gesehen gehört bemerkt davon, was eben geschehen war. Sie schleppten sich gleichmütig an dem Toten vorüber, weiter die Landstraße voran –.– Und ich, ich konnte Das=Alles nicht fassen –. Da merkte ich, daß meine Finger sich um den Lauf der EmPi klammerten, als wärs fürnen Ersaufenden das letzte rettende Stück Holz. Einige Fingernägel warn abgebrochen, so sehr hatte ich mich ins Metall der Waffe gekrallt.– Dem Scharführer hatte man inzwischen seine vier großen Hunde, Dobermänner, an 1 Leine zurückgebracht; mühsam konnte er die kläffenden Viecher im Zaum halten, das tiefstimmige Gebell schlug wie Eisenhämmer gegen diesen grauenhaften Leichenzug..... Einer der Dobermänner, das stärkste Tier, tat sich besonders hervor. Er zerrte & riß an der Leine, immer näher an den mühsam des Wegs voranschwankenden Gestalten schlugen die gifthell blitzenden Zähne in die Luft –; 1 Sträfling, er mochte nicht viel älter sein als ich (:?was hatte er getan, um schon in diesem Alter EIN SCHWERVERBRECHER zu sein), war 1 der wenigen, die noch einigermaßen festen Schrittes laufen konnten, u den hatte das Hundevieh aufs Korn genommen –: ein letzter Ruck an der Leine, und das Tier war frei – : Mit gefletschten Zähnen, die derben Pratzen voraus, hechtete es gegen diesen Gefangenen, der wich im letzten Moment aus, die Zähne des Tieres erwischten nur nen Fetzen Drillich. Ich sah alles=weitere genau, es geschah unweit der Stelle wo ich stand; sah den Gefangenen sich bücken, die dürren wie Schifftaue sehnigen Arme nach einem großen Stein am Wegrand greifen, den Stein mühsam – schwankend – mit Letzterkraft über den mit ner speckigen Drillichmütze bedeckten Kopf hochheben – :um dem Hundevieh damit den Schädel zu zerschmettern. Das Jaulen des verreckenden Köters wurde überschrieen vom

Wutschrei des Scharführers & seiner Leute. Im-Nu hatten sie=alle die Maschinenpistolen von den Schultern – u war das letzte was ich sah. Die Luft sofort ein einziges dröhnendes Geschoßhämmern, dicker Brei aus Feuer u Pulverdampf u Gestank von kochendem Waffenöl. Durch den Qualm hindurch sah ich die Gefangenen wie Stabpuppen über1ander zur Erde stürzen. Dort blieben sie liegen, reglos, ein bizarrer Haufen speckiger Lumpen u zerrissenes Fleisch. Erst als die Magazine leergeschossen waren, hörte der Lärm=ringsum auf. In meinen Ohren pulsierendes Glucksen, Geräusche wie unter-Wasser. Da mußte ich zu laufen begonnen haben. Und, als ich langsam wieder zu=mir kam, stellte ich fest, daß das kochendheiße Metall der Waffe in meine Hand bis auf den Knochen sich hineingebrannt hatte – !hier: (und wies die vernarbte Innenhand vor als seis Das Stigma). –Als ich nach werweißwieviel Zeit mitten auf nem kahlen Feld stehnblieb, niedersank auf den weichen Boden, da war es in den Lüften so still..... Eine große Stille, wie im Frieden. Ich stand wieder auf, und ich lief weiter und lief und lief –. Niemand, der mich zurückbefohlen od verfolgt hätte. Ich weiß bis-heute nicht, ob ich 1 der Häftlinge erschossen hab. Od die eigenen Leute. Od die Hunde. Ob ich überhaupt jemanden getroffen hab. Keine Ahnung, was aus den Häftlingen u: aus den SS-Leuten geworden ist.

–Jetz weißt du, !weshalb ich mich auf keiner Behörde melden kann. !Weshalb ich in Wäldern u Ruinen pennen muß, und auch nich krank werden darf, weil jeder Arzt bei der Untersuchung Alles entdecken & mich sofort anzeigen würde. Und wenn mich ne Patrouille erwischt, stelln Die mich 1fach an die-Wand. Kein Mensch, geschweige denn ein Militärrichter, würde mir !Diesegeschichte glauben. – –Ich bin kein Richter, also glaube ich dir. – Anna, nackt, vor *dem Jungen* im trübschalen Lichtzelt aus der 1zigen Lampe; ebenso ratlos wie seinerzeit *der Junge* in SS-Uniform vorm Geschehen auf einer Landstraße in Böhmen.

Dann sprang Anna zum Lichtschalter, ließ Dunkelheit aus

den Dachsparren u von überallher aus den Ecken in die Kammer stürzen –, als wollte sie *den Jungen* mit seiner Geschichte darin verstecken. Aber diese Dunkelheit war bereits dünn u fadenscheinig geworden. Und nachdem die Augen sich gewöhnt hatten, erkannten sie bereits deutlich die Gegenstände in der Kammer u das strenge dunkle Maßwerk der Balken.

–?Wo wirst du jetz ?bleiben – (flüsterte Anna neben ihm.) –Ich dachte, wir=bleiben=zusammen. – Antwortete der. –Morgen – nein heute, !heute geh ich zu den-Russen. Will sehn, ob ich mit Denen ins Geschäft kommen kann. Die Dollars, die wir haben, müßten reichen. Fürs Erste. Damit Die sehn, daß wirs !ernst meinen.

–Zu den-?!Russen – !du : Bist du ?!wahn –: Die werden dich !!......

–Solange ich Geschäfte mach mit Denen, kriegen sie mich nicht. Bei gutem Angebot fragt Keiner woher. Außerdem: in-seiner-eigenen-Höhle würde kein-Iwan nach mir suchen. Aber ich bleibe nur mit !dir –

(:*Er is eben noch n Junge, nur n Großeskind das Indjaner spielt* –, und Anna wunderte sich selbst über die seltsame Höhe dieser Worte in=ihr, als kämen sie von Altersher –.) Sie vergaß diese Worte, als sie seine Hände spürte, dann seinen Atem und seine mit allen Poren flüsternde Haut an ihrer Haut – –

2 erhitzte Gesichter schauten hoch ins Düsterschummern : Frühwind trug zögernd dünne Morgenfarben aufs Dachlukenglas – ließ für längerezeit Hellgrau dort. Erst spät mischte er vorsichtig Gelbtöne ein und versprach erste anwärmende Stunden. Das Kettenwerk eines neuen Tags zog rasselnd straff das Menschge-Triebe......

–*Wenn ich bis Morgenabend nicht zurückbin, warte nicht länger auf mich.* Das hatte *der Junge*, wieder in seinen alten Soldaten-mantel (wie ihn die-Heimkehrer tragen) gehüllt, an der Dachbodentür leise zu Anna gesagt. (Vielleicht hatte er=insgeheim dabei jenen Schauer verspürt, wie er aus solch erprobten Formeln für dramatische Abschiedsszenen in Kinofilmen herrührt.)

77

Anna fühlte, daß sie Etwas sagen müßte. Sie fand kein Wort. Leise schloß er daraufhin die Tür, und verschwand in der noch frühen milchfarbenen Stunde. SIE *werden ihn !jagen und* SIE *werden ihn !kriegen..... Ich muß ihn –, –:* Doch sie erreichte ihn schon nicht mehr.– Wie 1 Schatten beim Verlöschen des Lichts war *der Junge* die Treppe hinab & bereits aus dem Haus verschwunden. Anna blieb in der Kammer zurück, die ihr mit 1 Mal vorkam, als hätte sie von all der Enge hier=Unterdemdach noch ein weiteres Stück Raum verloren. Anna spürte zum ersten Mal, daß ein anderer Mensch ihr auch fehlen kann –.

Sie sollte ihn, den sie für=sich noch immer nicht bei seinem Namen – Erich –, sondern, obwohl er 4 Jahre älter war als sie, nur *den Jungen* nannte, Morgenabend tatsächlich nicht wiedersehen; *der Junge*, mit seiner untilgbaren Tätowierung u Geschichte, kam niemals zurück nach Reitzenhain. Und mit ihm blieb auch der Packen Dollarscheine, ihrer beider Geschäftsgrundlage, verschwunden. Damit wars für Anna wieder schwerer geworden, Hier=in diesem Grenzort zu überleben.....

Nach 12 Tagen erschien Hanna in dem Gasthaus, am nächsten Tag saßen Mutter Tochter im Zug auf der Reise=zurück in die Altmark, in eine Landschaft so flach u stumm darin alle Horizonte als der 1 Horizont sich gleichen, wie das Anna noch nie zuvor gesehen hatte. Mutter Tochter – sie würden nun wieder beisammen sein. Während der Vielenstunden Warten&fahrt jedoch fanden sie fast keine Worte. Nur als sie neben1andergezwängt in immergleichen Zugabteilen saßen kauerten standen, Tabakswalm Menschenschweiß Karbid&knoblauch als beizend=rauchiger Block darin Reisende stumpfergeben wie Fossilien 1gesperrt, atmeten die beiden Frauen einigemale unhörbar auf.

Wie lange noch müssen wir schmutzig sein?
Und ein Faden im Teppich des Lebens sein?
Seidene Faden, Faden aus Garn,
goldene Faden, Faden aus Darm?

Hans Henny Jahnn

# II Unter Glas

DEINE PARTEI DIE SED RUFT MICH, DIE SED
RUFT DICH – VERSCHÄRFTER KAMPF GEGEN
KORRUPTIONSERSCHEINUNGEN – ERNÄH-
RUNGSAUSSCHÜSSE SICHERN ERNTE – KARTOF-
FELVERSORGUNG KEINE GEHEIMWISSENSCHAFT
– ZONENGRENZEN GEFÄHRDEN STROMVER-
SORGUNG BERLINS – »ERST KOMMT DAS FRESSEN
... DANN DIE MORAL« HEISST ES IN DER DREIGRO-
SCHEN-OPER. ERST MEHR ESSEN, DANN MEHR
ARBEITEN, HEISST ES HEUTE, WENN VON DER
STEIGERUNG DER PRODUKTIVITÄT UND DER
VERBESSERUNG DER ARBEITSMORAL DIE REDE
IST. ES MUSS ABER HEISSEN: MEHR ARBEITEN, UM
MEHR ESSEN, UM BESSER LEBEN ZU KÖNNEN –
KARTENERHÖHUNG NOCH NICHT GENEHMIGT
– WIE WIRD DAS WETTER MORGEN? – DIE SED
RUFT UNS ALLE!

Das Jahr 47 war bereits nahe ans Herbstende getreten, Laub
u Gräser verglüht, Nebel hatten die Feuerfarben gelöscht;
Aschermittwoch der Natur. Klamme Schläfrigkeit in der
Kleinstadt Birkheim, durchbeizt von heißen Rußgerüchen,
Metallgetöse & gällen Pfiffen – Sirenen-Mittwoch, Sirenen-
Samstag – Feuer Probealarm Sport od andere Menschenjagd:
Schmuggler Spione Sabotöre (echte u erfundene) – in steiles
Heulen hinaufrasender und langanhaltend über der Stadt
schreiender Sirenenkor rief nicht *Gebt acht: !Gefahr*, auch
nicht *Es kommt !Rettung* –; dieser Kor brüllte !WIR-!KRIE-
GEN-!EUCH – worauf das Heulen versank, in die Häuser in
die Stuben hinein zum sofortigen Vollzug: Staatstritte im

Treppenhaus, Klingelschrill an der Wohnungstür – Schreckstiche Kellernächte Brand Explosionen SIE KOMMEN & HOLEN MICH AB, rissen unterm noch frischen Schorf das Blut aus dem Erlebten hervor. Sirenenheulen erfror, vom Echo blieb der flackernde Pulsschlag in der feuchtkalten bleiigen Luft. Schornsteine – das Chemiewerk, Zucker- & Pumpenfabrik, das Gaswerk – u spitze Kirchtürme St. Lorenz St. Marien St. Katharinen –:Säulen für Arbeit & Gebet, dazu die Patinafaust am hochgereckten Arm des klinkerbraunen Wasserturms – himmelwärts ins unverrückbare Gewölk. Denn neben Allem, was in Menschen niemals schweigen will, u weil auch Zeit-zum-Warten mit dem grad letzten Krieg verbrannt, müssen die Immer=Wünsche & Wieder=Bitten mit Kirchturmkanülen dem taubstummen Himmelshall direkt ins Herz gestochen werden. Jene als schwarze Griffel über den Himmel gezogenen Schornsteine vom Chemiewerk, der Alcid am südlichen Stadtrand, gravierten sauergelbe Rauchrillen ins Wolkenbraun. Obwohl das Werk einst Zweigbetrieb von I.G.-Farben & somit auch diesem Werkteil angeschlossen das Außenlager eines KZ mit beinahe tausend Häftlingen, wurde der Ort während des-Krieges nur 1 Mal bombardiert. Eine Bombe zerstörte den Bahnhof; auf dem Vorplatz heut der grobe Feldstein mit Gedenktafel *300 Tote mahnen zum Frieden*. Der Bahnhof wurde rasch wiederaufgebaut, wenn auch seine Bedeutung am westlichen Rand der sowjetischen Besatzungszone herabgesunken war zu der 1 Prellbocks. Immerhin, Räder klirren wieder durchs Schienengeflecht, Güterwaggons rangieren den metallischen Kanon, Lokschuppen husten Kohlenqualm. Mit der größten Stadt in der Altmark – *Stendal*, der Name wie aus kaltem Wasserdampf – morgens, mittags & am späten Abend jeweils durch einen Zug verbunden, Bremsen kreischend, Türen mit aufgemalter 3 schwappen lachend aus großer Hand Beifall den Arbeiterscharen, raus auf den schmalen Bahnsteig kwellende Horden, aufgeschwemmte Häute, die Gesichter zerschunden, Müdigkeit Alkohol, Körper wie krumme Nägel in bretterharte Lebenszeit geschlagen. Heimwärts. Weiterfahrt für viele mit Anschluß gegenüber: Kleinbahnhof: 2x täglich Vorortzüge; Blechwaggons efeugrün, **DR** in Gelb an den Seiten, hinter der uralten 89er Lok mit hohem dünnem Schornstein & Eisenglocke davor – *Pling Pling* –, zur Fahrt über die Dörfer. Der Ortsname, zweisprachig & weiß in den Wind gehängt, auf den Stationsschildern $\frac{\text{kyrillisch}}{\text{deutsch}}$ : **Birkheim**.

In den Straßen an Fassaden & Schaufensterscheiben noch Reklamen aus Vergangenheit **Fuhrgeschäft Köhn Sarotti Erdal Rex Maggi=Speisewürze** !nicht zu vergessen **Original Birkheimer Baumkuchen**, des Ortes Vorkriegsberühmtheit, Lieferungen bis nach Übersee. Die Konditorei jetzt ohne Aufträge (Jahre-später wird der alte Inhaber verhaftet: Lebensmittel-Schieberei: Zuchthaus Bautzen, die Verwandten enteignet. Der Betrieb-danach: VauEhBeh.....) Rotnass die Hausdächer & in1ander gesteckt zu Klammergerüsten uralten Fachwerks. Kleine verlorene Stadt in Backstein u Lehm mit Narben aus Stahl: die 2 Bahnstrecken, den Stadtkern in Form einer Schleife umzingelnd – deren Durchmesser gut 1 Fußstunde groß, und wie Speichen an einem in den Staub gefallenen Rad von der Nabe, dem alten Bergfried im Burggarten, zur Hauptstraßen-Felge die verbindenden Gäßchen (Schmiedestraße, Salzstraße, Pfarrgasse) & im Gaslaternenlicht die ängsten Wege unterm Schattendunkel aus St. Marien, dem Basrelief manch früher Träume. Bahnstrecken nach Stendal & Wittenberge, die Nebenbahn nach Oebisfelde & Diesdorf, und jeweils nach Osten u Süden hinaus ins flache Felderland gezogen. Von 2 blaßgeäderten Flußläufen her – Jeetze, Dumme – zuweilen die Batzen Tauben&möwenschwärme einfallend, auf den Zinnobergiebeln ihre kalkigen Klexe, das Denkmal für Johann Friedrich Danneil, vom Krieg stehngelassen, flennt Vogelscheiße. Über die Bahnschienen ins sandige Umland gewachsen, über verwilderte Gärten und Äcker hinaus, die 1-Fam.-Häuserwürfel, $V=a^3$, das Kuben-Glück erzwungen mit aller Betulichkeit & allem unsichtbaren Fleiß derer, die ihre Schatten in die sie

hin1geboren mit jedem Fußbreit eigenen Wachstums ebenso
anwachsen ließen –; Jahres&zeitenringe zu Straßen & Gassen
gefurcht – vom roten Lautsprecherblech tag-für-tag durch-
schallt:

DEINE PARTEI DIE SED RUFT MICH, DIE SED RUFT
DICH, DIE SED RUFT UNS ALLE! – DEUTSCHER
VOLKSKONGRESS AM 6. UND 7. DEZEMBER –
WEIHNACHTS-SÜSSWAREN NUR AUF ZUCKER-
MARKEN? – WIE WIRD DAS WETTER MORGEN –
WEITERE MEDLUNGEN FOLGEN –

Das Fleisch ist Wort geworden u: Alles Unaussprechliche
*-Ersatz. Die laut=Sprecherröhren: blechplärre Parolen &
Körekrakeel – im Wind knatternde Transparente über den
Straßen, zum Kohl-Dampf aus Küchenfenstern mit wässerigen Böen Spätoktober in die Gesichter geschlagen, blass die
& verwaschen, scheinbar jugendlos – *Sie wissen schon: Der
!Krieg* – Schritte pendelnd unter Filzmänteln die Gehsteige
entlang, von Tür-zu-Tür, die Stadt kleingeschrumpft zu Ab-
schnitten auf Lebensmittelkarten, & immer Schlangestehn, für
Brot Milch Butter Mehl Fett & Zucker, Stunden-über-Stunden Menschenknäul als seis immer 1&dieselbe Familie. Und
weil das-Abzeichen & der-Mensch 2 Hände haben – DIE
SED RUPFT MICH, DIE SED RUPFT DICH, DIE SED
RUPFT UNS ALLE! – wäscht eine Hand die andere Hand :
überm Ladentisch die linke/unterm Ladentisch die rechte;
Staatsangehörigkeit: Schlau-Raffenland; Nationalität: Koh-
lenklau. Später allen Fang in Einkaufsnetzen verstrickt od in
dunklen Taschen Koffern Säcken verstaut & heimwärts ge-
schleppt; ins zusammgedrängelte Ziegelgeweb. Und STADT
spielend und HISTORIE voller Ernst aus amtlich genannten
Urkunden aus dem 12. Jahrhundert – *der Salzhandel, Birkheim fast die südlichste Stadt im alten Hanseverbund –* :*sogar einen
Hafen: Binnenschiffahrt, Umgehung der Wegezölle, nicht weit bis
zur Elbe –* !*Damals /* Heute: *Stunde Null=Neubeginn* mit allem Mut=Von-Oben: von der sowjetischen Kommandantur
in der Karl-Marx-Straße; & Alle Liebe dem Metall: Eisenerz,

84

Eisenschrott, Roheisen : Massen-Stahl, Qualitäts-Stahl, Edel-
stahl : STALIN.

Die kleine verblassende Stadt hing an faserigen Rauch-
schnüren aus schwerem Wolkengrau tief in die Mulde Flach-
land herab –

### Hauptbahnhof.

Hannas Bewerbung in Birkheims Reichsbahn-Dienststelle
wurde noch zur selben Stunde, in der sie dort vorstellig geworden, abgelehnt. !Keine Planstellen frei, & (weil sie hartnäckig
blieb, vom 1. Nein nicht sogleich sich abweisen ließ) hieß es
dann unumwunden, ob sie gar ?!wolle, daß ein !verdienstvol-
ler=!alter Mitarbeiter, ein Mann der seit-Jahr&tag hier in der
Lohnbuchhaltung zu Aller Zufriedenheit seinen Dienst getan, !extra für ?Sie ?!gehen soll. *Extra für Sie*: das hieß: *für 1
Flüchtling wie Sie* u: *verdienstvoller=alter Mitarbeiter* : *verdienstvol-
ler=alter PeGe seit 33*; für sämtliche Arten von Zeit schien
Birkheim Prellbock geworden.– Wo Ablehnungen, Vonder-
tür-Weisen, Absagen & Zurücksetzungen sich häufen, auf
diesem Unrat blühen die-Hoffnungen auch, genährt vom
*Wir kümmern uns um Sie keine Sorge Gutefrau Kommse geleengt-
lich wieder vorbei Wer heutzutage arbeiten will der kriegt auch
Arbeit*.– :Auskünfte, Ausflüchte & die-Lange-Bank – Worte
milchig wie hinter Glas gesprochen, die Konturen Jederzeit
überdeckend mit jenen stärkeren, dem Humus zugehörigen
Bindungen – Familien-Klans&klüngel, denen die Tünche des
Neugekommenen von-Anfang-an nurmehr brüchig aufge-
tragen, & bei jeder sich bietenden Gelegenheit möglichst
geräuschlos=heimlich abzuschaben getrachtet. Drunter Das
Alte, Dauerhaftende, Immersogehabte – lediglich versehen
mit dürrstengligen Coroll-Arien dieser=Anderen-Herren,
Zauberlehrlinge-in-Uniform, u: wieder das Magische Wort
vergessen: also Besen & Wasserflut –: !Nix Neuesunterder-
sonne, alle Furzlang das-Immergleiche. *Wie diese Flüchtlingsche: Jedentach kommtse mitm Kraut&rühmexpreß vom Dorf herge-
tschuckelt. Sitzt !stunden=lang Draußen aufm arschkaltn Flur. Statt
anzurufen zu den Dienstzeiten. Nee: Zum Zaren immer nur per-*

*sönlich. (Bringt mir vom-Dorf zu fressen mit, eingewickelt in Zei-*
*tungspapier: Schinken mit* SACHSENS KAMPF GEGEN SCHIE-
BER UND HAMSTERER, *Mettwurst mit* 9 JAHRE ARBEITS-
LAGER FÜR FRITZSCHE, *und* NEUER DICHTERPREIS *in*
*Blutwurscht.) Aber* ?!*was soll ich* ?!*machen: Ich kann mir die Plan-*
*stellen doch nich ausn Rippen schneiden. Das begreift die nich. Die is*
*wie ein* !*Fluch:*

### Bahnhofsvorplatz.

Birkheim-Altstadt. Hanna stieg mit der Tochter aus dem Vorortzug, fast die 1zigen=hier zu dieser Stunde, aus Bogenlam-
pen scharfes Licht im Nebeldunst zerschwimmend –. Unweit
von der Station das Lyzeum (Hanna, die Tochter begleitend
als sei sie 1 Schulanfängerin an ihrem 1. Tag.) Später dann an
diesem Morgen war Hanna erneut zum Bahnhof gegangen,
ins Bewerbungsbüro

### Kleinbahnhof.

*Und hockt da auf der Bank im Flur, vor meiner Tür. Und wartet.*
*Stolz & stur. Tagein=tagaus. Das-Schicksal im grauen Kostüm. Ihr*
*xmal gesagt: Nur zun* !*Dienstzeiten Liebefrau. Steht doch groß-*
*mächtig draußen an der Tür. Kann Sie sonzt ganich drannehmen.*
*Könntich ehmsogut gegen die-Wand-da reden. Zum* !*Auswaxen mit*
*diesen Flüchtlingen. Und dann dieser* !*Blick von Der & die Stimme*
*wennse mich um ne Stelle erst anbettelt, dann anherrscht. Anstand &*
*Rücksichtslosigkeit, schlimmer als die Agitatzjon vonner BePeO…..*
WENN MORGEN WIEDER DIE SONNE LACHT, DANN
HATZ DIE SED GEMACHT. !*Wär ich hinterm Mond, wo die*
*Sonne der Agitatzjon nich hinkommt & kein Flüchtling. Und 1tags*
*hat der-Scheff, nachdem er sie draußen-aufm-Flur mit den Fresse-*
*rein-in-Zeitungspapier gesehn hat, in meim Papierkorb diese Bogen*
*gefunden mit all den Fettflecken drauf* – GERECHTE VER-
TEILUNG – EINHEITLICHE LEBENSMITTELKARTEN
–:*Der-Scheff, der hat mich nur* !*angeschaut….. Da hab ich gedacht:*
*Jetz isses* !*Aus.* ?*Ob die am=Ende gar mitm Scheff Untereinerdecke*
–: *heiß&kalt isses mir n Rücken runter, könnse mir glaum. Aber nu*
!*mußt ich für diese Flüchtlingsche Was tun.– Doch am nächsten*
*Morgen: ich kaum im Zimmer, klingelts Telefon:* !*Sie. Und schreit*

mich an, als sei ich nachm Siech jezz in si-Bierjen. Und ich schrei zurück: −Ich sag Ihnen: In Magdeburg isne Planstelle !frei. !Ja. Gans-zufällig durchgestellt bekomm. Lohnbuchhaltung Magdeburg. Aber nur !1 Planstelle, also auch nur 1 Zimmer=dort. Hören Sie: Sie müssen sich !sofort entscheiden. ?Wie. !Ausgezeichnet. Schon ab Mo. Ab kommenden Montag. Ja. Melden sich bei der Reichsbahndirektion Hauptgebäude, beim Kaderleiter. Ich buchstabiere ... Ja. Ich gebe dort Bescheid. Sag daß Sie. Jasicherja. !Gans=sicher. Ja. Magdeburg Montagfrüh um 7. 4 Uhr 35 mitm 1. Zug von-hier. Alles Weitere vor-Ort. Wohnraum wird Ihnen zugewiesen. Wennich. Wennich s Ihnen doch !aus!drücklich. Könn sich drauf beru. Abernatürlich. Selbstverständ. !Ja. Nichts zu danken. ?Wie. Auf Wieder. Ufff. Aber mitte Fressalien=vom-Dorf isses nu auch 1=für=Allemal vorbei. !Jammerschade

### Kleiner Stegel.

Zur letzten Jahrhundertwende war dort noch eine Landwirtschaftsschule, Heute das Lyzeum untergebracht. Ein Backsteingebäude, hoch hinaufstrebend zwischen verkommenden Jugendstilhäusern in der Nachbarschaft. Im Dreieck-Giebel das Portal, breite Steinstufen nahmen Kinderscharen von der Straße, führten sie hinter Weinbewuchs, der, nun blätterlos, seine Ranken um die Fassaden wie Hanfkordel schnürte. Lastwagen mit ernst glotzenden Scheinwerfern, die Ladeflächen wie unter hochgeschlagenen Mantelkragen von Planen verborgen, im Reifenzischen schon die Überlandfahrt in den Rädern, lärmten am Überweg vor dem Schulbau die Braunschweiger Straße entlang −. Tief in alte Parkbäume gelehnt ruhten die straßenabgewandten Hausteile vom Lyzeum.

Braunschweiger Straße: Von-nun=an würde Anna täglich vom-Dorf herfahren müssen (in abgelegten, noch von der alten Bäuerin stammenden & von Hanna für die Tochter zurechtgeschneiderten, altjüngferlich wirkenden Kleidern − aber: Immer !anständig angezogen), das Abitur nachzuholen. Braunschweiger Straße. Mit diesem Namen verband sie den Geschmack milder, auf Brotscheiben gestrichener Räucherwurst; Schulbrote, die sie täglich vom Dorf=her in ihrer

Tasche trug. Dort die Kemenate unterm Dach – aus der Deckenlampe allmorgendlich beißendes Licht, Schwaden Kaffeersatz, kalt u zugig die halbe Stunde Bahnfahrt hin & zurück – Vorortbahnsteig, unter den Füßen knirschend der Kies – Braunschweiger Straße – Räucherwurst – Schule u immer Hunger.....

An der ungefügen, gußeisernen Klinke das Portal aufgedrückt, die Mutter und sich selber hindurchgezwängt – (die Tür sank schwer zurück ins Schloß) – und, als hätten die letzten beiden Jahre, seit Anna zum letzten Mal eine Schule (das Gymnasium in Komotau) betreten hat, zu !diesem=1=Moment sich verdichtet als Konzentrat von allem was Schule heißt: Als sei dieses fünf Etagen hohe Gebäude, erfüllt vom tröpfeligen, hallend hellen Stimmenlärm, die Treppenstufen hinabfließend und die zu Kreuzgängen geformten Flure entlang, deren Mauern geprägt vom Maßwerk hoher Rundbogenfenster, die aus dem Tag dämmeriges Licht für die Flure nahmen; als sei diese in=sich geschloßne Kompaktheit von Komotau direkt hierher in die Altmark versetzt. Denn auch hier lastend in Ecken u Winkeln auf den gefliesten Böden der Flure im Abkehricht rostbrauner Bohnerwachsspäne jene fette Trübnis aus kreidigem Eifer & Schwitzigkeit wie von kleinen ausgetobten Tieren. – Huschig die Schülerinnengesichter auf den Gängen & aus Klassenzimmern lugend, kehrten sich zu Hanna u dem mageren Mädchen, als sie Flure entlang und Treppen hinauf steigend, schließlich im obersten Stock vor dem Messingschild **Direktorat** anlangten; die Tür aus dunklem schwerem Holz, in den gelblichen Ölanstrich der Wände hineingestellt. 1. Anklopfen – ohne Widerhall –, und noch einmal Anklopfen wie gegen die Sturheit selber. Dann wurde von-Drinnen die Tür 1 Spaltweit geöffnet, die Sekretärin nannte fragend den Familiennamen Hannas, und ohne weiteres Wort ließ sie Mutter-samt-Tochter ins Vorzimmer zur Direktorin herein. Dort standen sie, verlegen, mitten im Raum. Schließlich, aus einem Nebenzimmer, trat 1 Gestalt von nicht schätzbarem Alter zu ihnen heraus: Die Frau Direktor.

Alles an deren Erscheinung war gehalten in Grau – die Kleidung, die glatten, zum Knoten im Nacken gefaßten Haare –, so schritt sie bedächtig den Beiden entgegen. Stockglatt die Waden unter den Strümpfen, deren Färbung als sei sie zuvor durch Zementpulver gewatet, so daß mit jedem ihrer Schritte der Eindruck von hochgewirbelten, zum Husten reizenden Staubwölkchen entstand. Dann verhielt sie in Distanz zu der wie 1 Bittsteller hingepflanzten Frau=Mutter samt der Tochter in ihren Altfrauenkleidern, die zippelnd u Falten schlagend von der Gestalt herabfielen, & musterte die Neue von-Kopf-bis-Füßen wie ein Rekrutenarzt. Als Die Frau Direktor zu sprechen begann, schienen sogar die Worte grau, die sie in die enge, gähnensdämmerige Amtsstube flüsterte in jener Manier von Leuten, denen als Reisende, während der Zug hält u plötzlich jene leere Stille in die Abteile fällt, die Angst der Heuchler die Stimmen niederdrückt; so daß Mutter u Tochter gezwungen warn, näher an diese Frau heranzutreten (in den Zuchtmeistergeruch aus verdorrten Eingeweiden) und zum besseren Hören den Kopf ihr entgegenzuneigen.– Schließlich diese Stimme lauter & in mokantem Schliff: –Gut. Wie Sie meinen

### *Tuchmacherstraße.*

Und waren tatsächlich weder Lügen noch windige Versprechungen, die Bittstellerin, eines Beamten tägliche Heimsuchung im enggeschlossnen Kostüm, loszuwerden. Zudem hatte der Mann im Bewerbungsbüro der Reichsbahn Nichts beschönigt; das Frühlicht bei der Zugeinfahrt in Magdeburg zeigte Hanna: von Bomben zerstürzte Stätten..... weithin sich streckende Flächen voll schartiger Trümmergehäuse, deren um den Bahnhof besonders viele zu warten schienen, als wolle einganzer Ort sich selber umsiedeln – die Stadt wirkte dadurch weiträumiger, vom Bleigrau der Elbwasser angezogen –. Stellenweise, wie unversehrte Zähne in zerschlagenem Gebiß, aufrecht 1ige Häuser, Alt u: Neu – aus dem Schutt als steinerne Fönix-Skulpturen, Ziegelmauern & Fassaden im fleckigen, ausgebrannten Rot. – Nichts Entscheidendes schien verändert gegenüber dem 1. Mal, als Hanna, *auf-dem-Treck* zusammen mit Mutter u Schwester, hier Station gemacht & über den Winter 46 hatte bleiben können, in dem Quartier bei jener mürrischen Witwe.– Inzwischen hatte vom geborstenen Gemäuer überall die wachstumswütige Flora Besitz ergriffen – kleine Birken Sträucher büschelweise Kraut, als hätten zu spät gekommne, romantische Architekten aus dem Häuserbruch eine Opernbühne dekoriert, in leeren Fensterhöhlen müßten sogleich Koristen erscheinen, während über die Schuttberge mühsam=gravitätisch die Hauptaktöre stolzierten, ihre Stimmen opulent auszubreiten –.– Nichts. Kein Rezitativ, kein Gesang. In den Lüften rauher kratzender Werkschlag im Nachkriegs-Alltag kurz vor 7 Uhr morgens –.

Hanna stieg aus dem Zug.

Die folgenden Stunden ruhelos – lärmig aus dem Frührauch bis in stromgesperrte Abendstunden reingezerrt. Blicke durch zerstürzte Gebäude gaben Stadtansichten frei: Über löcherige Straßen die provisorisch zusammengeschweißten Schienen entlang holperten Straßenbahnen & rostige Lorenzüge den Wieder-Aufbau –, eiserne Maschinen zerpflügten alten Stein –, Trümmerfraun warfen fleischfarbene Ziegel in die Eisenloren, in den Lüften schwebend Beizestaub, der Kalk von ausgebranntem Stein, Hannas Schuhe zertraten knirschend Mörtelbröckchen wie Chitinpanzer von Heeren toter Insekten..... Zwischen Brückenverstrebungen blauätziger Feuerschein & Funkenregen aus Azetylenflammen – drunter die Straßenunterführung entlang bellend LANZ BULLDOG gallige Auspuffwolken Katalyt. Nadeldünne Lokomotivpfiffe stachen nassen Schnee aus tiefstehendem Gewölke, Flocken groß behäbig wie Speichelbatzen –, auf dem fettigen Bahnhofspflaster sogleich zu ölschillernden Tropfen gerinnend.

Wind hatte dann am späten Vormittag den Himmel zerpflückt – hell schimmernd das winterbleiche Licht – als Hanna aus dem Verwaltungsgebäude heraus-, auf den Bahnhofsvorplatz trat, in Händen das alte Köfferchen, dessen braunes Lederimitat zu Dutzenden fälteliger Inseln zerbrochen, die Pappdeckelwände von Schnur zusammengehalten. Bis zu dieser Stunde dauerten die behördlichen Meldeformalitäten – von Flur zu Flur, von 1 Schalter zum andern, schließlich hatte Man ihr das Schreiben mit der Wohnungszuweisung überreicht.

Später war erneut Schnee gefallen –, auf Unkraut u Gräsern blieb er liegen. Unter Hannas dünnen Schuhn knirschten die Halme gläsern frostig – von den Füßen her kam nasse Kälte in-sie geschlichen; sie bemerkte es nicht..... Und weil Fügungen-des-Schicksals zumeist dumm, einfallslos immer, brachte die Wohnungszuweisung der Reichsbahn Hanna an !diese Adresse: Frau Blockrath, Ernst-Thälmann-Straße 32.

Dort angekommen, mußte sie wieder=sehen: ein von Bomben beschädigtes Haus – 1 Zimmer, kahl, die Fensterscheiben zerschlagen, kaum Möbel, kein Ofen – die mürrische Witwe, beständig ihr-schweres-Leben beklagend & voller Ingrimm gegen diese Dahergelaufene, die sie sofort wiedererkannte. Zum 1tritt raunend machte sie nur widerwillig Platz: –*Flüchtlinge u Dünnschiß kann eben niemand aufhalten.*

Indes für Hanna blieb nur Eines wichtig: Dienstbeginn Morgen 7 Uhr, Reichsbahn Hauptverwaltung, Lohnbüro.

### Goethestraße.

Unaufhörlich floß gelbes Licht von der Bürodecke die hohen schmucklosen Wände herab und übergoß die auf Drehstühlen hockenden, über lange Tische gebeugten Gestalten (Frauen) in ihren blauschimmernden Uniformkitteln (das goldene Flügelrad dem Saum der linken Brusttasche aufgestickt). Und diese Frauen, von denen man nur die Oberkörper sah, die Arme angewinkelt, Ellbogen & Unterarme auf den Tischplatten liegend, in Händen Schreibfeder od: Tintenkopierstifte, womit sie (aus den leicht zur Seite geneigten Köpfen mit dauergewelltem Haar) in dickleibige Kladden Zahlenkolonnen

### Durchgangsweg zur Wollweberstraße.

–Sie können es natürlich probieren. – Setzte die Frau Direk-

tor pomadig hinzu: –Niemand soll mir vorwerfen, ich hätte 1
Flüch – ich hätte einem jungen Menschen keine Chance geboten. Aber sie wird es !nicht schaffen. (Die Frau sprach über
Annas Kopf hinweg nur noch zu Hanna, als gälte es, das Sün-
denregister dieser Schülerin auszubreiten, dazu indigniert die
Anklage, eine Mutter habe ihre Aufsichtspflicht gröblich verletzt:) –Mehr als !Zweijahre ist das Kind auf keiner Schule gewesen – hatte zuvor auch ganz !anderen Unterricht gehabt (&
wandte sich unvermittelt Anna zu:) –Mademoiselle, übersetz-
zen Sie: »*On n'a pas le droit d'une chose impossible*«. – Anna, zutiefst erschrocken, schwieg. – Die Frau Direktor wandte sich
triumfierend zu Hanna: –Hier an unserem Lyzeum – (sie
reckte sich) –ist neben Latein u Englisch auch Französisch
Sprachen-Hauptfach –:Davon hat sie noch !Keinesilbe je gehabt. !Zwei !Jahre müßte sie aufholen, und dieses Schuljahr
geht auch schon über ein Vierteljahr –:!Nein. Es ist !unmög-
lich.

### *Fußgängerbrücke über die Jeetze.*

in vorgedruckte Tabellen 1trugen –, bisweilen die Blicke
seitlich gerichtet zum Abschreiben neuer Zahlenfolgen von
1=jener wie Kassenbons aussehenden Papierstreifen, die sie
zuvor von einem der Tische an der Stirnwand des Raumes
aus den alten mechanischen Rechenmaschinen geholt hatten.
Erinnerten diese an den Tischen hockenden Frauen-ohne-
Unterleib zwar an Schaubudenfiguren auf Rummelplätzen –
wobei dieser-Büroraum sozusagen das Arsenal für ebenjene
seltsamen Frauen-Halbkörper zur bedarfsgemäßen Ausleihe
an Schaubudenbesitzer, die solcherlei, als billigen Schwindel
längst erkannte u somit eher Mitleid als Sensationslust er-
regende, gleichsam nach dem Mottenpulver längst vergang-
ner Zeiten riechende Attraktiönchen dessen ungeachtet &
unbeirrt von-Mal-zu-Mal neben dem speckigen Portalvor-
hang ihrer mit Fondants-Farben beschmierten Holzgehäuse
den träge umherkriechenden, unentschlossnen Menschen
reißerisch anpriesen –, so geschah in den Momenten, sobald
diese Bürofrauen-ohne-Unterleib von ihren Drehhockern

aufstanden, die wirkliche Sensation: Augenblicklich die Rückkehr in Hüften, Schenkel, Waden, wie auch der eigene Schatten trotz kompliziert auf die Gestalt einfallender Lichtquellen dennoch immer=genau zu seiner Gestalt zurückfinden muß. Ungeachtet dessen, meist eilig & energischen Schrittes, strebten dann diese vorübergehend vollständig beleibten Fraungestalten zu den Tischen mit den wuchtigen, eisernen Rechenmaschinen hinüber − hieben krachend auf die runden Tasten (mit den 1geprägten Ziffern u Symbolen) ein, & als versuchten sie einen störrischen Motor anzuwerfen, drückten sie von-Zeit-zu-Zeit mit den Händen 1 an der rechten Gehäuseseite der Maschinen emporragenden kurbelähnlichen Hebel kraftvoll nieder − :Rasselnd fuhren dann aus dem Schlitz in der oberen Chassisseite kleine bleigraue Drucktypen in Stäbchenform heraus und prallten gegen den Papierstreifen −, den die Frauen später von der Rolle abrissen, woraufhin sie an ihren jeweiligen Platz im Büroraum zurückkehrten und

*Wollweberstraße.*

somit praktisch ihren Unterleib wieder verlassend, dann, in ebenso achtloser wie selbstverständlicher Manier, sich zurückverwandelten in eine der über Kladden gebeugten, schreibenden=Halbkörperfrauen..... So daß in diesem hohen, saalartigen Büroraum mit seinem Gelblicht ein auf&ab schwellendes, schubartiges Gelärme in Form von Scharren Rasseln Kratzen schwappte, Wogen gleichsam metallischer Freßgeräusche, als stürzten in heftigen Angriffen Heuschreckenschwärme in den Raum & her über die Unmengen Papier. In den eisernen Rechen- & Schreibmaschinen prallten die Anschläge der bleigrauen Typen zunehmend schärfer & energischer in Hannas Kopf wider, als hackten die kleinen Metallstäbchen direkt ins Gehirn − :Mit jedem Schlag fuhr aus den gelblichen Wänden ein Lichtball heraus und zerplatzte wie eine Feuerwerksrakete unter Rot sprühendem Funkenflug − :*die Papiere werden !Feuer fangen − !löschen, !schnell, bevor ein Unglück* − Hanna kämpfte unter Aufbieten aller Kräfte gegen das plötzlich so große Gewicht ihres Körpers an, den eine übermächtige Kraft auf den Hocker niederpreßte – *ich !muß – !aufstehn muß ich – ?!wo ist der Feuerlöscher –* u wieder stob ein Gewitterhagel aus glühenden Funken um Hannas Augen, riß prasselnd in dünnen schmerzhaft zischenden Streifen aus den gelben Wänden Licht, schon roch sie scharfen Rauch u versengtes Papier – *?!weshalb tun die Anderen nichts – bleiben stur auf ihren Hintern sitzen – die müssen doch !sehen, daß hier alles in-Brand –* in Mund u Rachen bitter glühender Staub, die Augäpfel in den Höhlen rauh, brennend, als wären sie durch feinen Sand gerollt – Qualm erstickte die Luft, den Mund als brandigklebige Faust verschließend, – die Lungen sogen pfeifend Atem –, Stiche im Leib, glühende Nadeln, auf&ab das Weberschiffchen, Maschinen säumten ratternd den gelben Stoff, das Licht hier im Raum eine seidene, doch schwere Decke, zerfasernd –, Schwebeteilchen in wolkigen Schütten fusselnd durch die Luft gestreut – *ä=!pfui –* rotglühende leimige – *!Luftluft, aber !nicht Schlafen: !Aufpassen, keinen Fehler machen, !richtig addieren – bloß nich verrechnen...... – die Summe muß !stimmen, bevor das Feuer kommt – koste es was es – Jeder Kassierer haftet mit seinem eigenen Geld – wenn es brennt heißts noch ich hätt das Feuer gelegt – den Fehler vertuschen wolln – Fehlbetrag !400 Mark – nochmal nachrechnen – !muß doch Alles stimmen – !400 Mark !fehlen – wird sich finden – nur die !Ruhe – noch ein Mal von vorne – aber es ist so !stickig hier – macht doch das Fenster auf – !Luft – ?!hört ihr denn nicht –* jeder Ton im Mund ein Siruplaut..... dickezähe Fäden aus dem gelben Stoff – die Wände runterrollend – *taugt zu !Nichts – damit kann doch niemand nähen – typisch Osten: Deutsche Wertarbeit..... ha!ha – !Da: alle Säume reißen wieder auf – die schöne Fallschirmseide – die Ganzearbeit umsonst – aber – muß !weiternähen – dem Kind das Kleid fertigmachen – braucht was=Schönes zum Anziehn wenns zur Schule geht – !immer !anständig angezogen, immer wie-aus-dem-!Ei-gepellt – !Da: Es !brennt !!Feuerfeuer –;* endlich gelang Hanna das Aufstehn, sie erhob sich wie im Triumf, den 1 Arm hoch hinauf – und

94

siehe, der Raum meinte es gut mit ihr – die Wände die Tisch-
reihen die hohen dickwandigen Panzerschränke, allsamt vom
warmen Gelblicht umspült, schlossen wie eine große aufge-
haltene u weich bergende Hand voll Güte sich auch um Hannas Leib –, und die fettigschwarz gebohnerten Dielen mit
ihren starken Maserungen, sehr nahe ihrem Gesicht, wuchsen
zu großen Höhen heran, den Gebirgszügen in *der-Heimat* so
ähnlich (wie Hanna voller Freuden bemerkte) – und früh-
lingshaft weiches Moos schmiegte sich kühlend an Hannas
Wange –, während hoch über ihr im gelben Himmelslicht
weiterhin grellrote Sternkugeln explodierten –. Aber das waren !keine Kristbäume vor Bombenangriffen, deren Licht die
Todesängste auffahren ließ – das waren schwebend zerge-
hende Sterne –, und sie kehrten wieder – als hätten diese
Sterne feuriges Abendrot getrunken – –

   –!Herrje: !nunfaßtochmalmitan – hebt sie auf – Gottdie!ar-
mefrau was ?!hat sie nur – ganz=plötzlich – da: legt sie auf
den Tisch=hier – ich machs Fenster auf, bißchen Frischluft –
!Wasser, gebt ihr n Glas Was – Meingott: die !kocht ja vor
Fieber – geh mal hol den Arzt aus der Sanistelle – er soll her-
komm !schnell – werweiß !Was die hat – Stirne Wangen
kochendheiß – mindestens !Vierzich=Fieber..... – ich geh &
sags dem Scheff – erst seit paar-Tagen hier u: gleich Sowas –
?Weiß eigentlich jemand was über sie – wo sie wohnt, ob sie
Angehörige hat hier=in-der-Stadt – müßten wir benach –
?wie – ?Flüchtling ausm ?Sudetenland – Achdu!liebezeit:
auch!dasnoch –

   Später im Krankenhaus hatten Ärzte gesagt, diese Frau
müsse bereits über eine Woche Lungenentzündung haben u
im hohen Fieber gewesen sein –; wie sie über-all-die-Zeit
zur-Arbeit hatte gehn können: 1 Rätsel; daß sie Daran nicht
gestorben sei: Ein Wunder.

   An den Samstagen zweier Wochen – so kurz war Hanna in
Magdeburg in der Lohnbuchhaltung – fuhr sie nach Dienstschluß mit dem Nachmittagszug jedesmal zurück aufs Dorf,
zur Mutter u zur Schwester; für Langezeit würde sie nun

nicht fahren können. Von der Dienststelle hatte man die beiden Frauen auf dem Dorf über den Vorfall unterrichtet u auch, in welches Krankenhaus in Magdeburg Hanna eingewiesen war.

Als Maria sich dorthin auf den Weg machen wollte, um die ältere Schwester zu besuchen, fand die Mutter Johanna (sie war seit dem Tod der alten Bäuerin noch schweigsamer in=sich gekehrter u bedrückter geworden) zu ihren früheren Klagen zurück. −Die-Zeit hat uns aus *der-Heimat* vertrieben − die-Zeit hat uns getrennt, mein Kind liegt im Spital in der-Fremde u im Sterben. Wir werden *die-Heimat* !niemals wiedersehn. Und nun gehst auch !du noch fort. (Rief sie zu Maria, die in der Dachkammer soeben einige Kleider in einen Koffer legte zur Fahrt=morgenfrüh nach Magdeburg.) −Laß mich Altefrau nur muttterseelenall-1 zurück. (Maria sah: die Mutter hatte den Haarknoten aufgelöst − als eisgrauer Fächer breitete sich das lange glatte Haar über Schultern und Rücken aus, während sie theatralisch die Hände ringend mit Blick aufs Fensterkreuz rief:) −Der Weg der alten Bäuerin steht offen. Und der wird auch mein Weg sein −

### Große St. Ilsenstraße.

Da wagte Maria die Reise nicht zur Schwester ins Krankenhaus, dieses Mal nicht und Keinmal später.

Dagegen erhielt Hanna an 1 der vom Krankenhaus festgesetzten Tage Besuch von einer Abordnung Kollegen aus der Dienststelle. Verlegen, wortkarg die in die Länge gezerrten Minuten aushaltend, den dürren Strauß erfrorener Astern in Händen des Dienstvorstehers, umstanden die Kollegen das Bett − mit fieberhellen Augen schaute Hanna aus dem großen Kissen zu den Besuchern, als blickte sie aus einer Schnee-Wehe herauf. Nach den üblichen, formellen Wünschen für eine rasche Genesung, gingen am !endlichen Ende der ohnehin knapp bemessnen Besuchszeit die fremden=Kollegen wieder fort. Man rätselte noch immer, weshalb Hanna zuvor ihre Erkrankung mit Allenmitteln hatte verbergen wolln −. Vielleicht, schloß man in 1helliger Meinung, wollte sie verhindern, daß Jemand=Offizielles diese – –naja: Wohnung-kann-man-son-Loch-wohl-nich-nennen (bemerkte einer der Kollegen) – inspizierte & sie von-dort kurzerhand wegen baupolizeilicher Mängel wieder ausgewiesen hätte. Damit aber hätte sie die Arbeitsstelle verloren, denn keine Wohnung = keine Arbeit; keine Arbeit = keine Wohnung.

Ein untersetzter Kraftfahrer vom Fahrdienst, unüberhörbar aus Berlin, wiegte bei solcherlei Vermutungen zweifelnd den Kopf: –Sos det mit die Flüchtlinge: Solangese uff=Treck sinn, haltense Schtrapazen aus mehr als wie sehn Ferde; als ob rei-newech jar-Nüscht se umbring könnt. Awa wennse Ruhe ham, n Dach üwerm Kopp unt wieda ne Heimat: Denn is Seefe. Det haltense !nich aus. Ne neuje Heimat.....: So watt bringtse jlatt um.– Schweigend gingen die Kollegen heim.

Nur einer kam regelmäßig zu den Besuchszeiten ins Kran-kenhaus zu Hanna: der Dienstvorsteher, 1 schon ältlicher Mann, Witwer u Flüchtling aus Schlesien (die Frau war auf *dem-Treck* verstorben). Graues, glatt in den Nacken gekämm-tes Haar bedeckte in schütteren Strähnen den Kopf mit den mürrischen Gesichtszügen (es hieß, er habe nur noch nen halben Magen u auch, man müßte vor seinem Jähzorn sich in-!Acht nehmen. *Geh nie zu deinem Fürst wennde nich gerufen würst.*) Hanna hatte auf solch Kollegen-Gewäsch einst erwi-dert, daß, wenn sie nur immer freundlich sei, zuverlässig & zu seiner Zufriedenheit ihre Arbeit erledige & ihn achtungsvoll grüße, sie schon auskommen wolle mit ihm. Daraufhin hat-ten die Kolleginnen 1=ander kurz angeschaut, sich zuge-zwinkert, und wieder geschwiegen..... Nur wenig Worte sprach dieser unauffällig u still erscheinende Mann zu Hanna im Krankenzimmer an jedem Besuchstag; und er ließ keinen einzigen aus.

NEUE WIRTSCHAFTSERFOLGE DER SU – PRODUK-TIONSSTEIGERUNG UM 22 PROZENT – ER-HÖHUNG DER LÖHNE UND GEHÄLTER IN DER INDUSTRIE – SPORTLER GEDENKEN DER REVO-LUTION – ZUR 100. WIEDERKEHR DES TAGES, AN

DEM BERLINS EINWOHNER AUF DEN BARRI-
KADEN KÄMPFTEN, WERDEN EINIGE INTER-
ESSANTE FUSSBALLBEGEGNUNGEN DURCHGE-
FÜHRT – DIE SED RUFT MICH, DIE SED RUFT
DICH, DIE SED RUFT UNS ALLE!

Als Hanna u: der dürre Mann, ihr Chef, am Elbufer spazie-
rengingen, zeigte sich der Fluß nur dünn befroren; Eisränder
griffen wie rundliche Hände in die tiefgraue Strömung hinein. Nach dem bösartigen Winter des vergangenen Jahrs, vier
Monate mit zwanzig Grad Kälte in schneidendes Blau ge-
brannt, die Haut zerriß u das Blut gefror, stellte dieser Winter
sich beinahe mild. Nach dem Ende ihrer schweren Erkrankung waren das für Hanna die ersten Stunden wieder an der
Frischenluft – ein großes Ausatmen – nachdem sie der klammen Krankenzelle voll mit Fieber u gelbem Schweiß entkommen war.

Den Weg das Elbufer entlang hatte sie 1 federleichte Wind-
frische verspürt, das Unverbindliche der Fremden inmitten
einer Wirklichkeit, die nicht die Wirklichkeit der Fremden
war. Von Dem, was der Mann neben ihr sprach, vernahm
Hanna Bruchstücke nur; doch füllten die 1dringlichen Worte
des Mannes, ihres Chefs (nie zuvor hatte sie diesen stets für
grau & dienstlich=mürrisch gehaltenen Mann so lebhaft gesehen) mitsamt der erdhaften Schwere seiner Schritte den
windleeren, träumerischen Raum in Hannas Empfinden allmählich auf, und sie glaubte ihrer=beider Schritte zu hören
als vertrauten Widerhall auf dem Steinfußboden im Innern
eines Doms.

### Kleine St. Ilsenstraße.

Kindhafte Losgelassenheit weigerte sich strikt, die Worte des
Mannes, mit Ernsthaftigkeit & Eindringlichkeit an sie=
Hanna gerichtet mitsamt deren Sinn für Wirklichkeit, aufzu-
nehmen & verstehen zu wolln. Jene in den ersten Stunden
dieses Tags empfundene luftleichte Ungebundenheit – vielleicht zum 1. Mal in Hannas Leben – hielt sie mit ausgestreckten Armen fern vom Brandherd aller Verpflichtun-

gen...... *Liegen u liegen lassen* – pfiffen ihr die Spatzen des Übermuts, und *Alte Scheunen brennen heller.* Doch wie 1 an etlichen Stellen schadhafte Grammophonplatte, hakten sich Kernwörter aus den Sätzen dieses Mannes in Hannas Wahrnehmung fest: –weiß, ich habe kein Recht – hörte sie soeben den Mann sagen; *kein Recht kein Recht,* näselten die Grammophonlippen –, –und will Sie auch !nie bedrängen – *!nie bedrängen !nie bedrängen* –; –aber es kann Ihnen nicht entgangen sein, daß eine tiefe Zuneigung –, *Zuneigung Zuneigung* –; –mich für Sie ergriffen hat – *ergriffen hat ergriffen hat* –; –schon seit dem 1. Tag, als Sie zu mir auf die Dienststelle gekommen sind – (die Frau schaute unauffällig zu dem Mann, der neben ihr herlief in seinen dunkelblauen, speckig glänzenden Diensthosen & dem derben Mantel; ein unscheinbares, Nichts sagendes Profil, den Schädel eines Xbeliebigen seinen Schritten voraus entgegengeneigt, als müsse er vom Pfad aus der dunklen weichen Erde seine schlichten Worte 1zeln auflesen. Und es waren die Worte eines um den Fortbestand seines Hofs besorgten Bauern, der dem Ufer seiner Lebensjahre schon deutlich näher kam (Charon, der Kahn & der Obolus) – *Václav, sonntags beim Pilzesuchen in der Heimat, im Hochwald der Duft vom Laubbitter-Herbst, u schräg zwischen die gutmütigen Baumstämme gestellt die stillen, leidenschaftlosen Sonnenstrahlen* –. Die schütteren Haarsträhnen auf dem Schädel des Mannes flossen dünn wie Luftalgen im Wind (er trug während er sprach den grauen Filzhut in der Hand, in solchen Reden ebenso ungeübt wie Hanna im Anhören der=artiger Anträge, & er glaubte wohl, beim Liebeswerben müsse 1 entblößter Kopf größere Leidenschaft bedeuten), –bin trotz meiner Dienststellung 1 1facher Mann geblieben – *1facher Mann 1facher Mann* –; –und möchte Ihnen sagen, daß ich, trotz Krieg & Vertrei –:

### Heinrich-Heine-Schule.

–ich wollt sagen: trotz der !Umsiedlung aus Schlesien, in den letzten Jahren wieder ein Kleinbißchen=Was auf-die-Seitelegen konnte. Sie würden es nicht bereuen müssen, wenn Sie – wenn wir=Beide uns zusammen – *nicht bereuen nicht be-*

*reuen* –; –ich bin jetzt Neununfümzich, nächst=Jahr werich Sechzich – wir sind keine Schulkinder mehr & können ohne Illusionen über Alles reden – *ohne Illusionen ohne Illusionen* –. Der dürre Leib des Mannes u im Windschliff sein gerötetes Gesicht mit der fleischigen Nase schob sich während des Weitergehens langsam vor den Anblick eines im Flußufer stekkenden Wracks, eines im-Krieg zerschossenen Schleppdampfers. Das große Leck in der Bordwand, als Eisenrachen mit Maulsperre die grauen Elbwasser schlürfend, erinnerte Hanna so unvermittelt wie schreckvoll an jenes aufklaffende Grab auf dem Friedhof *Daheim=in-Komotau* – damals, als während eines langen Regens die Ströme der Himmelswasser von dem Hügel, darauf die Kapelle u rings um sie die Grabstätten ruhten, das Erdreich los- und fortspülten, die Umfriedungsmauer schließlich wegbrach und alle dort gelagerten Gräber – so auch das Grab von Václav, Hannas verstorbenem Mann – plötzlich als ein schwarzes Höhlenmaul sich auftaten –. Johanna, als sie es sah, hatte aufgeschrien, hatte weinend & lauthals klagend die Hände zum Himmel erhoben, als wolle sie aus all den grauen-Wolken das Wasser schöpfen, zeternd zu Hanna: –*!Jessas=Jessas ?!was hast du wieder ver?brochen, ?!was hast du ihm ?getan, daß er zurückkommen muß um uns=alle zu !strafen.* Aber der Regen schwemmte aus dem offenen Grab nur Kiesel u zähen Erdeschlamm heraus.– Zement, erstarrt im borstigen Uferschilf, die einstige Fracht auf diesem Schiffswrack dort-drüben. (Charon tot, sein Kahn zerschossen, kein Obolus.) Auf dem Schiffsdeck, neben dem wie 1 rostfleckige schwarze Säule mit silbergrauem Rand aufragenden Schornstein, türlos die Kajüte (ebenso in Schräglage wie das übrige gestrandete Schiff, den Blicken der Frau einladend zugekehrt), und Hanna, trotz des zertrümmerten Innern im engen Raum, dachte: *Dort, inmitten von Schrott* (der wie Drahtverhau sämtliche Anderenmenschen & deren Wollen fernhielte –);

### Nicolaistraße und Chüdenstraße.

!ja, dort könnte sie die ungewisse Zahl der ihr noch bevorstehenden Lebensjahre verstecken, und sie schließlich in enger,

menschloser Trümmerkajüte im Endlich=Frieden zu-Ende
bringen – –

Hanna riß sich gewaltsam los aus dem Tagträumebruch,
und zwang sich, diesem Mann=ihrem Chef, zuzuhören.– An
seinem ?werweißwielange schon erwartungsvoll erhobenen
Atem (als er, am Ende seines Antrags schweigend auf Hannas
Erwiderung harrend), erkannte sie die Not zu einer Entgeg-
nung.

–Ich bin nicht allein. Wenn auch Vác –, wenn auch
Mein=Mann schon vor beinahe acht Jahren verstorben ist, so
habe ich den Treueschwur, den ich Ihm gegeben habe, nicht
vergessen. Am offenen Grab habe ich Ihm ein Letztesmal !ge-
schworen, daß ich mit !keinem Anderenmann jemals wieder
–. Daran habe ich mich zu halten. Und Heute habe ich für
meine alte Mutter, für meine um zehn Jahre jüngere Schwester & für meine Tochter zu sorgen. Das ist Meinefamilie. Wer
seiner Familie den Rücken kehrt, der taugt Nichts. Also kann
ich nicht 1fach auf&davon mit nem Wildfrem –. (Sie räusperte) –Alles was man besitzt kann einem genommen werden. Aber Anstand u Stolz, die kann einem !keiner nehmen.
Und ?!wo käm ich hin, würd ich Einen !Schwur, den ich am
Grab meinem Mann geleistet habe, brechen..... !Ich muß
mich kümmern um meine Familie, grad jetzt, nachdem ich
so Langezeit krank gewesen bin & nicht aufs Dorf konnte, um
nach ihnen zu sehn. Denn zu mir ins Krankenhaus sind sie
keinmal gekommen. Wer weiß, !was mit ihnen geschehen ist,
während ich nutzlos im Spital gelegen hab. Das macht mir
!Großesorgen. !Nein. Ich bin !nicht frei u werd es !niemals
sein.

Als der Mann, von Hannas so unverhofft schroffen wie aus
Blech ausgestanzten Worten ernüchtert (er spürte nicht das
Formelhafte, das wie die Wortfolge in einem uralten Gebet,
von Generation-zu-Generation weitergegeben, ins Grau&-
schwarz der Familienkleidung hineingewoben), verstummte,
nur fähig, in hilfloser Bewegung nach ihrer Hand zu greifen,
spürte er diese Hand klein u kalt wie das Eis am Flußrand der

Elbe. Solch Hände sagen *Geh hin zu ihm – aber nimm Abschied.....*

Laut sagte der Mann zu Hanna: –Ich werde trotzdem die Hoffnung nicht aufgeben, daß Sie einestags, wenn Alles-Gut-geworden ist, zu mir kommen. Und ich werde bei Allem, was Sie betrifft, immer für Sie dasein. Sie brauchen mir nur zu sagen – : Möglich, seine Blicke waren zu früh hinüber in Hannas Gesicht gegangen; so bemerkte er keine Veränderung in diesem blassen, in gläserne Durchsichtigkeit & Härte gestellten Gesicht. Nichts, außer für diese bald fünfzigjährige Frau bereits seit Jugendzeiten scharf hin1geprägten Falten 1=gewissen Altjüngferlichkeit, daran auch Ehe-&-Kind nichts hatten ändern können : Senkrechte, tief in die Gesichtshaut geschnittene Linien um Augen, Nase, Mund, Kinn – das Gesicht in streng abgegrenzte Bezirke teilend, die, u jeder für=sich, unterschiedlich rasch zu altern schienen und der Gesichtshaut fortan einen angestrengten, stets gehetzten Ausdruck beigaben so, als sei diese Frau dazu gezwungen, überschwere Lasten in immer unzureichender Zeit hinter sich herzuzerren. Eine Miene, der gegenüber ein-Mann aus seinem Instinkt heraus sowohl Mit-Leiden, als auch die Warnung vor allzu großer Nähe empfinden muß. Doch auch dieser Mann Ende der 50, wollte er in verstrüppten Ufer-Gefilden aller Leben's Mühsal (Charon, der Kahn, der Obolus) nicht 1sam auf-der-Strecke-bleiben, hatte längst schon keine Wahl mehr –.– Dann vor der Tür zum Haus Thälmann-Straße 32 nahm der Mann Abschied von Hanna.

Die, wieder allein, fühlte beim Gang das Treppenhaus hinauf jenen seltsamen Zwie-Spalt: das Kräftigende aus dem 1halten eines Gebots u: die flaue Leere nach einem end=gültigen Verzicht.

Schon auf dem Korridor zu ihrer Zimmertür griff die staubige wie frostiger Hall sie umschließende Kälte aus diesen Mauern 1 Wohnung nach ihrem hageren Körper – Luft, so alt wie Feindschaft im Geruch von längst verdunstetem Schweiß aus abgehängten Kleidern –, als sie hinter der Tür zu den

Räumen der mürrischen Witwe greinende Laute vernahm sowie leises, trockenes Schaben, als kratzten Fingernägel über eine kalkige Wand. Hanna blieb draußen vor der Tür, lauschend –, dann klopfte sie vorsichtig an. Das Greinen=dortdrin hob kurz an zum von Schmerz verzerrten *herein* – : Ofenwarm lag gelber faulender Obstgeruch von Salben im Raum, vor Blümchentapeten Vertiko & Kleiderschrank zu mollbraunem Nußbaumholz zusammengedrängt, die Stehlampe schlierte fettiges Schimmern süß u leibesdumpf über Kissen&lakengewühl –. Hanna, kaum vor die Frau ans Bett getreten, fühlte sich von panisch zitternden Fingern an der Hüfte gepackt, sah in das peinzerpflügte Gesicht der Witwe hinab, deren lebensgierige Hände an Hannas Leib wie am Uferpfosten fest sich 1krallten. Während sich die alte Frau dem Schmerzensgebiss zu entwinden suchte, legte das verknautschte Nachthemd den Rücken ein Stückweit frei –; Hanna sah: feuerrote Hautpartien – wässerig pralle Bläschen, zum Handbreit den Rumpf umklammernden Band aufgeschossen –; keine Frage: Gürtelrose.....

***Altperverstraße.***

Und hörte das von Schmerzen zerstochene Barmen der Witwe: *–!Bitte !nicht ins Krankenhaus – !Sie konnten Dorthin & wieder lebend raus – !Sie sind ja noch jung – ich bin zu alt – für die Alten gibts nur 1 Weg aus dem Krankenhaus: zum Friedhof.* ICH WILL NICHT STERBEN. *Bitte – tun Sie was – aber !keinen Arzt – !kein Krankenhaus –*

–Ich kümmere mich um Sie. – Schnitt Hannas Stimme das Gebarme & Gezeter der Alten ent-2.

Und Hanna umsorgte die kranke Frau; salbte die schmerzenden Rückenpartien – legte frische Verbände an – kochte die alten Mullbinden aus – beschaffte vom eigenen Geld Medizin. Hanna fürchtete keine Ansteckung, also bekam sie keine. In Allerfrühe, bevor sie zum Dienst ging, holte sie Kohlen aus dem Keller (nicht 1 Brikett, das sie für ihr Öfchen abzweigte), heizte den großen braunglasierten Kachelofen im Zimmer der Witwe (aus rotsamtenen Flammen überstrich wärmender Atem Hannas Arme –); Jedesmal nach dem letzten Handgriff verließ Hanna, stumm wie 1 Dienstmagd, das Wohnzimmer der Fremden. Mittags setzte sie ihre Pause dran, lief hierher, legte im Ofen Kohle nach

### Am Chüdenwall.

Die Stimme der Direktorin war plötzlich kein Flüstern mehr, sondern stand laut & fest im Raum: –Und ich sage das mit !aller Deutlichkeit: !Unmöglich, soviel Stoff zu all-dem neu hinzukommenden bis zum Abitur nachzuholen. !Das hat noch niemand geschafft, u: das wird auch die-da !nicht schaffen. : –Es war wohl !nicht die Schuld meiner Tochter – (begehrte Hanna auf – sie drückte Annas Hand, fest – und hielt sie noch fester, als sie Anna am steif herausgereckten Arm in die Zimmermitte schob, die Tochter als Schild im Zwist gegen eine beamtete=Medusa benutzend) –und ist auch nicht unsere Schuld, daß dem Kind Daheim zum Schluß der Schulbesuch verboten war; daß sie ins Lager mußte, zur Zwangsarbeit in die Landwirtschaft; daß uns als Deutsche von den-Tschechen verboten war – –!Gut. (Die Direktorin hieb mit dem dürren Arm wie mit 1 Rohrstock durch die stehende Luft, Hanna rigoros das Wort abschneidend:) –Ich sagte: Gut. Ich will es sie versuchen lassen. Aber kommen Sie nicht & machen mir Vorwürfe, wenn sie die Prüfungen zum Abitur nicht schafft. Und damit Sie es !ganz=!genau wissen: (die Direktorin trat noch 1 Schritt näher) –Es wird ihretwegen nicht 1 nochsowinzige Ausnahme gemacht. Sie wird 1 Schülerin sein wie alle anderen. – –Mehr wollen wir auch nicht. – Beharrte Hanna trotzig. Die Direktorin, die nicht dulden mochte, daß Hanna das letzte Wort behielt, ging an den beiden Frauen vorüber, die Tür zum Flur=hinaus weit öffnend, & wiederholte: –Wie gesagt: Es ist !unmöglich. – *Das werden wir ja sehen.* Vielleicht war dieser kleine Satz in Gedankensprache der 1. Satz seit Langem, den Mutter u Tochter gemeinsam sprachen. – Den Gruß der beiden beim Hinausgehen erwiderte die Direktorin nicht. Sie blieb stehn neben der Tür, 1 Frau wie 1 grauer scharfkantiger Span aus Gußeisen, &

blickte wortlos u voll unverhohlener Verachtung der Beiden Weg den Flur entlang hinterher

### *Hirtenweg.*

–So ein !BeDeM–Suppjeckt. Und wenn ich noch keine gesehen hätt: !Die ist So=eine..... gewesen. Hat die-Kurve in die-Neue-Zeit gekriegt & spielt sich auf wie – (Hanna suchte vergeblich nach einem schimpfwürdigen Vergleich). –!Was für niederes Gemensch: erst fressen sie aus der Raufe des einen Herrn, und wenn der weg ist, fressen sie eben aus der eines andern –: Es gibt keinen !Anstand mehr unter den Menschen, keine Selbstachtung. – Anna wollte erstaunt stehnbleiben, sie erinnerte sich nicht, die Mutter früher jemals fluchen gehört zu haben. Hanna ihrerseits, noch immer voller Wut auf diese eisengraue Frau Direktor, hatte ihre Worte ausgespien wie bitteren Speichel. Mit energischen Schritten lief sie, die erwachsene Tochter hinter sich herziehend, die Braunschweiger Straße stadteinwärts, dabei halblaut immerfort mit-sich-selber sprechend.

Als sie schließlich vorm Rathausturm am Knotenpunkt der beiden größten Straßen Birkheims – die Straße-der-Freundschaft traf hier auf die Straße-der-Jugend – angekommen, plötzlich stehnblieb, setzte Hanna, wie zum Beschluß eines mathematischen Beweises das *q.e.d.*, entschieden die Worte: –Du kannst nicht tageintagaus vom Dorf hierher & wieder zurückfahrn. Dann schaffst du die Prüfungen wirklich nicht. Du mußt !lernen, Kind, in !Jederminute. Und dazu mußt du hier=in-Schulnähe sein. 1 eigenes Zimmer brauchst du, hier in Birkheim, & das sollst du haben: Ich bezahl es dir, und wenn ich dafür den Rest meiner Lebtage Steineklopfen müßte.

Anna, noch immer fest an der Hand gehalten, erinnerte ein Gespräch vor einiger Zeit auf dem Dorf. Die Eltern von Hilde, 1 Nachbarskind – helläugiges, dünnblütiges Mädchen, im gleichen Alter wie Anna u Schülerin auf demselben Lyzeum –, hatten von Verwandten-in-Birkheim erzählt: Von zwei schon älteren Leuten, all-1 in ihrem Einfamilienhaus

lebend &, nachdem die dort einquartierten Russen wieder
abzogen, fürchteten sie die staatlich verfügte Einquartierung
von Flüchtlingen —:rasch hatte Hanna begriffen: Ehlers,
Marienstraße5, Nähe Schlachthof. (Ursprünglich gedachte
Hanna diese Unterkunft für sich selbst zu nehmen, um ihrer
Anstellung bei der Reichsbahn in Birkheim durch den Nach-
weis von Wohnraum Vorschub zu geben. Nun aber ging
Anna vor)

### Lyzeum Neutorstraße.

Hanna kochte der Witwe auch das Essen (zum Teil erworben
mit den eigenen Lebensmittelmarken) od: sie wärmte die aus
der Bahnhofskantine im Henkelmann mitgebrachten, für ihre
Essenmarken dort erstandenen Speisen auf. (Niemals auch
nur zum Abschmecken rührte sie dieses *Fremde Essen* an so, als
hieße das einen Diebstahl-begehn.) Bevor Hanna mittags
wieder zurück in die Dienststelle ging, salbte sie der Kranken
noch einmal den Rücken, wechselte die Verbände & spülte
die alten in Seifenwasser aus. Die dankbaren Blicke dieser
Frau schienen an Hannas teerschwarzer Stummheit jedes Mal
wie Wassertröpfchen abzugleiten —; wortkarg, die Lippen
straff, versah Hanna ihre Hilfe. Und stets, als hätt plötzlich 1
Befehl, gegen den keine Widerrede galt, sie gerufen, lief
Hanna nach dem letzten Tun aus dem fremden Zimmer fort
& hinaus. Auch nicht 1 Minute länger als nötig blieb sie jemals in diesem mollig=warmen Raum.

Hannas Fürsorge brachte Erfolg. Nach einigen Wochen
war die Witwe genesen. 1 Abends (der späte Winter hatte
noch einmal Frost in die Stadt gestellt), als Hanna im Zimmer
der Witwe Kohlen im Ofen nachlegen & daraufhin, wie all-
die-Male zuvor, sofort wieder aus dem Zimmer hinaus und
zurück in die stehende Eisluft ihrer engen Kammer wollte,
sprach die Witwe, im Sessel bei Tisch, Hanna mit halb bitten-
der, halb ratloser Stimme an: —Laufen Sie doch nicht immer
gleich wieder fort. So !bleiben Sie doch einbißchen hier=im-
Warmen bei mir. Es ist so kalt bei Ihnen drüben. !Was meinen
Sie, was ich mir für !Vorwürfe mach, daß Sie keinen richtigen

Ofen in Ihrem Zimmer haben. Kommen Sie, setzen Sie sich und lassen Sie uns einwenig erzählen. In den Letztenwochen haben Sie !Soviel für mich getan – ?!was hätt ich bloß gemacht ohne Sie – vielleicht, nein: ganz !sicher wäre ich heute schon nicht mehr – (die Frau schluchzte.) –Sie sind ein !Engel – ja: Einen wahren !Engel hat mir das-Schicksal hier ins Haus gebracht.

–Ja: einen Engel, den man wie Dünnschiß nicht aufhalten kann. – Sagte Hanna & ging, zurück in ihre ausgekühlte Kammer. Die Tür hinter ihr schloß das Weinen der alten Frau in der gelbwarmen Wohnstube ein

### Hagenweg in den Schulenburg-Park.

Nicht lange nach dem Spaziergang am Elbufer ließ der Dienstvorsteher Hanna zu-sich in sein Amtszimmer rufen. An den Tischen, zu beiden Seiten des Mittelgangs durch das Büro, duckten die Kolleginnen die Köpfe nieder (verbargen hinter den Händen das schämichgeile Gegrins & jene 1-Wort-Flüstersätze *!Dasiehstes Dieham!dochwasmitnander*). Genau=Dergrund, weshalb Hanna bei den weiblichen Angestellten im Büro nicht beliebt war (die übrige Ablehnung erfuhr sie aus jener Antipathie heraus, die nicht aus wirklichen Vergehen, vielmehr aus der inneren Gestelltheit eines Menschen herrührt, aus einer feindlich-tierischen Witterung des Fremden..... heraus, u daher umso hartnäckiger bestehen bleibt, als dies bei irgendwann der Vergessenheit anheimfallenden Un-Taten geschehen könnte. Der Chef erkannte: Gefähr-Dung für den Betriebsfrieden.....).

Der Hauptgrund, weshalb dieser Mann seinerseits die tägliche Nähe zu Hanna künftig vollkommen meiden wollte, das war jene peinvolle Nacktheit, die er seit seinem Antrag u: der Abfuhr, die sie ihm erteilt hatte, bis zu dieser Stunde empfand; einer Entblößung, der er durch die endgültige Distanz zu dieser Frau !endlich würde abhelfen können. Im-Alter nimmt die Brenndauer aller Hoffnungsfeuer so rapide ab wie das Verlangen steigt – das Verlangen nach einem warmen Mantel.

Kaum war Hanna in die alte Luft im Dienstzimmer des Chefs 1getreten, hatte die mit braunem, zu rissigen Inseln zerbrochnen Leder bespannte schallbedämpfte Tür hinter sich geschlossen (in ihr jenes unbestimmbar flaue Vor-Fühlen, als sei sie durch diese Art 1 knapp durchs Telefon ausgesprochnen Gestellungsbefehls zu neuerlicher Evakuierung herbeizitiert), hatte, auf die Geste des Chefs hin, vor seinem Schreibtisch kaum Platz genommen, als ihr der Mann den Grund für diese Zusammenkunft eröffnete.

–Ich erinnere mich, was Sie mir hinsichtlich der Gebundenheit an Ihre Familie gesagt haben. (Begann er umständlich.) –Und ich sehe, welche Anstrengungen Sie unternehmen: Jede Ihrer Freienminuten fahren Sie zurück aufs Dorf, um dort nach dem Rechten zu schaun, & wären Sie nicht im Krankenhaus ans Bett gefesselt gewesen: Sie hätten noch in Ihrem Zu – Sie hätten noch während Ihrer schweren Krankheit

### Pfefferteich im Schulenburg-Park.

Von der schon fieberheißen Hand ihrer Mutter gehalten, ging Annas Blick hinüber auf den Rathaus-Vorplatz –: Menschen in lichter Menge umringten dort ein ausgestelltes, grausam verbeultes Automobil. Dies zur Abschreckung & zur Warnung wurden solche Skulpturen eines Malheurs der Öffentlichkeit präsentiert. Daneben in Schaukästen ein Plakat: Fotomontage eines betrunknen Motorradfahrers, das Skelett mit Schnapsflasche in Knochenhand auf dem Sozius; Text: DER TOD FÄHRT MIT!

### Holzmarktstraße.

–(der Chef hüstelte unbeholfen, fing sich indessen rasch:) –Auch weiß ich, daß Sie sich ursprünglich in Birkheim im Lohnbüro um eine Stelle beworben haben; Ihre Anstellung hier=in-Magdeburg war sozusagen nur auf-Zeit. Damals gab es da gewisse – ämm – Hindernisse. Die sind inzwischen ausgeräumt. (Er lehnte sich in den Stuhl zurück. Hanna, in Erinnerung an Damals, warf ein:) –Ich will niemandem sein Brot weg \ (:Mit 1 Geste schnitt der Mann ihr das Wort ab. Und sagte mit lauter Stimme, als gälte es, einen fernen=mächtigen

Zuhörer zu erreichen:) –!Es kann !nicht !angehen, daß in unserem Dienstbereich weiterhin Altenazis & ihre Helfershelfer beschäftigt sind. –

IN SACHSEN WIRD DURCHGEGRIFFEN – ENTNAZIFIZIERUNG IN ALLEN –

–Kurzum: Diese Stelle in Birkheim ist nun frei. Und – (der Chef präsentierte den Nachsatz mit jenem kuriosen Respekt, der jeden Küngler vor dem Erfolg der eigenen Küngelei ergreift:) –Ihr Gehalt dort wird !wesentlich !höher sein als hier. Ihr Vorgänger war bereits zur Gehaltserhöhung vorgesehn, wären da nicht eben gewisse – ämm – Sachen-von-Früher –. (Er ließ Hanna keine Zeit zum 1spruch:) –Diese Gehaltsstufe werden !Sie bekommen. Das entspricht voll&ganz Ihrer neuen=großen Verantwortung: Sie werden in Birkheim in der Hauptkasse Jedenmonat die Löhne & Gehälter auszahlen. Sämtliche Abrechnungen liegen fortan in Ihren Händen. Ich weiß, Sie haben solche Arbeit auch schon früher, in Ihrer Heimat=im Sudetenland, ausgeübt. Sie bekommen sozusagen die alte Arbeit in Ihrer neuen Heimat zurück. Nehmen Sie diesen Vertrauensbeweis als Anerkennung & als Dank – : –Ich will keinen Dank. – Entfuhr es Hanna (die bei der Nennung *Sudetenland* schmerzhaft zusammengezuckt war). Dann biß sie selber das Wort sich ab. Die Erwähnung von *Ihrer Heimat* hatte sie für 1 Moment vergessen lassen, wo sie sich befand.

Im Chef-Zimmer Schweigen wie Blei. Nach schwerer Weile kam die Stimme des Mannes kleiner daher. –Sie solln nich glauben, ich habe Das neulich nurso gesagt – (seine Stimme glitt plötzlich aus der Uniform in die nackte Unsicherheit:) –daß ich zu Jederzeit für Sie da=bin. – (Und spürte, er wäre verloren, bliebe er länger hinter dem Schreibtisch hocken. So stand er auf, trat vor die sitzende Frau, die, als sie Den Chef vor sich bemerkte, sofort aufspringen wollt –, begütigend legte der Mann Hanna seine bäuerliche Hand auf die Schulter, hielt sie sitzend auf ihrem Platz, flüsternd:) –Ich weiß, Sie werden !niemals zu mir kommen. Solange wie ich auch warten würde. Und werweiß, wielange ich noch werd warten können..... Sie müssen Ihren Weg gehen. Das haben Sie gesagt. Also will ich Ihnen nicht im Wege stehn. – (Er trat ans Fenster, die für seine dürre Gestalt etwas zu großen Hände auf dem Rücken; den vergitterten Scheiben zugewandt, hörte Hanna seine Stimme u sah seine Worte als Atemhauch auf den kühlen Scheiben erscheinen, und dort langsam auch wieder vergehn –:) –Ich habe Sie für diese Stelle in Birkheim vorgeschlagen & es hat keinerlei Schwierigkeiten gegeben. Es ist vielleicht das Letzte, was ich für Sie tun kann. (Er räusperte, setzte danach neu an, die Blicke starr durch die Gitterstäbe hinaus.) –In Birkheim, in der Ebertstraße, können Sie in 1 Wohnung einziehen. Ich habe mich umgetan, es sind Wohnungen der ehemaligen MISPAG, die Heut allen zur Verfügung stehn. Eigentlich ist das eine 2-Zimmer-Wohnung. Sie müssen sich aber die Wohnung teilen mit einem Vater u seiner Tochter; die beiden stammen übrigens auch aus dem Sudetenland. Aber ich denke, dort sind Sie weitaus besser untergebracht, als hier in diesem zugigen Loch. Und Sie werden in der Wohnung=dort gewiß nur vorübergehend wohnen müssen, bis für Sie Ihre Mutter u Schwester dann in Birkheim am Bahnhof eine größere Dienstwohnung freiwerden wird. Sie müssen nur einen Antrag stellen, sobald Sie in Birkheim die Arbeit aufgenommen haben. Ich werde mich für Sie auch weiterhin einsetzen, im-Augenblick aber kann ich für Sie nicht mehr tun. Tja. Ich –

Der Chef führte seinen letzten Satz nicht zuende. ?Vielleicht hatte er hinzufügen wolln *wünsche Ihnen Vielglück* od 1 ähnliche Floskel, die er sich sofort verbat. ?Od mochte er laut nicht aussprechen, was der Mann seit-Langem schon dachte: *Ich habe noch niemals 1 so offenkundig zu keinerlei Lüsternheit od gar Schamlosigkeit fähige Frau getroffen.* Und der Bauer in=ihm raunte: *Ihre Ehrlichkeit reicht bis zur Blödheit. Sie wird zeit=lebens stets mehr bezahlen müssen, als sie schuldig ist – –*

Die letzte Ateminsel auf dem Fensterglas war längst verschwunden, Stille summend im warmen Bohnerwachsgeruch des Dienstzimmers. Hanna wartete – und in solcher Stille roch sie zum 1. Mal, zwischen den nüchtern beige getünchten Wänden, das Abgestandne menschlich=kleinlicher Bilanzen, Atemschübe, Ausdünstungen penibler Zahlenverkettungen mit der schlauen Unbarmherzigkeit von Diensttuern, darin selbst Schmutz & Staub abzählbar. Sie empfand derlei undeutlich u verschwommen, wie 1 kalte Dämmerung.– Schließlich ging Hanna im Rücken des Mannes vorsichtig u leise hinaus. (Der Mann-am-Fenster, mit dem Rücken zu ihr, hatte sich nicht bewegt.) Ihr Weg zurück an den Arbeitsplatz ging vorüber an den geilfettigen Mienen der Kolleginnen. Der Raum erschien ihr bereits jetzt wie der kurze Besuch in 1 abgelebten, kindischen Vergangenheit.....

Vielleicht, weil Bahn & Züge sie einst aus *der-Heimat* fortgeschafft u, dem Grundsatz der Homöopathen zufolge Ähnliches durch Ähnliches geheilt werde, sie durch die Nähe zu Bahnhöfen & Zügen von diesen schließlich die Rückkehr sich versprechen mochte: Nach dieser Stunde bei ihrem Chef glaubte Hanna der Rückkehr in *die-Heimat* um ein Großesstück sich nähergebracht

### Holzmarktstraße / Burgstraße.

Zum 1. Mal seit dem Ende ihrer Krankheit, nach dem Elbspaziergang mit ihrem Chef, setzte Hanna sich nach Dienstschluß in den für diesen Tag letzten Zug nach Birkheim – sie fuhr dem restlichen blaugelben Tagesschimmern hinterher. Dunkle Abendwolken löschten bereits den Horizont, als sie, in Birkheim umgestiegen, der Vorortzug aufs Dorf zurückbrachte. (*Er hat Diese Worte zu !mir gesagt – wie wohl jeder Mann zu jeder Frau – Die Frau muß dem Manne dienen – hab damals Ihm an Seinem Grab geschworen – !niemals wieder einen anderen – und hätte ihn – Ich hätte ihn – Ja: !ihn –*) Vom Bahnhaltepunkt Kuhfelde (3 backsteinrote Häuschen in der Form ⊥ als gestürzter Buchstabe der Marter) auf dem nächtlich bleichen Weg nach Schieben –, der Steppklang ihrer Schritte Hier komme !ich, Hier komme !ich verfing sich im sturdürren Schilfgitter am Rain – wie !oft schon hatte sie diese Bahnhofshäuschen gesehen : !?Weshalb sah sie Heute darin das Foltergerüst, daran der-HErr gekreuzigt ward..... : Ein bislang ungekanntes frösteliges Bangen bedrängte plötzlich die Frau

*Burgstraße.*

Nach der zugesagten Versetzung nach Birkheim – Hannas Lohn für diesen Monat war ihr bereits ausgezahlt worden –, lief sie sofort zu der Witwe Blockrath. Seit jenem Vorkommnis am Ende der Pflegezeit, als Hanna der wieder genesenen Witwe deren grobe Bemerkung von-einst über *Flüchtlinge-u-Dünnschiß* so unverhofft wiederholt hatte, damit die immerhin mögliche Versöhnung ausschlagend, verlief der Umgang zwischen beiden Fraun – ohnehin auf die sachlichen Notwendigkeiten beschränkt – in eisiger Atmosfäre. Hanna, die seither als die Überlegene sich fühlte, ahnte nicht, daß unter diesem Eis=Panzer der Witwe ein siedender Stausee stand, und Hannas abrupter Auftritt mit dem unverhohlen triumfierenden Ausruf *Für nächsten Montag !kündige ich das Zimmer & ziehe dann !sofort aus* – genau=!den-Anlaß gab, den Schutz=Panzer vor der siedenden Staumasse..... zu sprengen.

Auf Hannas Klopfen hin öffnete sich energisch die Tür, auch an diesem Abend griff ofenwarmer Schein aus der Wohnstube der Witwe heraus; dieses Mal jedoch sofort, wie aus Metall gegossen, stellte Feindschaft schwer sich in die gelbe Zimmerluft. Herrisch & stumm wies die Witwe Hanna, ihr in die Küche zu folgen.

Die Witwe: –Sie haben eine Kündigungsfrist von 3 Monaten. Wenn Sie schon ab nächster Woche kündigen & von 1-Tag-auf-den-andern ausziehen, dann schulden Sie mir die Miete von diesen 3 Monaten. Ich darf in Dieserzeit die Wohnung nicht weitervermieten, hätte also Ausfall

Hanna, auftrumpfend: –Sie wollen mir doch nicht ?!weismachen, daß Sie die Wohnung nicht auf-der-Stelle ?weitervermieten. Ich werd noch nicht recht draußen sein, da werden Sie schon

–!Sparen Sie sich gefällixt Ihre Verdächtigungen-?!ja. – Unterbrach die Witwe wutkalt. –Ich bekomme von Ihnen, was mir !zusteht: den Rest der Miete für diesen Monat & die Miete für 3 weitere Monate.

(Etwas am Tonfall der Frau ließ Hannas Überlegenheitsgefühl zusammensinken.) Hanna: –Schön. – Sie nahm aus ihrer Handtasche von dem Bündel Geldscheine, ihrem Monatslohn, einige der knitterigen Scheine 𝕽𝖊𝖎𝖈𝖍𝖘𝖒𝖆𝖗𝖐 & legte sie auf die Wachstuchdecke über dem Küchentisch. –Die !Quittung, wenn ich bitten darf.

Die Witwe zog aus der Schublade im Küchentisch 1 Block mit gedruckten Formularen, trug die Summe ein, riß das beschriebene Papier vom Block ab & schob es Hanna zu, die steckte es ein, wollte hinaus.

Die Witwe: –Dann bekomm ich von Ihnen noch die Miete für 3 Monate.

Hanna: –?!Wà –, u traute ihren Sinnen nicht. –Aber – !da liegt doch das Geld: Auf Heller&pfennig die restliche Miete für diesen Monat und für die 3 weiteren Monate: !da=vor-Ihnen auf dem Küchen

Die Witwe: –Ich rede nicht von diesen 3 Monaten; ich rede von Ihrer 1. Einquartierung hier bei mir. Damals Fümfunvierzich. Seit Damals schulden Sie mir Miete-für-3-Monate. Bis auf den Heutigentag habe ich dafür von Niemandem auch nur 1 Pfennich gesehn.

Hanna, die Lippen dünn zum Bittergeschmack des Ekels verzogen, griff erneut in die Handtasche & schob die knitterigen Scheine 𝕽𝖊𝖎𝖈𝖍𝖘𝖒𝖆𝖗𝖐 angewidert neben die anderen.

Die Witwe, reglos zusehend: –Das reicht nicht. – Sagte sie kurzum, und: –Der Mietpreis=Damals, der war noch der alte, von-Früher.

–!Wieviel. – Hannas Stimme schneidend.

Die Witwe nannte sofort eine Summe; sie hatte seit-Langem auf !Diesenmoment gewartet. Hanna, voller Angewidertheit als hätt sie sie aus der Kloake gezogen, warf weitere Geldscheine auf den Tisch. –!Quittung.

–Abergewißdoch. – Mühsam unterdrückte die Witwe in der Stimme den Hohn & füllte 1 weiteres Formular aus.

Hannas Rechte scharrte das Papier vom Tisch in ihre Handtasche. Und wandte sich zum Gehen.

Die Witwe: −!Halt. − Der Befehl der Witwe bannte Hanna unwillkürlich fest. −Sie haben die !Zinsen zu bezahlen vergessen, Gutefrau. Wir schreiben jetzt Winter 48 − vom Herbst 45 bis dato macht das − :& schrieb auf 1 der leeren Formulare.

Die Augen Hannas verengten sich zu Schlitzen, zum Visier in einem Helm. Voll offener Abscheu kehrte sie an den Küchentisch & vor die Frau zurück wie vor ein stinkendes Tier. −Als Sie dort=drüben im Zimmer krank gelegen haben & mich um Hilfe !anflehten, da habe ich Sie gesundgepflegt. − Buchstabierte Hanna. −Ich habe Ihnen − von !meinem Geld u ohne auch jemals nur !1-Wort drüber zu verlieren − Medizin erschachert & Essen − über !Wochen=hinweg, oft auch von meinen eigenen Marken. Und ich habe

Die Witwe, ungerührt & kalt: −Wenn Sie für Medizin & Essen Rechnungen vorlegen, werde ich Ihnen das Geld & die Marken !selbstverständlich auf Heller&pfennich zurückerstatten. Das hätten Sie längst haben können, !weshalb haben Sie nie was ?gesagt.

Hanna, mit zitternder Stimme: −Sie wissen !sehr=genau, daß es auf dem Schwarzmarkt keine Rechnungen gibt. Außerdem: Wenn ich jemandem helfe, dann mach ich ihm hinterher nicht die Rechnung auf, was mich diese Hilfe gekostet hat. Sowas überlasse ich unanständigen Menschen wie Ihnen, die nicht mal wert sind daß man sie

−Also keine Rechnungen. − Stellte die Witwe lakonisch fest. −Ja-dannnn − (und hob mit gespieltem Bedauern die Schultern, die leeren Finger spreizend).

Hanna trat dicht vor die Frau: −!Sie: Sie sind ein=ganz schäbiges, schmutziges, altes Weib. Nicht erst am Montag: !Morgen schon, !Morgenfrüh, gehe ich !weg von hier. Nicht 1 Nacht länger will ich unter-1-Dach zubringen müssen mit einem Suppjeckt wie Sie eines sind. Er!sticken solln Sie an Ihrem Geld, !Sie −: Sie !Alte!wucherin.

Hanna rannte mit derben Schritten aus der Küche, aus der Wohnung hinaus und warf die Tür krachend hinter sich zu.

Die Witwe war vom Küchenhocker aufgesprungen – den 1 Arm mit ausgestrecktem Zeigefinger wie mit 1 Pfeil nach der hinausstürmenden Hanna zielend, wollte sie hinterher – besann sich aber –, der ausgestreckte Arm knickte ein, und in=sich hineinlächelnd wedelte die Frau einigemale mit dem Zeigefinger durch die schale Küchenluft.

Andernmorgens, in Begleitung eines Kollegen von der Dienststelle, jenem Berliner vom Fahrdienst, den Hanna fürs Tragen einiger Gepäckstücke um Hilfe gebeten hatte, erschien sie erneut vor der Witwe.

Die, von Hannas Begleiter zunächst irritiert, erkannte rasch, daß von diesem Mann keine Gefahr für sie ausging. In Schweigen, das nichts Gutes erwarten ließ, wie in eine Rüstung gehüllt, beaufsichtigte die Witwe den Auszug Hannas aus der Wohnung.– Als die paar Gepäckstücke zum Forttragen im Hausflur standen, Hanna & ihr Begleiter zum Gehen sich anschickten, vertrat ihnen die Witwe den Weg.

–Ich=krieg noch !Geld von Ihnen. – Rief die Witwe ins Treppenhaus.

Hanna, den alten brüchigen Pappkoffer bereits in Händen, ließ das Gepäck wie einen Steinklotz niederfalln, richtete sich auf, und kehrte der Witwe sich zu.

Noch bevor Hanna den Mund auftun konnte, setzte die Witwe ihre laute Anklage fort: –In !Allderzeit, nachdem Sie im Frühjahr 46 von hier weggezogen sind, habe ich bei den-Behörden versucht, die fällige Miete für Sie & Ihre saubere Familie erstattet zu bekommen. !Umsonst. !?Wen kümmern in !Solchenzeiten schon die rechtmäßigen Ansprüche 1-armen-alten-Frau, die noch dazu all-1 Inderwelt ist u ohne Schutz. Mein Mann war ein Hoherbeamter bei der Bahn & wir hatten einhalbes Dutzend Häuser zum Vermieten: Damals, als er noch lebte, gabs solche Schweinereien !nicht. Von Pontzjus-zu-Pillatus bin ich gelaufen, einen Brief nach dem andern an Gottweißwelchebehörden hab ich geschrieben –:

!Bettelbriefe, & nur wegen !Ihnen, weil Sie von hier weg sind ohne auch nur 1 !Pfennich zu bezahlen. Sie haben nich mal dran !gedacht, daß Sie vielleicht was schuldich wären.

Hanna errötete, zutiefst beschämt von einer Anklage, die sie zudem für ungerechtfertigt hielt, noch dazu vor einem Fremden. −Man hat uns damals gesagt, die Miete für Unterbringung werde Ihnen von den Flüchtlingsbehörden erstattet, die uns zu Ihnen eingewiesen haben. Wir hätten damit Nichts zu tun, sagte man uns ausdrücklich. (Hannas Stimme schwach −; dann gab sie sich einen Ruck:) −?!Denken Sie etwa, wir wären ?!freiwillig in so 1 Loch wie das hier gezogen, wo kein Ofen drin war und der Schnee fegte durch die Ritzen in Fenster u Gemäuer ins Zimmer rein −. Ich dachte

−!Da ham Sie !danebengedacht. − Brüllte die Witwe. −Und !jetz & !hier will ich von Ihnen Meingeld für das Porto von all-den-Briefen haben, die ich !Ihretwegen hab schreiben müssen.

Hanna griff wütend nach dem dünn gewordnen Bündel Geldscheine. −!Wieviel.

−1 Mark 20. − Sagte die Witwe, und sofort: −!Ich !habe Quittungen, denn !ich bin eine !ehrliche Frau, die

−!!?Wie??!viel. − Schrie Hanna fassungslos.

−1 Mark 20. − Wiederholte die Frau unerschüttert & wedelte mit Portobelegen.

Inzwischen war auch Hannas Begleiter, schon eine halbe Treppe tiefer, durch das Geschrei der beiden Fraun zurückgeholt, erneut in der Wohnung erschienen. Er sah, daß Hanna − in jener zwischen Verzweiflung u: heller Wut schwankenden Gefühlsverfassung − in 1 alten Lederportemonnaie nach Kleingeld suchte, umsonst. Vor Hanna, wie Das Totem der Gerechtigkeit aufgepflanzt, die Witwe Blockrath :

### Straße der Jugend.

−!Sie u: Ihre *A n s c h t ä n d i c h k e i t*, höhnte mit schwarzer Stimme die Witwe, Hannas vergebliche Suche nach Kleingeld ausnutzend. −Sie glauben wohl, durch 1 Mal !groß-!mächtich dargebrachte Hilfe kann man alle=übrigen Pflichten gegenüber den-Menschen ruhig versäumen & obendrein Vielgeld sparen: Dem Gutenmenschen, wie Sie einer sein wolln, dem wird man dann schon Einiges nachsehen. !So Eine-wie-!Sie habe ich !längst durchschaut: Überall sich das Mitleid Andererleute erschleichen, um sich=selber bequem durchs Leben zu mogeln − :!So sind diese-Kattolicken & !so sind auch !Sie & Ihre saubere Mischpo

−Na!na. Numann nich so heftich mit die junge Ferde. − Versuchte der Kollege Hannas mit gutmütiger Stimme zu befrieden. Und kramte aus seiner Tasche 1 20 in Münzen heraus, hielt das hosenwarme Geld in der geöffneten Hand der Witwe entgegen: −Schaunseher, hier is det Jeld. Nehmses & Seefe. − Und legte der Witwe begütigend seine andere Hand auf die greisendürre Schulter. −:Die Frau sprang unter dieser Berührung zurück, als hätt sie kochendes Öl verbrüht, dabei schlug sie dem Mann kreischend das Geld aus der dargebotenen Hand: −!!Fassensiemichnichansie. Und mischen Sie sich !gefällixt !nicht in Dinge, die Sie nix angehn, ver?!standen. !Die=da −, ihr Zeigefinger stach gegen Hanna, −schuldet mir Geld & !die wirds mir auch bezahlen.

Der Mann blieb sprachlos stehn und sah zu den beiden Frauen-am-Tisch hinüber. Die, ein:ander zugekehrt, von schwarzgelbem Licht (in das kein Morgenschimmern fiel) umflossen, wie 2 aus vormenschlichen Zeiten in dieser Höhle übriggebliebene Exen ihre jahrmillionenalte Feindschaft austragend − Schlachten aus einem diluvialen Hassen, so daß solch Unerbittlichkeiten=Heute nicht mehr begreifbar waren.− Der Mann, benommen wie von schwerem Hieb, bückte sich nach seinen Münzen auf dem Boden, und, als er sich wieder aufgerichtet, begegnete er dem exenkalten Hornblick der Witwe. −!Watt-zum-Teufel ?wolln Sie eingtlich −. Brachte er mühsam hervor.

### Straße der Freundschaft / Rathausturm.

−Meingeld. − Erwiderte die Witwe kalt, ihre scherbige Stimme plötzlich aus 1 Guß (mit dem Blick auf den Mann voller Bedauern, daß jene Zeiten vorüber, als Lakaien statt des Worts

ein paar kräftige Hiebe mit der Peitsche gegeben wurden).
–Ich will nur was mir zusteht. Und !die=da ists mir schuldich.– !Nein. Ich kann nicht rausgeben. – Herrschte die
Witwe Hanna an. –Ich bin keine Wexelstube. Und ein Konto
besitze ich nicht, nicht mehr. Und nach zweimal Inflatzjon in
meinem Leben: Da behalt ich Meingeld bei=mir. Also: Sie
kommen hierher & bezahlen, was Sie mir schulden. 1 Mark
20. Nicht mehr, nicht weniger.

Kopfschüttelnd ging der Mann, gefolgt von Hanna, aus der
Wohnung fort. –Sie haben Zeit bis-!morgen. – Schrie die
Witwe ins hallende Treppenhaus, dann schlug die Tür kra-
chend zu.

Auf der Straße der Mann zu Hanna: –Hier, nehm Se die 1
20. Wenn Se heutahmd zurückkomm, denn jehmset ihr. Man
siehts den Moneten ja nich an, von wemse

–Ja ?glauben Sie im-!?Ernst, ich bleib nur 1 Minute länger-
alsnötig hier. Lieber im Straßengraben – :!Nein. Nach
Dienstschluß fahr ich aufs Dorf. Und Morgen vor Dienstbeginn bin ich wieder hier. Und bezahle, was ich schuldig bin.
Auf Heller&pfennig. Niemand soll mir nachsagen können,
ich hätt jemanden um sein Geld betrogen. – *Wenn Sie für
Heutenacht keene Bleibe ham: Sie könntn ooch bei mir –*, mochte
der Mann Hanna den Vorschlag machen wolln. Trotz ihres
schweren Koffers & anderen Gepäcks war mit energischen
Schritten Hanna bereits ein Stückweit von dem Mann entfernt (zu weit schon für solchen Satz, empfand der Mann).–
Er setzte die ungefüge Holzkiste mit Hannas Sachen ab, und
brannte 1 Zigarette an. *Von ihrm Lohn für diesn Monat wird ihr
nach=Allem nich mehr ville jebliem sein.* (Überlegte er u rauch-
te.) *Vielleicht mußtese sojar ihre paar Erschparnisse ankratzn. Wie
ick die kenne: Nach Dienstschluß fährtse !uff Dorf, holtet Jeld &
Morjenfrüh bringtset her. Awa als Dienstfahrt wird se diese Extratur
nich abrechnen könn. Undet=Allet weeng eens swansich. Neenee:
Immer nischt alswie Sieje, die keene sinn.*

Den tabakbittren Rauch riß 1 Windzug um die nächste
Hausecke fort mitsamt den Zweifeln des Mannes aus dieser

Stunde. Er nahm Hannas Kiste wieder auf & trug sie ihr in die Dienststelle nach.

### *Straße der Freundschaft / Steintorstraße.*

Hannas böse Ahnungen, während ihrer Krankheit (in der sie aus Magdeburg nicht zurück aufs Dorf hatte fahren können, zudem sie weder von der Mutter, der Schwester noch von ihrer Tochter jemals Besuch im Krankenhaus erhalten) mochten Dinge geschehen sein, die allsamt Hannas oberstem Bestreben – dem Bewahren des Familienzusammenhangs, nicht zuletzt um an *Jenem-Tag*, dem Tag der *Rückkehr in die-Heimat*, beisammen & bereit zu sein – zuwiderliefen, sollten nicht unbegründet gewesen sein.– Anna wußte sie zwar derweil auf dem Birkheimer Lyzeum u in den Stunden dazwischen zur Untermiete in dem kleinen Zimmer bei Ehlers, Marienstraße 5; die Schwester u die Mutter Johanna noch immer im Dorf auf dem ehemaligen Gutshof –; jedoch – –

Als Hanna an diesem Abend in die Dachkammer ins einstige Herrenhaus zurückkehrte – mit Ausnahme der paar Stunden, als sie wegen der 1 Mark 20 für 1 Nacht hier gewesen war, hatte sie über beinahe sechs Wochen Mutter u Schwester nicht mehr gesehen –, mochten sowohl die Ereignisse mit der Witwe in Magdeburg als auch vage 1drücke aus ihrem so überraschenden Kurzbesuch neulich abends Hanna im Voraus für bestimmte Ahnungen besonders empfindlich gestimmt haben; Ungutes erwartete sie, dort in der Kammer in der engen Luft.

Hanna, den in blauer Abendruhe liegenden Hof betretend, sah Dämmerung und Stille im steten Bündnis, nur als zeitweises dunkles Räuspern die Nachtgeräusche der Tiere in ihren Ställen. Und sie spürte im Tiergeruch die Spur eines anderen, Hanna wollte scheinen, eines heimischen Dufts, die kühle mitgeschleppte Sorge & Bangigkeit unversehens zur wärmenden, seit Langem nicht mehr empfundenen Geborgenheit verwandelnd. !Kein Zweifel, der Duft von gebratenem Schweinefleisch u kochenden Sauerkohls zog aus dem Herrenhaus, von der Kammer unterm Dach, in die winterdunkle Stunde heraus –.– Hanna blieb einige Momente stehn, atmete diese ort&zeitenferne Sonntäglichkeit aus der kühlen Luft der Fremde – und was ihr nach der Unterredung mit ihrem ehemaligen Chef in der Dienststelle in Magdeburg noch als undeutlich seltsame Ahnung erscheinen mußte –: Augenblix wurde Das zur Gewißheit: *Bald = in absehbarer Zeit schon, !gehts !wieder !zurück. Nach Komotau*

### Straße der Freundschaft / Reiche Straße.

Somit ist das Allerwichtigste: *Mutter Maria das Kind, wir müssen !weg vom Dorf & so-rasch-wies-geht nach Birkheim. Nur von- !dort werden die-Züge gehn.*– Erhobenen Kopfes, mit festem Schritt stieg Hanna die Treppe unters Dach – zum heimeligen Essensduft – hinauf.

–Alle Möbel & die übrigen Sachen sind Geschenke von der Oma Tegge. – Erklärte Johanna, als wollte sie bei der Tochter=von-draußen für die enge Luft in der Kammer sich entschuldigen. –Die Neuenherren=hier wollten uns nicht gestatten, Schränke, Tisch und Truhe draußen auf dem Dachboden abzustelln. Das – (ergänzte Johanna) –war, als sagte Man uns, daß nach dem Tod der Altbäuerin auch wir – !o die Menschen sind schmutzig – (die Stimme versagte ihr). Maria, wohl ahnend, welchen Verlauf die Rede ihrer Mutter nehmen würde, gebot ihr 1halt, indem sie den Blechtopf mit dem dampfenden Sauerkraut herrisch auf die Tischplatte stanzte. Johanna verstummte tatsächlich, sah mit tränenfeuchten Augen zu ihrer anderen Tochter Hanna hinüber, die (im Blick nur Fleisch), nachdem sie Platz genommen hatte am Tisch, Semmelknödel u Sauerkraut verschlang. Die Scheibe Kaßler auf Hannas Teller war bratenkroß u rosigfest, sauerfädig fuder lorbeerherb u zwiebelröst das Kraut, und klargelb streifigheiß das Fett auf dem Porzellan, das Hanna mit jedem semmelhellen Gabelbissen Kloß vom Teller wischte – die Kieferknochen mahlend & knackend heiß=hungrig: der Fleischgeschmack in allem Sonntäglichen ihrer *Heimat* –.

Auch Maria, die Ellbogen auf den Tisch gestützt, das Kinn den gefalteten Händen aufgelegt, schaute mit verschleierten

Blicken, wie ihre Mutter, der Schwester beim Essen zu. Dann, vorsichtig, begannen auch diese Beiden ihr Mahl. Wortlose Stille u der Gleichklang der Essensgeräusche dreier Menschen um 1 Tisch, umgeben vom leibwarmen Zimmergeruch – das hieß Wiedersehensfreude, Dankbarkeit – für diese Augen-Blicke. Als hätten die 3 zuvor in die Arme sich geschlossen.

Doch die ersten Worte, die Maria noch während des Essens sprach, ließen Hanna stocken, aufhorchen. –Das Fleisch, dieses !schöne Stück Geselchtes – (sagte Maria genüßlich und wischte mit einem Knödelstück goldgelbes Bratenfett vom Teller auf) –und all diese !guten=!Herrlichen Zutaten: die Semmeln, das Mehl, das Fett –:!Nichts davon hätten wir in der-Stadt bekommen; auf unsre lumpigen Marken schon gar nicht. Das gibts nur !Hier: von den Bauern, auf dem Dorf.– Mit dem Handrücken wischte Maria über die geröteten Augen, und schwieg. (?Weshalb !flennste jetz –:gings durch Hannas Sinn.) Sie verhielt schweigend: Aber jeden Bissen zerkaute sie fortan behutsam, als müsse sie auf Glassplitter od heimtückisch im Essen versteckte Steine..... achten. Die Bangigkeit aus vergangenen Stunden kehrte verstärkt in-sie zurück, drückte ihr auf den Magen und verdarb den Appetit.–

–Jetz merkt mans schon wieder am Tag. Die Märzregen kommen bald. – Sagte, lauter als nötig, Johanna und legte ihrer Tochter Hanna das letzte, das größte u schönste Stück Kaßler ungeteilt auf einen neuen, sauberen Teller. Dann rückte sie noch aus Hannas Nähe alle sie eventuell beengenden Gegenstände fort. –Wenn man den Hund in den Regen jagt, fängt sein Fell zu stinken an. – Setzte die Mutter noch hinzu.

Hannas Mißtrauen war endgültig wach : !Was in den Letztenwochen ist ?geschehn, hier=unterm Dach, auf 1 Kuhbläke = weitfort von-*Daheim*

### *Straße der Freundschaft / Lüchower Tor.*

Langestunden, immer wieder ins Schweigen gedehnt – bis in die Nacht mußte Hanna auf Antwort warten. Dann war Alles, was während ihrer Krankenzeit passierte, heraus.

Zwei Mal in Jederwoche, dienstags & donnerstags, fuhr Maria mit einem alten Fahrrad die 7 Kilometer nach Altenbirkheim, der größten Ortschaft im Umkreis, dort im Gesangsverein im Kor für drei Abendstunden Heimat- und Wanderlieder einzuüben. Und die Letztenmale war Maria vom Korleiter, einem etwa fünfzigjährigen Gymnasiallehrer aus dem Ort, hierher auf den Hof zurückbegleitet worden. Von Mal-zu-Mal länger hätten Maria u der Mann Draußen=Vordemhoftor: gestanden (erzählte Johanna süffisant) & dann hätte der Herr-Lehrer ihr jedes Mal ein Paket mit Eßwaren zugesteckt. −Er kann sichs leisten, der Herr Lehrer & Kuh-Laken-Sohn −.− Maria sprang auf, Tränen beschwerten ihre Stimme − dann flammte harscher Zorn auf gegen die Bespitzelungen durch die Mutter −, und schreiend warf sie der verblüfften Schwester die Worte ins Gesicht: −Und du: Auf !deine !Tochter solltest du aufpassen − mich laßt ge!fällixt alle in−!Ruh.− Mit feuerrotem Gesicht

*Straße der Freundschaft / Am Eichwall.*

Als Flammenschein vom Streichholz flackernd seine Züge aus der Stromsperrenacht riß, ließ das Anna, erschrocken, noch immer zweifeln: −!E?rich − ?!du.− Ihre eigene Stimme, sehr fern. Die Flamme verlöschte zu 1 Fetzen Schwefel, verwehend −

*Straße der Freundschaft / Fernmeldeamt.*

an Schwester und Mutter vorüber − stürzte Maria aus der Dachbodenkammer, die Tür hinter ihr knallte zu, kurz darauf die Haustür auch.

Johanna, theatralisch am Tisch auf ihren Stuhl niedergesunken, die Hände ringend & zitternd ihre Stimme zu Hanna: −Ich geh nicht mehr fort. Mein Ganzesleben=lang bin ich hin&her gehetzt worden − jetzt bin ich alt u müde, ich bleibe hier auf dem Dorf, wo ich in=Frieden !endlich werd sterben können. − Seit dem Tod der alten Bäurin, tagsüber bei jedem Wetter, ging sie vors Dorf auf den kleinen Friedhof an deren Grab. Auf 1 Bank sitzend, hatte Johanna diese Sätze (& mit Vorliebe etwas lauter, sobald andere Leute aus dem Dorf erschienen) vor sich hinmurmelnd eingeübt solange, bis die eigene Stimme nach ihrer Meinung die rechte Ergriffenheit bekam. – Nachdem Maria=tiefgekränkt aus dem Haus gestürzt, 1zig Hanna noch anwesend, teilte Johanna auch an ihre Erstgeborene aus: –!Nie kommen wir wieder zurück in *die- Heimat. !Niemals.*

Hanna, erschrocken=trotzig, zurück: –!Das werden wir ja sehn. – Und rannte ihrerseits, türenknallend, aus dem Haus. In triumfaler Traurigkeit blieb Johanna, das glatte november- fahle Haar gelöst, allein in der Dachkammer am Tisch.

Vom Scherben Mond ins Kaltlicht, der Bleiche aller jüng- ferlichen Entsagung, hin1gestellt vor der Tür zum alten Guts- haus Hanna u: Maria – die, hochgeschreckt vor der plötz- lichen Erscheinung ihrer Schwester, verschleierten Auges in Hannas Miene starrte. Die beiden Frauen dicht-bei-dicht, Auge gegen Auge. Unter schwerem Atem (stoßweise geriet Dampf aus beiden Mündern gegen:1:ander, und gerann im Frost zu silbrigen kurzlebigen Wolken), fiel kein 1ziges Wort.– Mit einem tiefen frösteligen Seufzen schließlich senkte Maria vor der weißen dürren Kälte in Hannas Augen den Blick. Re- signiert wandte Maria sich um, ihre traurigen Schritte führten sie ins Haus, unters Dach hinauf, in die enge Kammer dreier Frauen..... zurück.–

*?!Was mochte Maria damit gemeint haben, ich solle mich um Anna kümmern : ?Was ist geschehen, wovon ich nichts weiß.* Mondlicht verwandelte in Hannas Gesicht die Haut zum sor- genvollen Grau, u wie Sternenlicht stachen Wörter scharf in ihre Gedanken hin-1: *Bevor es zu=!spät ist: Nach !Birkheim*

### Parkanlage an der Bahnhofstraße.

Die Nacht u der Wind, und herüber vom Schlachthof nahe der Marienstraße, in Böenlumpen gehüllt mit scharfen Räu- chergerüchen, einzelne Rufe von Tieren, dunkel & voll Sorge, als befürchteten sie, was ihnen Dort bevorsteht, nicht hinzukriegen. Und Wind auch warf mit leerkalten Fluten Annas wie 1 blasses dünnes Licht schimmerndes Seidenkleid zu Falten, flink über Schenkel und Kniee des Jungen streichend – dann sogleich wieder zurücksinkend; so standen die beiden vor 1 ander.

–Guten Ah Bend. – Eine Stimme, näselnder Schellackton aus Ufafilmen der 30erjahre – Heesters Birgel Fritsch & Oh Weh Fischer – die Nelke im Revers der Brausehahn fürs affgriffige Gefasel, weltweibisch retuschierte Lippstriemen vorm Weißblechgezähn: die propperprompten 1000 Sassas – auch davon..... ging die-Wällt nicht unter. – Anna zerbrachen die Worte im Hals. So daß sie noch 1mal, ungläubiger als vorhin, der Windbö die Frage anvertraute: –?ee-Rich=??du

**Bankgebäude Goethe- / Ecke Bahnhofstraße.**

–!Du=aber!auch. :Er, maulend, später in dem kleinen Untermietzimmer (das Haus in Stromsperre schlafesdunkel). Anna hatte über seine noble Bekleidung – beiger Panamahut, Mantel aus hellem Streichgarn, der Sakko ziegelfarben, ein pinkfarbenes Ausrufzeichen der Binder, zur Falte eisenscharf gebügelt die gelbbraun karierte Hose, deren umgeschlagene Säume auf primelgelbe Lederschuhe trafen – die Nase gerümpft: –Siehst aus wien Farbkasten auf 2 Beinen. – Und außerdem bemerkt, daß er in solch feiner Kledasche sofort !auffallen muß im Graugram der EsBeZet. –!Denk an deine Tätowierung..... DIE verhaften dich glatt als Eierschieber.

–Von weeng Eierschieber. !Kleinkram. Photoapparate Feldstecher Devisen: !Das bringt !Penunse. (Und strich über seine Kleider, als wolle er deren perfekten Sitz betonen.) –Und wie siehst !du=?selber aus: priema Baller Riena. Die Schönehelena untern Bäue-Rinnen (und schnüffelte:) –Parfüm Marke *bleu-de-coup.*

Anna, unbeirrt, drehte in ihrem Kleid sich lächelnd= lockend, die Seide hob wie ein Windrad helle Lüfte auf –, und in weiche Silberfalten sich legend sank der Stoff um Annas Beine herab. Dann setzte sie sich auf das schmale-Sofa- an-der-Wand, dabei das Kleid sorgsam um ihre Sitzfläche wie ein Gefieder breitend. –Bloß gut daß wiedermal Stromsperre is (flüsterte sie zu dem Jungen)

### Kinderkrippe in der Bahnhofstraße.

Bald war Hanna nach Birkheim in die ehmalige MISPAG-
Wohnung in der Ebertstraße gezogen. Klinkerglatte Häuserzeilen aus den Zwanzigerjahren, unbeschädigt vom Krieg,
sämtlich 3 Etagen hoch, die Zimmer karzerleer; Alles, wie
vom einstigen Chef in Magdeburg beschrieben. Im andern
Zimmer der Wohnung steckten Vater mitsamt Tochter – Herr
Kirsch, ein Reichsbahnbeamter (Ende 40) aus dem Sudetenland, dessen Frau war *auf-dem-Transport* gestorben. Seither aus
dem Mund des Mannes Klagen – *ich=all-1 weer nimmer ferdich
mibbm Gind meine Frau hads schbäd begomm !Achgoddach!godd
wärse dochnoch am Leem meine !Gudegudefrau*. Die Tochter, die
schon menstruierte, schlich geilschämich käsigkeif & zutiefst-
beleidigt mit ihren Marderaugen umher, abends kehrte sie
immer=später in die Wohnung zurück, wo im Küchen-
dunkeln über-Stunden der Vater auf sie lauerte, und Streit &
Hader begannen. Aus dieser Stube heraus Dünste wie aus
Eingeweide u Tränen. / Sobald die zankigen Stimmen im
heimischen Dialekt durchs Gemäuer drangen, fühlte Hanna
eine perfide Täuschung: Als spielte, & nur ihr zu=Fleiß, hinter abgelebten Tapetenmustern jemand 1 Parodie auf ihre=
Hannas=*Heimat*.– Annäherungen zwischen diesen Menschen
geschahen meist ohne Absicht, wie derlei zugeht in 2-Raum-
Kwartieren mit 1 Küche&klo für Alle. Schwer wog Hanna
die Zeit in dieser Wohnung.....

Vielleicht mochte Hanna nicht ahnen, daß ihre wütende
Abneigung gegen Herrn Kirsch mitsamt seinem Früchtchen-
von-Tochter in Wahrheit den tiefen Sorgen um die eigene
Tochter – Anna – entsprang, und jene Klagen aus dem Mund
des Herrn Kirsch (greinend wie die Stimme des 1armigen
Leierkastenmanns in der Stadt, neben ihm das Äffchen im
rosa Strickanzug mit dem Gesichtsausdruck von Schrumpf-
köpfen, an speckiger Leine auf dem Drehorgelkasten hok-
kend) erschien ihr als lautgewordne Heimsuchung, die bei
Allenmenschen zu Allenzeiten als Strafe-Gottes, als Katastrofe, von Alters-her wie plötzlicher Wüsten-Sturm aus noch

fremderer Fremde als dieser hereinfiel: Ohne Ausweg, ohne
Scham, stupide auch in *Ihrem-Kind* all die fleischlichen Feuer
zu entfachen

## *Bahnhofstraße.*

–Bis zum Morgen bleibts nu zappmduster. (Fügte Anna flüsternd hinzu.) –So haben dich Ehlers vielleicht nich gesehn.
Ich wills hoffen. – –!Was sindn das für Leute. Haste ?Angst
vor denen. Und ?wie kommst du zu ihnen. !Warum bist du
nich bei deinen Leuten, bei deiner Mutt – –!Bschschschdt.
Nichsolaut. (Anna wollte den Jungen neben sich aufs Sofa
ziehn, verfehlte im Dunkeln aber seinen Arm.) –Mutter hat
mir das Zimmer besorgt, sie zahlt auch die Miete, weil sie
will, daß ich hier-am-Ort fürs Abi besser lernen kann als aufm
Dorf bei ihnen. – –Und: ?Kannst dus – –Was. – Lernen. Fürs
!Abi. (In seiner Stimme anzüglich schimmernd Spott. Anna
antwortete nicht.– Der Junge:) –Und ?wer sind die=hier. –
–N Ehepaar. (Antwortete Anna ins Dunkel dorthin, wo sie
das Gesicht des Jungen vermutete.) –Beide so um die Fümf-
zich. Ihn seh ich eigentlich nur abends, denn oft lädt man
mich zum Abendessen ein. Er arbeitet ?Was in der-Verwal-
tung, im Rathaus, u ist immer müde. Nach dem Essen sitzt er
im Sessel, rülpst und stinkt, dann gehter ins Bett. Seine Frau
is Verkäuferin innem Warenhaus, früher Ramelow, jetz gehört
Das dem grad neugegründeten Ha O in der Straße-der-
Freundschaft. (Der Junge schien aufzuhorchen, 1 knisterndes
Geräusch aus seiner Richtung.) –Der Straßenname stimmt
genau: Für manchen Freundschaft's Dienst sitzt die Frau dort
an der Quelle & sie is auch sonst recht rührig. Ich denke, sie
wird Mutter regelmäßig berichten, !was ich so treibe, in den
Stunden nach der Schule. – –Und: ?Was treibst du so. (Fragte
er, hinterhältig grinsend, aber das sah niemand im Dunkeln.
Er begann auf&ab zu laufen über die knarrenden Dielen. Auf
seine Frage ging Anna nicht ein, vielmehr mahnte sie ihn erneut:) –Herr!gott, sei bloß nich so laut. Mich zu beobachten,
das haben Mutter & die Ehlers bestimmt von-Anfang-an mit-
nander ausgemacht. Drum bitt ich dich: !Trampel hier nich

wie der Golem umher: Sei !leise u setz dich. Das Schlafzimmer der Beiden ist direkt hier=drunter & sie hat nen leichten Schlaf –.

Der Junge folgte gehorsam, setzte sich neben Anna auf die Couch – u auf einen Zipfel von Annas Kleid. –!Vochsicht-Mann, !paßdoch!auf – (Annas Stimme laut u zornig) –du !ruinierst mir ja das Schönekleid. – Erschrocken sprang er hoch, und ließ dann in einigem Abstand von Anna aufs entgegengesetzte Ende des Sofas sich nieder. –?Wo hast dun eingtlich son teures Kleid her, hier inner Russenzone. (Forschte er in der ärgervollen Stille.) – –Dieses Kleid ist aus Fallschirmseide, das hat Mutter mir für die Abifeier genäht. (Verkündete Anna stolz und strich über den glatten Stoff.) –Aber ich habs schon paar Mal heimlich angezogen, weil ich samstags=immer mit meinem Verlob

### Südbockhorn.

Hanna, binnen kurzem, hatte folgendes herausgefunden:

1. In aller Heimlichkeit hatte Anna sich verlobt. Mit 1 Oberschüler; die Familie, aus Ostpreußen, sei !wohlhabend, hieß es –

2. *!Wohlhabende Familie. Soso. Zwar Flüchtlinge, wie wir, aber Immer-gut-gestellt. Der Mann Vorundimkrieg Zollrat, Heute wieder Höhererbeamter & noch immer beim Zoll; Man bewohnt die gesamte untere Etage eines der Bürgerhäuser in der Goethestraße, der besten Gegend in der Stadt. Sie macht auf Grang-Dam: gibt Teenachmittage & Abendempfänge für die-Wichtigenleute=die-Neuenherren in Stadt & Landkreis.*

3. *!Grang Dam: sie klappert die Dörfer ab, schiebt mit Waren – Eier Kaffee Zigaretten Öl Fett Schnaps –; gilt als tüchtig & schwärzt schon mal nen kleinen Hamsterer bei den-Behörden an. Also läßt Man sie in Ruhe ihre Schiebereien machen, besonders wenn Man auch Was davon hat.* – So hatte das Hanna in Erfahrung gebracht, & seither widerhallten in ihr miteinander streitende Echos: *!Wohlhabende Familie. !Höhererbeamter u: ?Grang ?Dam: ne povelige Schieberin & Hehlerin (jeder=hier weiß das, sogar die-Behörden) u: trotzdem: bei den-Leuten !gut angesehen. Die-*

*Neuenherren zu Gast.* Not treibt die Wölfe aus den Wäldern &
die-Welt ist voller Mäuler. Fressen wollen Alle, unter allen
Fahnen.....

    *4. Mein Kind u: die Schule: ?Wie stehts ?damit. Maria u Mut-
ter hocken aufm Dorf u lassen den Liebengott nen Gutenmann sein.
!Unglaublich. Ich muß selber hin, aufs Lyzeum; nachsehen u hören,
wies ums Kind steht.* Diese Nazisse bringts fertich & vermasselt dem
Kind das Abitur, bloß um sich hinstelln zu können voller Triumf:
?!Sehen Sie, ich habs Ihnen ja gleich zu Anfang gesagt, daß es
!unmöglich ist, solches Pensum..... zu schaffen. Auch der
Blaue Brief, den ich Ihnen geschickt habe, worin ich Sie zu
mahnen suchte, daß Ihr Kind mit dem Französisch nicht
nachkommt, hat Sie nicht zur Vernunft gebracht. Da haben
Sie das Malheur – :*!Nein. Solch Ende !darf es !nicht geben u wird
es !nicht geben. Lange zwar bin ich fortgewesen, aber vielleicht noch
nicht !zu lange. Ich bin wieder !da, und Alles wird anders.* –
(Natürlich dachte Hanna diese Worte nicht mal insgeheim;
wäre !nie auf den Gedanken gekommen, Derlei soweit zuzu-
lassen, daß Es in Worten..... zu gerinnen vermochte. Das lag
vielmehr als Schattenspur in einer-jener grauen Blicke, mit
denen zuweilen die Frau großen Auges vor sich hinstarrte –
als hätt ein Bann sie getroffen, als wär alles Toben der Zeit aus
ihr entschwunden und hätte nur diese beiden stillstehenden
Augen zurückgelassen. Solch Haltung, die sie dann ereilte
und die, von-Zeit-zu-Zeit wiederkehrend, sie seit Diesen-
tagen&stunden, im trüben, seltsam leer wie 1 geplünderte
Grabkammer erscheinenden Zimmer in der Ebertstraße, nicht
mehr verlassen sollte. Auch in viel späteren Jahren bis hinaus
über den Eintritt in ihr langes Sterben nicht –.)– Hanna, in
höchster Sorge vor Allem, was ihren Nachforschungen entgangen war, fragte sich verwundert, ?!wie bloß mochte ihre
Tochter Anna in !Solche-Kreise gekommen sein –

    –Meine Mutter hatte immer gemeint, mich könne Man
behandeln wie nen roh Botter, den Man hinstellt, anstellt, abstellt & wieder anstellt. Weil *Es sich so gehört,*
weils *anschtändich ist* und weils *Immersowar.* Sie hatte !nie

Was-Anderes kennengelernt, & auch ich sollte genau=
Dasselbe tun: *Parieren. Tun, was-sich-gehört.* Das Zimmer
in Birkheim für die-Schule & fürs Lernenlernenler-
nen – für Meinezukunft, wie die Mutter sagte. Aber bei
All=dem gings ihr noch um Ganzwas=Anderes. Meine
Mutter hatte in Dieserzeit Eine Große Angst: daß wir
dort in Birkheim irgend Fußfassen könnten; daß eine
von uns sich binden würde u: dann, am Tag wenns *Wieder zurück* ging, wie sie das immer genannt hat, ein
Mann, vielleicht sogar ne Familie, als Hindernis im Weg
wären. Deswegen hat sie dafür gesorgt, daß Maria mit
dem Korleiter aufm Dorf nich anbändeln konnte. Auch
sie selbst war ja 1 Mal *in Versuchung* gekommen, wie sies
genannt hatte: Damals in Magdeburg der Heiratsantrag
von ihrem Chef. Aber sie hatte uns davon erst viel später
erzählt, als wir allesamt schon am Bahnhof wohnten. Da
hat sie darüber nur paar Worte verloren. Und als einige
Zeit darauf Maria in der Pause zum Essen heim kam
und am Mittagstisch, ziemlich laut u mit seltsam schril-
lem Klang in der Stimme, ihrer Schwester vermeldete:
–*!Weißtu übrigens wer ?gestorben ist* –:– und wartete nen
Augenblick, die Spannung zu erhöhn. –*!Dein Ehe=ma-
liger Scheff in Magdeburg. Am letzten Wochenende. Er hatte
ja seit Jahren an Magenkrebs gelitten. Hachch, er lebte nach
dem Tod seiner Frau ganz=all-1, der Ärmste. Hatte sich, werweiß, vielleicht auch nochmal gesehnt nach nem Anderenmenschen an seiner Seite, nach 1 Gutenwort – aber da war Niemand. Immer hatten ihn Alle zurückgestoßen. Und so hatte er
auch Niemanden, der ihm hätt beistehn können in seiner
Schwerstenstunde.....* Maria hörte nicht auf bis ihr die
Tränen kamen: –*!Mutterseelenall-1 mußt er sterben. Nun
hat er ausgelitten –* :?Und meine Mutter: Ich seh sie noch
wie heute: Aufrecht sitzend, die-Augen-geradeaus,
sprach, als hätt sie überhaupt Nix gehört: –Warum ist
heute kein Brot auf dem Tisch. – Deshalb waren Damals
für Den Plan meiner Mutter ich u mein Verlobter die

Neuegefahr. Aber das=allein wars auch nicht. Meiner
Mutter war zum einen !viel daran gelegen, daß ich *gebildet* würde, damit ich *gut gerüstet*, wie sies nannte, Einestags mit ihr & den Anderen in *die-Heimat* zurückkehren
könnte. Und ?was dieser ganze Summs mit dem *Wieder-
zurück-in-die-Heimat* überhaupt ?sollte. Immer wenn ich
sie gefragt hab, !warum um-Allesinderwelt sie bloß wieder ?zurückwollte nach Komotau, dort war doch Al-
les=anders geworden: keine Verwandten od Bekannten
mehr, nur Fremdeleute, die uns bestimmt nicht gut waren –: Da hat sie geantwortet, daß sie *Ihm* Das geschworen hat. Am !Grab bei ihrer !Ehre geschworen. Mehr hat
sie nie gesagt. Und wenn sie nich so stinkkatholisch gewesen wär, dann hätt sie sich gewiß schon längst aufgehängt, wie die alte Bäuerin in Schieben. Aber GOtt, der
hatte ihr ja den Selbstmord verboten, und so mußte sie
weitermachen. Durchhalten und warten auf ihre-Stun-
de. Nicht, daß sie nach der-Vertreibung nicht mehr Ein-
noch-Aus gewußt hätte – !o nein, meine Mutter war
sehr couragiert, das muß man ihr lassen –: Sie wollte nur
1fach sterben. Sterben, damit sie wieder bei *Ihm* sein
konnte. Deshalb blieb sie auch ihr ganzes weiteres Leben
allein; 1 Außenseiterin. Das zum einen. Zum andern u
seit dem Tag, als sie mit mir bei der Lyzeumsleiterin
hatte erscheinen müssen, vor dieser BeDeEm-Ziege wie
meine Mutter sich ausdrückte, die mich & sie in unver-
schämter Weise abgekanzelt hatte –:!Da, glaub ich, hatte
meine Mutter zum 1. Mal in ihrem Leben Den Feind erkannt: Hatte in dieser alten Nazisse Die Schuldige für
Alles gefunden, insbesondere für die Vertreibung aus
*ihrer-Heimat*. Und seither führte meine Mutter Krieg.
Das war Mutters ganz privater Krieg, & ich war dadrin
sozusagen das geeignete Medium. Dabei war diese Lehrerin eine sehr !gute Lehrerin. Die hat im Französisch-
unterricht nur Französisch mit uns gesprochen, weil sies
ja !perfekt konnte. Und der Deutschunterricht bei ihr,

der war !Klasse. Aber: sie war eine !schlechte Pädagogin: menschlich und methodisch hat sie nichts draufgehabt. Sie hätte nie, nachdem ich nur 2 Monate in der Schule war, bereits nen Blauen Brief nachhause schicken müssen, daß ich mich beeilen müßte, den Anschluß in Französisch zu kriegen, wissend, daß ich doch bislang in der Schule überhaupt kein Französisch gehabt hatte. Und möglicherweise wars sogar !dieser Brief, der meine Mutter in ihrer Meinung bestärkt hatte & sie deswegen Alles in Bewegung setzte, damit ich das Abitur schaffe und sie ihren Triumf über Diesefrau=ihren-Feind haben würde. Vielleicht war ihr Der Triumf sowas wie Vorab-Garantie fürs tatsächliche *Rückkehren in die-Heimat.* Um mir das nötige Geld für den Nachhilfeunterricht zu verschaffen, wäre meine Mutter sogar stehlen gegangen. Und hatte das !niemals zugegeben. !Niemals Dadrüber auch nur 1 Wort. Und wär es ihr auf irgendeine Art möglich gewesen, ihren eigenen Tod zu verheimlichen, Niemand hätte je erfahren, daß sie nicht mehr am Leben ist. Als befürchtete sie von Anderen Fürsorge, die sie nicht zu geben wüßten, und sie wollte Niemanden in Verlegenheit bringen. Sie hätte ihren Tod 1fach nicht zugegeben so, wie sie Diesen Krieg gegen eine Einheimische in Birkheim !niemals zugegeben hatte. So war ihr Leben. Nun, sie is ja beinahe Neunzig geworden, und hatte ihre Letztenjahre in der Wohnung auf dem Sessel verdämmert, sie ging ja seit-Langem schon nicht mehr vors Haus; selbst bei Dreißig Grad Hitze hieß es immer nur *Ja, aber die !Luft ist kühl.....* Diese Langenjahre waren ja kein Leben mehr −:− Und heute, zwölf Jahre nach ihrem Tod −

Anna unterbrach ihr leichtfertiges=Plappern, tastete nach Kerze u Streichhölzern − zischend sprang die Flamme aus dem Holz, und aus dem Docht herauf hob sich gelbes wachsduftendes Licht. Anna schaute den Jungen fragend an. Die ruhige Kerzenflamme zeichnete sein Gesicht zu gelben, kindhaften Zügen –. –Du hast nen Ver!lob (:Das war das 1zige, das hängengeblieben war von Annas Bericht. Auch er, seine Stimme dunkel, resigniert, hatte das Wort nicht zuende aussprechen können, als hieße das End=Gültigkeit heraufbeschwören. *?Kannst dus –: Ver!dammt, nur der blödeste Witz trifft immer auf Wahrheit*..... Der Junge ballte knackend die Fäuste.) Und, obwohl mit seinen 23 Jahren gewiß noch nicht allzu häufig solcher Situation ausgesetzt, mochten seine Angewidertheit u sein Ekel weniger dem Mädchen, als vielmehr den Worten=selber gelten mit denen derlei Helden&heldinnen-Taten Laut & Schall bekommen, allesamt von etwas wie 1 Aura od 1 Eigengeruch umhüllt, dürftig schablonenhaft u schlechterdings von solch fader Blässe, daß selbst dem Unerfahrenen jener armselig dürre Wörtergeruch bereits gehörigen Anteil Erfahrung im-Vorab zu verabreichen imstande ist. So daß er insgeheim einerseits nur staunen konnte darüber, daß jene Wörter und Geschichten doch aus ebendemselben Grund emporsprießen, auf dem immerhin Menschen mit u: gegen Menschen leben, sich zusammenfinden und mit- od gegen:1:ander Jahrejahrzehnte verbringen können. Und er anderseits selbst nur die vom gleichen bittren Mehltau befallene, also vollkommen natürlich klingende Frage gequält hervorzubringen imstande war: –Wie hast du ihn kennengelernt.

Als hätte Anna auf dieses Signal nur gewartet, erzählte sie ihm daraufhin mit jener selbstverständlichen wie grausamen Ausführlichkeit, mit der Mädchen allen Alters über ihre Erlebnisse berichten können, u: ihn=den anderen, zuhörenden Mann, damit nicht zum Eingeweihten, nicht zum Vertrauten ihrer intimen Stunden machend, sondern vielmehr mit diesem schwesterlichen Plauderton, einem=bestimmten mädchenhaften Geheimkode folgend & offenbar auf weibliches Eindruck-Schinden berechnet, ihn damit selber ins Weibliche versetzend, u: so diesen gequält zuhörenden anderen Mann, vollkommen jenseits aller Aussicht aufs ihn-Begehrenwollen, inmitten ihrer gesäuberten vorsexuellen Geschwätzigkeit, mit seinen Wünschen all-1 u stehenlassend.

–Eingtlich hättichja auf meinem Weg zur Schule ganich die Straße-der-Freundschaft lang gemußt. Aber kurz hinter der Jeetzebrücke war die Oberschule für Jungen. Ein alter Backsteinbau und aus den hohen Fenstern schauten in den Pausen die Jungens raus u pfiffen nach uns=Mädchen-auf-der-Straße. Einige von ihnen hab ich dann samstags auf den Klub-Bällen in der Stadthalle Goethe- Ecke Schillerstraße wiedergetroffen. Hilde, meine Schulfreundin, die hatte mich dort eingeführt. Anfangs warn diese Bälle nur an Samstagen, später dann auch öfters in der Woche. Ich geh jedesmal hin. Zuerst kam ich mir zwischen all den vornehm tuenden Söhnen & Töchtern der Honoratzjoren vom Ort ziemlich bescheuert u fehl am Platz vor: ich war ja nurn Flüchtling mit nischt weiter als nem Hemd aufm Hintern – auf Deutsch gesagt. Aber es waren eben nicht nur die Abkömmlinge von Reichen dort: auch die Söhne von Arbeitern u kleinen Angestellten kamen hin, und Flüchtlinge wie ich. Schnell hatte ich den Bogen raus & ließ mich zunächst immer von dem 1laden, der weniger gut bestallt als die Anderen war und tat so als sähe ich die Übrigen gar nich. Das stachelte natürlich die Neugierde der Besserbetuchten an, die sich von mir links-liegengelassen fühlten – schließlich war ich=Die-Neue, die Man noch nich kannte. Ich habs dann so einzurichten verstanden, daß ich den Bewerbungen der Reichen nachgeben !mußte. (Lachend:) –Wennich mir meine Mutter vorstelle, wie sie glaubt, ich sitze Stunde-um-Stunde hier in der Kammer & büffele wiene Maschine fürs Abi –.– Ja, die Jungens überboten sich gradezu, luden mich ein (ich hatt ja keinen Pfennich Geld übrig), aber Die hielten mich frei, Abend-für-Abend, brachten mich heim, und – !o ich hab da nichts ausgelassen, kannich dir sagen, hab mitgenommen was ich kriegen konnte. Das war eine Schönezeit. Ja, und so hab ich schließlich !Ihn kennengelernt, meinen Jo.

–!Der war der Lustigste von allen. Aber er kann auch ernst sein, ist scharmant und redet mit mir über Vielosoffie, er ist !sehr gebildet, kann drei Fremdsprachen fließend: Englisch

Französisch Italjenisch. Seine Eltern sind Vormkrieg viel rumgereist in Europa; *Pappa&mamma, sie machten früher viele Reisen Genengland und Genitalien*, hatte Jo gesagt und Alle haben drüber gelacht. Ich dachte ?!Hä –, u hab erst gahnich be!griffen was dadran nuso komisch sei –. Und die Biblio-Thek bei meinen Schwiegereltern, !die müßtest du mal sehen, die haben sie über-den-Krieg gerettet. Mein Schwiegervater war ja auch Damals schon was Höheres. Der Jo, der ist bei-!weitem der Schar-!Mann-teste u der Gebilldezte von allen-dort auf dem Ball, und er giebt mir das Gefühl, dasser mich wirklich !ernst nimmt, von der 1. Minute an, & daß obarm-ob-reich für ihn keine Rolle spielt. Meine Schwiegereltern, die glaub ich ham was gegen mich, hätten sich für ihren Sohn wohl was Bessres denken können als ne Tochter von Flüchtlingen mit nischt als dem Hemd wasse aufm Leib hat. Aber Jo sagt dann immer zu mir: *Wir müssen Pappa&mamma pö-a-pö an uns gewöhnen. Du wirst sehen, sie werden dich schon mögen.* Ja, so verständnisvoll ist er u läßt Es mich immer fühlen, wenn er mich hierher wieder zurückbringt, nachdem ich nen Abendlang bei meinen Schwiegereltern zum Essen gewesen bin. !Wasmeinstu, was dort für !Leute ein&aus gehen – Prominente aus Kulltuhr aus Pollitiek & Wirrtschafft, das ist immer so ungeheuer intres!sant dort an den Abenden, und Jo ist zuvorkommend, so gebildet u hat dabei soviel Humor – achch, er ist wirklich !Dermann, von dem Jedesmädel nur träumen –

Und war wie Damals in Reitzenhain am Ende ihrer Erstenletztennacht : hastig stolperten u fielen aus dem Mund des Jungen die Worte – *ich dachte, !wir bleiben zusammen – nur wir=beide –* und seine Worte rafften sich auf mit jener grausam eckigen Eile zur Raumergreifung, gleich dem beinlosen Kriegs=Krüppel auf seinem Rollbrett, die Beinstümpfe in unten zusammgenähten, leeren schmierigen Hosenbeinen, während er, mit 2 Holzklötzern in den Fäusten auf dem Pflaster sich abstoßend Schritt zu halten sucht, zu Füßen vorübereilender Passanten, das zerschundne Gesicht voll Schorf u

Bartflusen hinauf in die Gesichter der-Leute gerichtet, kreischend nach Münzen od Essen bettelnd, Man daraufhin eiligst die Straßenseite wexelt, weil er mit seinem Rollbrett übers Kopfsteinpflaster so rasch nicht folgen kann. Anna währenddessen schaute dem Jungen wie gebannt auf den Hut, der verrutscht war wie inzwischen die gesamte Pose des Jungen –(:?obber Den auch diesmal Dabei aufbehält –), als er mit ungeschickter Bewegung den Hut selber vom Kopf sich stieß, ausrufend: *–Mein Geschäft geht !priema – zu !dir wieder zurückgekommen – das=Alles doch nur wegen !dir –* (er schüttelte an seinen Kleidern wie 1 Ladenschwengel, als wolle er mit dieser letzten Anstrengung längst unwillige Kunden schließlich doch zum Kauf überreden) *–extra von München hierher – nich grad n Katzensprung bis in son Zonenkaff=Amarschderwelt – ich hab Das=Alles doch nur wegen !dir – nur für !dich hab ich Das gem – hab geglaubt wir könnten – wir könnten immer zu –* (:– !Ja: er riecht Anders. Damals in Reitzenhain: der frische Lebensgeruch, Geruch von jungen Hunden – :?Heute: hf-f:) –ffhdasja: Paar !Föng.

–??!Was.

–Du !riechst. Nach paar !Föng.

Der Junge, unfähig das Gehörte zu glauben, trat verblüfft 1 2 Schritte ins Zimmer zurück, Alles hätt er von Anna als Reaktion auf seinen Ausbruch erwartet, nur nicht !das: solch lapidare Feststellung wie sie jedem xbeliebigen, flüchtig Vorübergehenden entfährt u zu der in allen Altern Frauen fähig sind, sobald ein Mann auf den Klippen der Tatsachen zu straucheln beginnt. So auch geriet der Junge, rückwärts gehend, an die Kommode – mit dem Ellbogen stieß er von-dort etwas herunter, das mit hölzernem Klang auf den Boden schlug.

–B!schschd – biste ?!irre son Lärm zu machen – wenn die= unten hörn daß hier jemand bei mir aufm Zimmer is, dann

–Was ?ist das. – Sagte der Junge, ernüchtert, und wies auf 1 helles Stück Holz zu seinen Füßen.

–?Daas. – Anna bedeutsam: –Das hat Er mir geschenkt,

mein Ver!lobter. Hattes !selber geschnitzt. Er macht Sowas als Hobbi

−Ne Gämmse. − Spottete der Junge. −Od: wohl eher ne doowe Zicke. Und n Stück vom Gehörn is auch ab.

−Ja. Das warst !du. − Stellte Anna zornig fest. −Gleich nachher wenns hell is, mussich

**Jahnstraße.**

Und bückte sich: −mussich s abgebrochne Stück suchen und wieder ankleben. Er kommt doch her, und wenn Er sieht, daß sein Geschenk kaputt is, dann

−Dann isses aus&vorbei mitter Gutenpartie !was. Die Großeliebe zerbrochen annem zerbrochnen Stück Holz.

−Hörauf. − Sagte Anna bloß, stellte das Schnitzwerk auf die Kommode zurück.

−Nachher binnich weg. − Sagte der Junge in die Stille, er hatte keine Antwort erwartet.

−Du bleibst ?nicht.

Und wieder verschlugs ihm die Sprache. −Ich dachte dein Verlob

−Komm her. − Sagte sie. Aus dem gelbschwarzen Schatten heraus streckte sie beide Arme dem Jungen entgegen: −Komminsbett.

Er noch immer verblüfft, erschrocken, grad noch verhinderte sich ihm die Frage ?Aber du hastoch nen Ver?!lob − : −Los. Nukomm. − Bekräftigte Anna, & ihre Hände begannen energisch, mit den sachlich bestimmenden Hantierungen von Frauen, die störrischen trödeligen Kindern das Zubettgehn anordneten &, deren Widerspruch im vorhinein zu brechen, entschieden das Auskleiden gleich selbst übernehmen, mit keinem Fingergriff zuviel ihm Jacke, Hemd und Hosenbund aufknöpfend. Mit geilrascheligem Stoffgeflüster glitt die Hose die Beine hinab. −So. Und kommjetz.

Caligarisch warf das Kerzenlicht ihre Bewegungen an Zimmerwanddecke&mobiliar, der Schatten des Jungen starr wie 1 Totem − ! − dann griffen auch seine Hände zu: spitze dunkle Lufttentakeln, die ins hagere Gearm des Mädchens zum zitte-

rigen Hastwerk stachen –. –Jetztkomm. Und mach. Mach-
doch. !Mach. / Und nichts mehr war Heute wie Damals in
ihrer Erstenletzten Nacht in Reitzenhain, u das lag sicher nicht
an seinem verschwundenen Lebensgeruch nach Fell&haut
von Jungen Hunden. Als sie das Glied brutal in-sich 1dringen
spürte, öffnete sie die Augen –: sein Gesicht über ihr schwebend, kupferfarben die Haut, Lippen u Mund zu Narben ver-
rissen, vom Kerzenlicht mit dunklen Striemen vergittert,
Schweiß auf Stirn u Wangen, und aus seinen Augen schlug
auf sie nieder ein dunkelschäumiger Haß. Seine Stöße wie
Faustschläge in ihr Geschlecht, sie taten ihr weh, sie preßte 1
Unterarm vor ihren Mund, biß hinein –, aus ihrem Mund fetz-
ten malmig wunde Laute –, das Bettgestell kwietschte grausam laut – (Anna konnte u wollte gewiß auch nicht wissen,
daß Schläge u Haß nicht ihr galten, nicht ihr all-1; sie war in
diesen Momenten für den Jungen im bittren Schweißgeruch
eines Köters gar nicht da – :Er fickte nicht wirklich sie : Er
fickte auch nicht wirklich eine Frau, nicht ihren Körper,
nicht ihr Geschlecht; er fickte Jetzt&hier gegen diesen Unbekannten, gegen Annas *Verlob-* aus sogenannt Gutemhause,
der, von *Pappa&mamma* kwasselnd, sie nach Schulschluß & an
Wochenenden artig hierher, bis vors Haus begleitete, im Tür-
schatten bißchen an ihr rumgeilte, und sie danach, wie sichs
geziemt, all-1 ließ. Der sie beschenkte mit süßlichen Pralinen,
Schnitzwerk & mit Blumensträußen, die Blüten klein & hart
wie Gesichter aus Blech. Der Junge meinte aus den Hautpo-
ren dieses Wesens, das unter seinen Stößen wie unter Strom-
schlägen zuckte, den fadsauberen Wäscheschrankgeruch dieses
verzogenen Muttersöhnchens mit seinem Altherrenhumor
herauszuriechen, und so stieß er noch kräftiger gegen sie=ge-
gen *Ihn*, der wie ausgeblühter Parfümgeruch das Mädchen im
Klammergriff zu halten schien. Und Das war längst nicht
Alles u war Es nicht allein : *glaubst du ich – mach mich gern zu –*
*m Fatzke zum lack – lackierten Aff – fen – wovon soll ich – leben –*
*Klauen & Schieben das – hab ich gelernt – das ist meine Bill – Dung*
*– sonst kann ich nix bin ich – nix – man muß nach Was aus – seh –*

*hen – heutzutag – sonst bleibt die Kund – schafft weg – und was*
*dann – was sollt ich – an – fangen – mich kriegen lassen – einsper –*
*ren lassen – damit ich weg bin – 1=für=Allemal – weg bin ich – will*
*nicht im Zucht – Haus verrecken – ich – will – ich will leben –) –.*
Als er dann rücksichtslos in sie entlud, troff im Krächzlaut ein
Speichelbatzen auf Annas pulsierende Halsschlagader herab.

–Tu mir !nie=wieder weh. – Sagte Anna, rollte ein Ta-
schentuch zum Knäul, steckte es zwischen ihre Beine und
kehrte brüsk sich zur Wand u von dem Jungen ab. –Und !faß-
michnichan. – Ihre Stimme schlug gegen die Wand. Als hätten aus ihrem Leib unsichtbar sich streckende Haarspitzen ihr
vorab die zögerliche Annäherung seines Arms, begütigend
nach Vergebung tastend, gemeldet.

–Faß mich jetz !blooß nich an du –.

Arm&hand des Jungen zuckten fix zurück. Unbehol-
fen=nackt blieb er an der Bettkante hocken (heimlich das
Glied am Laken abwischend), auf die fahlhell schimmernde
Rückenhaut des Mädchens starrend. Deren Leib im Zimmer-
dunst auf zerwühltem Bett&laken in den Schimmer aus nie-
derbrennendem Kerzenlicht wie der Notenschlüssel aller
menschlichen Kränkungen und des Trotzes sich hinstreckend

**Karl-Marx-Straße, Rat der Gemeinde.**

–!Was: ?jetz in der Halbennacht. – (Ihm wollte scheinen, es
war nicht ihre Stimme, sondern ihr Rücken, der ihm die
Frage zuraunte.) –Noch dazu heute, am Sams – (:Und !plötz-
lich fiel ihr ein, daß heute wirklich Samstag war – *Samtag*
*Samtag*, hüpften die Spottaffen auf&ab –); und an diesem
Nachmittag würde !Er hier herkommen, wie=immer artig
an der Haustür bei Ehlers läuten –: Aber dieses Mal sie nicht
allein zum Ball abholen, sondern zum Ersten Mal auch
hier=heraufkommen, in !dieses Zimmer. *Pappa&mamma wis-*
*sen Bescheid. Sie vertrauen mir – u: dir, daß wir nichts Kompromit-*
*tierendes tun.* Hatte er vor paar Tagen gesagt u Anna dabei ernst
angesehen: u: nun dieser Junge aus der Fremde, hier=bei-ihr
in der Nacht vom *Samtag* –:Sollt ichs drauf ?ankommenlassen,
Heute –

So mit=sich beschäftigt, hatte Anna die Erwiderung des Jungen auf ihre Frage, ?wohin er denn wolle, nicht gehört, hatte sein *−Ich komm schon durch. Bin ja hierher schließlich auch nich mitter Schtaatzkarosse gefahrn*, überhört und so fragte sie ihn noch 1mal: −?Wohin willst du denn jetz − (:er, grad dabei seinen Körper umständlich in den Stoff der Kleiderhülsen hineinzurascheln, war plötzlich in Eile, schien in-Gedanken bereits weit fort −). Anna spürte seine Unrast, wandte sich ärgerlich-erstaunt nach ihm um −.

−Ich gehe. Nach Berlin. − Verkündete er. −Dort braut sich !Was zusammen, sagichdir. Da steht uns !Was bevor.

SENSATIONELLE ENTHÜLLUNGEN − WIE SEIT 1945 DER ANSCHLAG AUF DIE EINHEIT UND DEMOKRATIE DEUTSCHLANDS VORBEREITET WURDE − JETZT DIE OSTZONE UND BERLIN? − IN ERWARTUNG EINER BESSEREN »OSTWÄHRUNG« − WESTMÄCHTE VOLLENDEN SPALTUNG DEUTSCHLANDS − NOTWENDIGE ABWEHRMASSNAHMEN − MITTEILUNG DER SOWJETISCHEN MILITÄRVERWALTUNG − 1.) DER PASSAGIERZUGVERKEHR SOWOHL AUS DER SOWJETISCHEN BESATZUNGSZONE HERAUS ALS AUCH ZURÜCK WIRD EINGESTELLT −

Wie der Fisch, von der einen Woge auf den Sand geschwemmt wo er gegen das Ersticken rang, von der andern Woge schon erfaßt und zurück in tiefe Lebensgründe seines Meers geschwemmt, schien Erich bereits wieder ganz in seinem Element: −Vonner !Währungsreform in den Westzonen spricht man. Und davon, daß der-Russe dann Berlin dichtmachen will.

2.) DIE EINREISE IN DIE SOWJETISCHE BESATZUNGSZONE WIRD FÜR ALLE ARTEN DES GESPANN- UND KRAFTWAGENVERKEHRS AUS DEN WESTLICHEN ZONEN EINSCHLIESSLICH DES VERKEHRS AUF DER AUTOSTRASSE HELMSTEDT-BERLIN GESPERRT − DIE AUSREISE AUS

BERLIN NACH DER WESTLICHEN ZONE AUF DER
AUTOSTRASSE BERLIN-HELMSTEDT WIRD AUF
DEN GLEICHEN GRUNDLAGEN WIE BISHER ER-
FOLGEN –

–Stelldirvor: Eine !Ganzestadt 1fach abriegeln. !Aushungern.
Frauenkinderalte fertigmachen. ?!Was wern die Westalliierten
dazu sagen –.

3.) ALLE ARTEN DES TRANSPORTS AUF DEN WAS-
SERSTRASSEN SOWOHL AUS DER SOWJETI-
SCHEN ZONE IN DIE WESTLICHEN ZONEN ALS
AUCH AUS DEN WESTLICHEN ZONEN IN DIE
SOWJETISCHE BESATZUNGSZONE DEUTSCH-
LANDS BEDÜRFEN EINER GENEHMIGUNG DES
CHEFS DER TRANSPORTVERWALTUNG DER SMV
UND WERDEN NUR NACH EINER VORAN-
GEGANGENEN SORGFÄLTIGEN KONTROLLE DER
BEFÖRDERTEN FRACHTEN UND DER PERSÖN-
LICHEN SACHEN DER SCHIFFSMANNSCHAFTEN
DURCHGELASSEN –

–Vielleicht giebts bald wieder KRIEG. (Er zupfte den
Schlipsknoten zurecht.) –Dann aber keinen KRIEG, wie wir
ihn kennen. Die Einen machen Krieg mit Soldaten & Kano-
nen, die Andern mit Börsianern & Moneten. 3x darfste raten,
!wer Dabei der Sieger..... bleibt. (Er schien über den Sitz seiner Krawatte zufrieden.

4.) DER DURCHLASS VON FUSSGÄNGERN AUS
DEN WESTLICHEN ZONEN IN DIE SOWJETISCHE
BESATZUNGSZONE DEUTSCHLANDS MIT IN-
TERZONENPÄSSEN DER WESTLICHEN ZONEN
ÜBER DIE KONTROLLPASSIERSTELLEN AN DER
DEMARKATIONSLINIE WIRD EINGESTELLT –
PERSONEN, DIE SICH AUS DER SOWJETISCHEN
ZONE IN DIE WESTLICHEN BESATZUNGSZONEN
DEUTSCHLANDS BEGEBEN, PASSIEREN DIE KON-
TROLLSTELLEN WIE BISHER – 5.) DER GÜTER-
ZUGVERKEHR WIRD UNGEHINDERT, ABER

UNTER DER BEDINGUNG EINER SORGFÄLTIGEN
KONTROLLE ALLER FRACHTEN SOWIE DER SA-
CHEN DER ZUGBEGLEIT- UND SCHUTZMANN-
SCHAFTEN ERFOLGEN –

### Karl-Marx-Straße.

Er bürstete mit der flachen Hand den Sakko aus.) –In München war !mein De-Wiesnhandel I A – (prahlte er) –& wird in
Berlin nich schlechter sein. I A :Die Autonummernschilder
dort heißen schon seit-Langem so. (Er lachte dunkel.) Anna
rümpfte die Nase. –I A –: Damit kannst du wenigstens zum
Esel werden –: !Ooooch ne Karrjeere. – Äffte sie Berlinisch
nach. Er überhörte ihren Spott: –Wo Heut gehungert wird,
wern Bäuche hohl & weit für mehr fou=rage Morgen. In
Berlin, sagichdir, wird bald !morzmäßig gehungert wern.
Eine !Ganzestadt voll mit Hungerleidern. (Und setzte unter-
weltmännisch & kaufherren den Panamahut auf.)

    6.) DIESE ANORDNUNGEN TRETEN AM 19. JUNI
    1948, 00 UHR IN KRAFT

(*Er is !immer=noch der große Kleinejunge von Damals*, dachte Anna
u betrachtete stumm die Gestalt vor ihr am Bett als wär das 1
Schneiderfigurine. *N Kleinerjunge mit abgeguckten Filmposen &
nem Maulvoll Großerworte. Irgendwann* (sie fröstelte in einer
anonymen Traurigkeit und zog die Bettdecke über den nackten Leib) *werden* SIE *ihn !kriegen.....*) Erich hatte Annas Blicke
nicht bemerkt. Er tippte die Rechte mit ausgestreckten Fingern an die Hutkrempe, seine Stimme, wie vor Stunden zur
Begrüßung vorm Haus, bratenrockig & öl: –Eine !Goldgrube
fürn Schwarzhandel: Das Geld liegt nich nur auf der Straße,
es fliegt sogar in der !Luft umher & Dieses Mal auch für uns.
Jetzt sind Wir dran. Gladow: Der macht aus Berlin Schick-ago.

    –Du gehst also. – Stellte Anna nüchtern fest, unentschlos-
sen, ob sie enttäuscht sein sollte.

    –Ja. – Sagte er, schon an der Tür. –Du hastich hier auf Was
eingelassen, das mußt du erst hinter-dich-bringen.

    –Du meinst meine Ver?!lobung. – Und Anna erstaunte
über seinen plötzlich altklug-Selbst=sicheren Ton.

–Ja, genau=die meine ich: deine Verlobung. (Er sprach das Wort zum 1. Mal aus.) –Sowas kommt & geht, wie Grippe. Hab Warten gelernt. – Setzte der Junge beiläufig hinzu. –Du weißt: Wir=beide=gehören=zusammen. Für=immer
*Ebertstraße.*

Bevor er aus dem Raum ging, hinaus auf Birkheims nächtige Straßen, an düstren menschvollen Häusern vorüber unter Bäumen leer als seien sie abgestorben, fügte er, zu Anna gewandt, noch hinzu: –Ich hole dich nach. Das versprech ich dir. Ich hole dich nach, sobald ich

Dann nahm ihn das Dunkel 1 noch flachen Morgens auf. Drüben im Schlachthof bereits grell kantig der Tag: An narbigen Gebäudemauern eine Reihe runder Scheinwerfermäuler, ihre scharfen Lichtzähne zerbissen die Dunkelheit. Auf dem Dach eines der Gebäude hatte die Kühlanlage zu arbeiten begonnen. Das derbe stete Maschinengeräusch fräste die Finsternis von der frühen Stunde, und metallen schimmernd trat allmählich überall der Morgenblock hervor. Von–Dort=drinnen keine Tierrufe mehr, kein sorgenerfüllter Laut; große Stille..... das Töten hatte wohl begonnen. Fleisch vom Samstag für Metzgereien in den großen Städten & Freibank=hier am Montag. – Anna, ohne Schlaf in der vom nachglimmenden Kerzendocht brenzlig riechenden Zimmerluft, wiederholte sich in Gedanken wie 1 Echo-spielendes Kind immerfort den Anfang seines letzten Satzes, den sie ja bereits kannte, den sie schon 1 Mal vor Jahren u in der gleichen Situation wie heute von ihm gehört hatte: *Ich hole dich nach, sobald ich – Ich hole dich nach, sobald ich –*

LUFTBRÜCKE GEGENSTANDSLOS – ALLE BERLINER KÖNNEN IHRE RATIONEN KÜNFTIG IM OSTSEKTOR KAUFEN – ES IST AN DER ZEIT, MIT DER ENGLISCH-AMERIKANISCHEN BLOKKADE WEST-BERLINS SCHLUSS ZU MACHEN – LEBENSMITTEL TREFFEN LAUFEND EIN, UM ALLE BERLINER MIT ERHÖHTEN RATIONEN ZU VERSORGEN – AUSGABE DER ZUSATZKARTEN HAT

BEGONNEN – EINKAUFSERLEICHTERUNGEN
FÜR WESTBERLINER – EINTRAGUNG VON
LEBENSMITTELKARTEN NACH FREIER WAHL –
1,5 MILLIONEN TONNEN BRIKETTS FÜR BERLIN
– FASCHISTISCHE PROVOKATION AM POTSDA-
MER PLATZ – ANGRIFF AUF KONSUMZENTRALE –
VON 3,5 MILLIONEN BERLINER EINWOHNERN
HABEN LAUT »KURIER« GANZE 950 BERLINER
DIE WECHSELSTUBEN IN SPANDAU UND IN DER
FLENSBURGER STRASSE AUFGESUCHT – SO
SIEHT ALSO DAS DRINGENDE BEDÜRFNIS DER
BERLINER NACH DER B-MARK IN WIRKLICH-
KEIT AUS – WER BEZAHLT DIE LUFTBRÜCKE? –
BERLIN ZAHLT NICHT – B-MARK FINANZIERT
SCHWARZMARKT –

Dann stand Anna auf & hockte sich über die Emailleschüssel
voll Wasser. Langsam & sorgfältig wusch sie sich zwischen
den Beinen

### Güterabfertigung Bahnhofstraße.

Im Dienstzimmer der Lyzeumsdirektorin eine verwesende
Luft, von chemisch-kalkig schmeckender Süße. Dies, u etwas
Bitterfaules auch wie Geruch aus schlechten Zähnen –.–
Hanna, aufs schneidige He!REIN das Zimmer betretend,
mußte unvermutet in solch Stick geratend würgen – rasch
hielt sie die Hand vor den Mund, als sie die rechte gepackt
gedrückt & geschüttelt fand –: Der dürrgraue Direktorinnen-
kopf mit dem kellerweißen dauergewellten Haar füllte Hannas Blickfeld aus, & straffgelippter Lächelmund der Direktorin zerstieß die Worte zu Schütten kleiner Glassplitterei.....

–Sie, und das muß man ihr anrechnen, hat mir Nachhilfeunterricht angeboten, damit ich im Französischen den
Anschluß kriege. Ihre Freundin in der Stadt, das Fräu-
lein Steinbrecher in der Wallstraße, die hat Fran-
zösisch=privat unterrichtet. Den Unterricht hab ich
wahrgenommen, und dadurch hab ich den Anschluß
geschafft. Diesen Privatunterricht hat natürlich meine

Mutter bezahlt, ich hatte ja nichts. Aber ich !mußte das Abi kriegen. – Dann, als ich das Abitur so ziemlich geschafft hatte, sagte sie zu mir: *Mademoiselle Anna, vous avez fait des progrès étonnants.*– Die nüchterne Feststellung 1 Fakts. Mehr hat sie niemals wieder zu meinen Leistungen gesagt.

–Eines darf ich hinsichtlich Ihrer Tochter mir zu=Gute halten: Als ich sah, welch !vorteilhaften Einfluß die Freundschaft mit Hilde auf sie genommen hat – ich rede !nur vom Unterricht, ich mische mich nicht in Ihre Erziehung ein, solange die Moral meiner Schülerinnen nicht in Mitleidenschaft gezogen wird – als ich also Hildes guten Einfluß bemerkte, habe !ich dafür Sorge getragen, daß Ihre Tochter auch in beruflicher Hinsicht an Hilde sich hält.

Kandis –:bergkristallene Bröckchen Zucker die Wörter-Stücke der Frau=Direktor; ihre Zunge stakte spittzick durch süßlichen Geredebrei. Aber es war kein Zucker, es waren Glas-splitter..... Jedes 1zelne Wort verwundete Hanna. Und jedes sollte verwunden: diese kleine, in geflickten Flüchtlingsklei-dern (Blümchenmuster auf dem Stoff wie unter einst starkem Sonnenlicht verblichen), die Uniformjacke der Reichsbahn drübergehängt, vor Einer Direktorin stehende Frau, selber garnicht zu Wort kommend, die 1mal 1 Triumf über Eine Hö-Herr-Stehende hätt haben können – : All-1 für diese Möglichkeit sollte die unverschämte Dahergelaufne teuer be-zahlen. (Ob Hanna ?bemerkte, !was Hier=vor-Wochen be-reits ohne ihr Wissen entschieden worden war.)

### *Weg durch Schrebergärtenanlage.*

–!Ach Sie wissen ?Nichts von den Plänen Ihrer Tochter; Sie wissen ?!nicht, daß Hilde u Anna auf die Dolmetscherschule nach Leipzig wollen. Verehrtefrau, als Pädagogin gebe ich Ihnen den Guten Rat: Sprechen Sie mit Ihrer Tochter. Die Zeiten der Flüchtlingstrecks sind !vorbei: Eine Mutter kann sich wieder der Kindererziehung widmen, wie sich das !ge-hört. Einiges scheint bei Ihnen damit im Argen. Auf !Keinen-fall wird Ihre Tochter hier bei Ihnen in Birkheim bleiben. Soviel hat sie mir im Gespräch anvertraut. Das Kind hat hier keine Perspektive. Es ist der Letzte Rat, den ich Ihrer Tochter geben konnte: Ab September werde ich – !pensioniert. (Die Sekretärin blickte kurz & bös zu Hanna, als trüge die daran Schuld.) –Übrigens, beide haben die Aufnahmeprüfung bereits bestanden, & in paar Wochen werden Ihre Tochter u Hilde in Leipzig auf der Dolmetscherschule sich anmelden.

Vielleicht erst, nachdem Hanna wieder Draußen war und die immerfremden Straßen im Häusergeduck Birkheims entlangeilte, mochte sie wirklich begriffen haben, daß sie in gewisser Weise aus *der-Heimat* soeben ein weiteres Mal rausgeworfen worden war. Und dieser Rauswurf nicht etwa infolge von zufälligem Pech so, wie man in 1 Aufzugskabine nicht mehr hin1gelassen wird, weil just vor-einem die Höchstzahl an zugelassnen Personen erreicht war –:Bei diesem Mal war ausschließlich u ganz=allein !Hanna gemeint: *Für !dich keine Heimat mehr.* Und sofern es nicht nur verächtliches Ausatmen war, zischte *Diese Stimme* ihr noch hinterher: *Stirb ein langes Leben.*– Als Hanna dies vernommen, blieb sie keinen Moment stehen – ihre Beine ließen sie scheinbar unbeeindruckt weiterlaufen in der Tarnung Unbekümmertheit hinein in die Schwemme Lauchgesichter, ins Geknuff der Rempelbögen Schulterrammen ringend im staublärmigen Menschengehast (deren Rohheit nicht allein jener abstrakten Pflicht zum Arbeizalltag, sondern noch etwas Anderem zukam; einem Boxkampf aller gegen all-die-andern gleichen Schatten.....) Und diese Gesichter wie *Eingesicht*, erfüllt nicht von Furcht od Schrecken, nur von namenloser Erregtheit, als müßten sie sonst in sich-selbst ersaufen; Mienen & Züge zu flachen Blechscheiben gestanzt & an die Perpendikel von Uhren gehängt – Tick Tick Tick – vom selben Räderwerk in-Gang gebracht, lediglich der Pendelausschlag verschieden, schwangen diese Blechscheiben mit den draufgeprägten Fratzen des *Einengesichts* hin&wider – Tickticktick – zerschnitten sie Hannas Blicke, ihren Weg –; sie=alle waren *beschäftigt*.....
Mittagsuhrenzeiger erhoben drohend schwarz die Dürrarme :

!Nach !Zwölf : Der Tag ward zerschnitten; Wind packte mit
Him=Höllischen Scheffallüren dienstgeil nach Hannas pelle-
dünnem Kleid, & zerrte die Schuld=Bewußte hinter-sich-
her: Zum !Dienst Zum !Dienst

### Tuchmacherstraße.

Dort, hinter einem Schreibtisch, im Schweiße seiner dunkelblauen Uniform der irrdische Scheff: Übersechzigjähriger &
Träger 2 Vaterländischer Prothesen: fürn Kaiser den linken
Unterarm, fürn Gröfaz beim Volk's Sturm s rechte Bein – und
würd er nur langegenug am-Leben-sein, es wäre noch genü-
gend Fleisch an ihm für die-Herren-v.-Heute&morgen. Mit
Immerschmerz in Arm&beinstumpf die braune Lederhand auf
die Tischplatte abgelegt & mit Lederschlaufe den Krückstock
als seis noch-immer der Karabiner an die Stuhllehne gehängt,
Der Herr Dienstvorsteher, hockend in seinem Büroraum mit
schwarzgebohnerten Dielen in der Lohnbuchhaltung von
Birkheims Reichsbahn-Dienststelle. (Dort nur gelitten Hanna,
die Nochimmer-Neue=die Den-v.-Früher mit Geheiß aus
Magdeburg verdrängt hatte, am Zahlschalter in der 𝔥𝔞𝔲𝔭𝔱𝔨𝔞𝔰𝔰𝔢.) Wind war hinter Hannas energischen Schritten herge-
rannt; und sie hatte sich wieder geflüchtet in das schmale, hohe
Büro mit dem Schaltertisch, dem braungebuckelten Rollschrank, in ihrem Rücken an der Längswand rostrot ein Stahl-
tresor u das Trittbrettchen rechts unterm Tisch neben ihrem
Fuß für den Alarm bei möglichem Überfall. Draußen klirren
Räder durchs Schienengeflecht – Waggons rangieren den metallischen Kanon – Pfiffe von Lokomotiven. – Es ging weiter.

\*

### Lönsstraße.

–Frühjahr 49 wars noch immer schwierig mit den Zügen.
Aber ich hatte vonnem LKW-Fahrer am Güterbahnhof gehört, dasser ne Fuhre nach Leipzig hat. Nachdem wir Bescheid kriegten, daß wir die Aufnahmeprüfung an der Dolmetscher-Schule bestanden hatten, sind wir 1 Morgens in
Allerfrühe los, die Hilde&ich. Anfangs war noch ne Andere

dabei, die hat unterwegs dauernd gekotzt. Doof wie ich war hab ich gedacht, das kommt von den Straßen – wie Kartoffelsäcke flogen wir auf der Ladefläche hin&her. Naja, heut weiß ich besser Was mit der los war..... So sind wir in Leipzig angekommen. Abend wars, wir wollten ins Quartier, das uns die Schule vermittelt hatte. Anderntags mußten wir uns auf der Dolmetscher-Schule in der Harkort-Straße anmelden. Leipzig war noch !sehr zerstört – überall Trümmer u Ruinen, die Mauern schwarz&rot als hätten sie geglüht u Gestank in der Stadt, nach Brand u nach Hunger. Das Quartier war in der Kurt-Eisner-Straße, innem Altbau, zur Untermiete bei ner Professorenwitwe. Mit-uns waren dort noch 2 Studentinnen aus Sachsen, die hatten 1 Zimmer=gemeinsam, 2 liebe Mädel, gutmütig, die nie was gegen die Wirtin sagten. Die Alte war nämlich geizick & obendrein verfressen. Immer wenn wir Pakete-von-Daheim bekamen, war sie !zufällig im Zimmer. Meine Mutter hat mir die Schule bezahlt – !o das war teuer: fürn Halbesjahr 1800 Mark : Das war eine !enorme Summe in der Damaligenzeit – sie hat all ihr Gehalt in mich gesteckt & sie hat mir auch noch !Vieles geschickt: Wurst Schinken Butter – und im Herbst sogar Pakete mit Kohlen. Die hab ich mit nem alten Kinderwagen von der Post abgeholt (Kohlenverschicken war !streng verboten, galt als Schieberei; abers gab ja kein Kontingent für uns). So hatt ich fürn paar Stunden bißchen Wärme. Wir alle waren trotzdem fortwährend erkältet. Sobald ein Paket ankam war die Wirtin immer dabei, um für=sich nen Anteil zu schnorren. Und alses ihr in ihrem Zimmer zu kalt wurde (sie war zu geizig zum Heizen), hat sie sich kurzerhand bei mir einquartiert. Unsere Zimmer waren nicht abzuschließen – jederzeit Zugang –, u. wir hatten immer Hunger.....

***Lönsstraße, hinter dem Schlachthof.***
–Damals durften Ausländer=aus-dem-Westen noch an EsBeZet-Schulen unterrichten. Die Dozenten in Leipzig kamen aus England, Amerika, Belgien, Frankreich. Später nach Gründung der DeDeR..... wurden die=alle ausgewiesen.

Und Studenten kamen aus allen Landesteilen her – von 200 Bewerbern sind nur 40 aufgenommen worden. Aber es gab nicht nur Lerneifrige darunter, sondern auch ziemlich viele Abenteurer: Abenteuer-Rinnen vor-allem. Das zeigte sich, als es auf die Abschlußprüfungen zuging & jeder sehen mußte, wo er ne Arbeitsstelle herkriegt. Leipzig ist wieder Messestadt geworden & zur Messezeit kamen viele Ausländer, damals hauptsächlich Offiziere aus den Westzonen & schon wieder einige Geschäftsleute. Leipzig wurde für Die zum großen Fleischmarkt. Zudem hat bis Oktober 49 unsere Schule auch Stellen nach-Drüben zu den West-Alliierten vermittelt. Viele aus meinem Kurs haben sich also an die amerikanischen & die englischen Offiziere rangeschmissen. Eine in meinem Kurs war die Tochter von der Komtesse von Puttkamer, verwandt mitm ollen Bismarck, u ihr Vater war Generaloberst bei der Wehrmacht gewesen, später dann verstrickt in die Affäre Goerdeler, und als die Verschwörung aufflog, haben die-Nazis ihren Vater aufgehängt. Sie kam aus Hildburghausen und hatte von den-Amis ne Stelle angeboten bekommen. Aber sie wollte nicht weg von ihrer Familie und hat ihre Stelle an mich abtreten wolln. Davon muß wohl meine Mutter Wind..... gekriegt haben –.– Heute bin ich !froh, daß ich nicht drauf eingegangen bin. Auch Drüben kriegtest du nur nen Job, wenn du ne Wohnung hattest & ne Wohnung nur, wenn du Arbeit nachweisen konntest, u: ich hatte ja nirgends eine Wohnung. Viele sind deswegen zu den alliierten Dienststellen. Aber dort saßen auch Frauen & die hatten natürlich nen steifen Rochus auf diese Bewerber-Rinnen ausm Osten, u: du kamst so schnell an Den Offizier gar nicht ran. Da sind viele 1fach untergegangen..... Wenige habens geschafft & dann in den Offiziersmessen die Speisekarten übersetzt. Eine, die hat neben Englisch auch noch Russisch gemacht – & hats dann bis in den Stab von General Clay gebracht. Aber, allesinallem, als Frau hatte man nen ziemlich dreckigen Kanal zu durchkriechen – u: dazu hatte ich !Keinelust. Also bin ich mit meinem Abschluß als *Dolmetscher & fremdsprachenkundige Korresponden-*

*tin* wieder zurück nach Birkheim, zu meiner Mutter in die Ebertstraße (Großmutter & Ria waren noch immer in Schieben=Aufmdorf). In Birkheim hab ich beim Magistrat angefangen, in der Statistik. Aber das war natürlich keine wirklich zu meiner Ausbildung passende Beschäftigung. Mein Chef war Gründer der dortigen Ende-Pede & hat eifrigst geworben für seine Partei, die sich als Sammelbewegung für alle im-Osten gebliebnen Adligen u: Bürgerlichen verstand. Die waren anfangs sogar gegen die Oder-Neiße=Grenze; bis sie dann in Berlin auf-Linie gepfiffen wurden. Und es war schon Damals so: Wenn du in keiner Partei warst, dann warst du Garnischt. Und da haben meine Mutter & ich überlegt, ?was tun. Die EsEhDe kommt nich in Frage. Finks Rede seit 33: »Ich stehe zu der Partei, bei der ich nicht sitzen muß, wenn ich nicht zu ihr stehe.« Also meine Mutter: ab in die TseDeUh – ich in die Partei von meinem Chef: in die Ende-Pede. Dann, nach Gründung der DeDeR, gabs die vielen neuen Ministerien, auch das Außenministerium suchte Arbeitskräfte aus allen Parteien; später kamen nur die EsEhDe-Kader..... ran. Mein Chef in Birkheim wußte ja von meinen Englischkenntnissen & daraufhin hat er mich hierher=nach-Berlin vermittelt, als Dolmetscherin ins Außenministerium. Auch dieses Zimmer=hier ist vom Ministerium – aber: Das weißt du ja schon Alles.

Erich trat ans Fenster, spähte vorsichtig durch 1 Lücke zwischen den Vorhängen nach-Draußen. Die Stunde geriet an die Klippe zum andern Tag, schließlich stürzte die Dunkelheit lautlos hinab. Auf der Treskow-Allee in Karlshorst auf regennassem Asfalt noch wenige Autoreifen.

–Immer ist Nacht, wenn wir zusammen sind. – Sagte er und wandte sich wieder Anna zu. –Und immer gehst du fort, bevor es Tag wird (entgegnete sie) –wie ein – (und verstummte.) –Ich !bin ein – (sagte er leise.) –Du weißt, daß ich von Hier fort !muß. Heute noch. Bevors hell ist, werd ich am Bahnhof Friedrichstraße sein. Mit dem Frühzug nach München. Vielleicht war der Job als Hausmeister im Außenministerium, den du mir besorgt hast, doch !zu-nah : Nicht jede Ameise kriecht lange unbeschadet durchs Löwengebiß. Vielleicht wars beim Duschen: Irgendwer sah meine Tätowierung unter den Achseln & hat mich denunziert..... Man hats mir geflüstert: *Du mußt !weg, !sofort.* – Noch 1mal spähte er durch den Vorhang hinaus –, immer häufiger zischten die Reifen vorüber. Zerrissen den Regen wie dunkle Seide –.

Zerrissen Annas Gedanken. So daß sie an kein Ende kam, und sie wußte sich selbst unvollendet, wiewohl ohne Anfang, sondern mitsamt dem Fleisch, das in ihr wuchs, nurmehr als 1 Bruchstück aus dem Körper der Zeit. Dorthinein wußte sie ihre Geschichte versenkt seit dem letzten Besuch dieses Mann=Jungen..... am Fenster. Alsbald würde sie in jener nur Müttern eigenen Gebärde über einen Kinderwagen sich beugen, ihre dünnen Arme zwischen Kissengetürm behutsam tastend wie Pinzetten in 1 Uhrwerk.

Sie wollte ihm noch erzählen, daß sie weiter studieren würde: Englisch u Russisch – dieses Mal an der Humboldt-Universität hier in Berlin. Sie hatte bereits von der Dienststelle die Delegierung zum Studium erhalten – im Herbst wäre Semesterbeginn.

Aber der Junge kam ihr zuvor. Er trat, vom Fenster weg, vorsichtig 1ige Schritte auf Anna zu. –Und – ?was ist aus !ihm geworden, aus deinem Verlob

Anna seufzte. –Seine Eltern waren & blieben gegen unsere Verbindung. Meine Schwiegermutter hat mich immer madig gemacht bei ihrem Sohn und bei allen Bekannten, hat behauptet, ich hätt keine Tischmanieren. *Sie ist halt immer bißchen hintendran*, hieß es pikiert. *Die wird das nie lernen.* Bei meiner Schwiegermutter war das Oberste Gebot TÜCHTIGKEIT. Sie=selber war so TÜCHTIG, daß sie die Hühnereier, die sie für 60 Pfennig pro Stück verschob, sogar von ihren eigenen Kindern sich bezahlen ließ. Und Jo immer mit seinem *Pappa&mamma haben gesagt* – klar: Die suchten für ihren Sohn Eine-!brauchbare-Partie, nich nen Flüchtling mit nischt weiter als nem Hemd aufm Hintern. Und die Partie, die haben sie dann auch für ihn gefunden: !Hilde..... meine beste Freundin. Deren Eltern hatten Besitz & die Uraltkonten wurden ihnen von der Sparkasse wieder aufgewertet. Dagegen hatt ich keine Chance. Und wären der Jo u: ich trotzdem zusammengeblieben, er wäre immer zuerst zu seinen Eltern gelaufen & Die hätten ihm gegeben, was er brauchte; ich hätt bekommen, was übrig blieb. Und so hats mir eines Abends gereicht: *Mach dich doch !endlich mal !frei von deinen Eltern* (hab ich gebrüllt) *od: geht das ?nicht.–* Es ging nicht, u: ich hatte ja auch meinen Stolz.

Von der Straße 1 Geräusch, als wär das Zerreißen dunkler Nachtseide plötzlich angehalten –, Erich sprang zum Fenster: ein Lastwagen hielt unten vor dem Portal zur Chinesischen Botschaft, man lud Kisten ab, schaffte sie ins Haus (der Junge atmete auf). Doch der Blick-hinaus hatte ihm gezeigt, der Großstadtmorgen brandete herauf. –Dies Auferstehungsgelärme Tag-für-Tag (sagte er, am Fenster stehend:) –Hör dir die Vögel an, sie singen nicht; sie kreischen vor Angst Hunger & Schmerz – und fressen die eigene Brut. Und ?Menschen: schon beim Erzählen gehen sie über Zeiten u Leichen. !Scheiß Natur. (Er wandte sich wieder zu Anna.) –Ich muß fort. Jetz=gleich. – Schon an der Tür, stockte er. –?Wann ist es soweit.

–Ich dachte schon, du fragst mich garnicht. – Anna faltete die Wachstuchdecke, die nach Erichs letztem Besuch ihre Wirtin demonstrativ über das Plüschsofa gebreitet hatte, zusammen. –In sechs Monaten.

Er machte 1 ungeschickte Kehrtwende. –Ich hole dich nach. – Sagte er. –Ich hole dich nach, sobald ich in München Fuß gefaßt habe. – Und brauchte nicht mehr zu sagen *Wir=beide=gehören=zusammen. Für=immer.* Also sagte ers nicht. Und ging eilig davon.

Dieses Mal hörte Anna in=sich kein Echo seiner Worte; dieses Mal nicht und Keinmal später

### Schillerstraße.

An einem Januarmorgen 1953 gegen 9 Uhr im Krankenhaus Berlin-Friedrichshain 1 von vielen Geburten (ohne Komplikation). Der blutige, häßlich anzuschauende Neugeborne wollte nicht schreien; den Kopf nach unten hing er stumm in Händen der Hebamme. Der Schlag. Er schrie, sein Pinkel- strahl traf die Frau. So war 1 Anfang: ?meiner..... Niemand's Sohn, von=Anbeginn hartnäckig & zäh wie altes Fleisch & alte Geschichten.....

### Marienstraße.

Braune Holzlettern auf dem Mörtelgrau der Vorderfront benannten das zweistöckige Gebäude zur GÜTERABFERTI- GUNG BIRKHEIM. Schmucklos der Bau mit Walmdach, auf den Längsseiten je 4, den Schmalseiten je 1 Gaube, kleine Fenster zu Mansardenzimmern. An die rechte Stirnseite ge- rückt der Flachbau eines Güterbodens mit Rampe & Gleis- anschluß.– Das Gebäude beschloß die Verladestraße aus Kopfsteinpflaster. Dort Ankunft & Abfahrt von Transporten Schlachtvieh Militär Zirkus&rummelgerät 2x im Jahr; von Traktoren HANOMAG, an Stahlseilen hüpfend wie angelein- te, zernarbte Eisenpferde (denen langes Altern unbedingte Diensteifrigkeit eingebleut hatte), wurden Baumstämme auf Tiefladewagen gezerrt; im Herbst lud man Kartoffeln Zucker- rüben Getreide Äpfel in offene Waggons. Lärm Pfiffe Ruß & Wasserdampf im Wind –.

Die Güterabfertigung, neben den Verwaltungsbüros, be- herbergte im 1. & 2. Stock auch Dienstwohnungen. Mitsamt der Mutter u Maria in 1 Ein-Zimmer-Wohnung mit Küche unterzukommen, das war Hanna gelungen (1 Holzgittertür- chen am Fuß der vom Parterreflur mit den Büros steil hinauf- führenden Treppe gab den Zugang in die Wohnung). Die Schwester bekam Arbeit im Sekretariat beim Dienstvorsteher der Bahn. Hannas Weg zur Hauptkasse nur 5 Gehminuten; 5 Minuten auch bis zu den Zügen –.

Seit ihre Tochter das Kind geboren hatte, fuhr Hanna jedes Wochenende nach Berlin. *Wer seiner Familie den Rücken kehrt, der taugt Nichts.* Daß Anna während ihrer langen Arbeitstage als Dolmetscherin das Kind in die Tageskrippe gab, zudem sie am Frühenmorgen oftmals die Erste war, die in der Schar

Frauen mit magermilchem Frühgesicht die Augen voll Fetzen Schlaf, das Kind dort abgeben & zu Abendstunden oft die Letzte, die es mit eilverzerrten Zügen & müdfahrigen Händen abholen mußte, das wollte Hanna nicht leiden. Sie hatte einen=bestimmten Plan. Und als eines Abends Ende Februar sie in der Krippe erschien, kam ihrem Plan ein Vorfall zu Hilfe.

Die Pflegerinnen schoben tagsüber die Pappkinderwagen mitsamt den Säuglingen auf die Veranda in die Kälte hinaus, und scherten sich nicht viel weiter drum. Hanna rief die Wärterinnen herbei – die, Kreuzworträtsel u Bastei-Heftchen mißmutig verlassend, traten zu der empörten Frau. *–Sicher Pneumonie.* Bemerkte eine der Pflegerinnen mit faullatschiger Stimme und deutete auf die Fieberglut, die Hannas Arme hielt. *–Lassnsen hier, den Morgen erlebter sowieso nich mehr. Hier hatter wenichstenz nochn schön Ahmd.* Und griff in träger Routine nach dem Bündel.

–DAS !KIND HER OD ICH !ZEIGE SIE !AN.

Das Stakkato ihrer Drohung widerhallte noch im Raum, als Hanna schon zur Tür hinaus war. Verblüfft sahen die Pflegerinnen der kleinen, hageren Frau mit dem Bündel im Arm hinterher – –

Anderntags saß Hanna mit dem Bündel im Zug nach Birkheim. Russische Soldaten im Abteil; als sie das kranke Kind sahen, machten sie die *Machorka* aus.

ZUSAMMENBRUCH DES ABENTEUERS AUSLÄNDISCHER AGENTEN IN BERLIN – BEFEHL DES MILITÄRKOMMANDANTEN DES SOWJETISCHEN SEKTORS VON BERLIN – 1.) AB 13 UHR DES 17. JUNI 1953 WIRD IM SOWJETISCHEN SEKTOR VON BERLIN DER AUSNAHMEZUSTAND VERHÄNGT. – 2.) ALLE DEMONSTRATIONEN, VERSAMMLUNGEN, KUNDGEBUNGEN UND SONSTIGEN MENSCHENANSAMMLUNGEN ÜBER 3 PERSONEN WERDEN AUF STRASSEN UND PLÄTZEN WIE AUCH IN ÖFFENTLICHEN GEBÄUDEN VERBOTEN. – 3.) JEGLICHER

VERKEHR VON FUSSGÄNGERN UND DER VER-
KEHR VON KRAFTFAHRZEUGEN UND ANDEREN
FAHRZEUGEN WIRD VON 21 UHR BIS 5 UHR VER-
BOTEN. – 4.) DIEJENIGEN, DIE GEGEN DIESEN BE-
FEHL VERSTOSSEN, WERDEN NACH DEN KRIEGS-
GESETZEN BESTRAFT. MILITÄRKOMMANDANT
DES SOWJETISCHEN SEKTORS VON GROSS-BER-
LIN GEZ. GENERALMAJOR DIBROWA.

Die beiden Geschwister, Hanna u Maria mitsamt ihrer Mutter Johanna, Tag&nacht abwechselnd am Bett des langsam ge-
nesenden Kindes wachend, ?mochten sie (still u einejede
für=sich) ahnen: *Heimat* ist ferner als der Tod. Also ist Heimat
auf paar m² Fremde in Birkheims Güterabfertigung, Bahnhofstraße 9.

*—Der Mensch ist aus Schmutz gemacht. Aber jeder Mensch hat seine Zeit, damit der Schmutz nicht in seine Seele dringt. Und am-Ende, wenn GOtt SEin Großes Buch aufschlägt & den Namen ruft, kehrt der Mensch wieder in den Schmutz zurück, aus dem er gemacht wurde. So geht sein Leben. Drum !hüte dich vor dem Schmutz der-Menschen.....*

Auch Vielejahre nach dem Tod der Urgroßmutter blieben mir ihre Worte gültig. *!Hüte dich vor den-Menschen, denn der-Mensch ist schmutzig.* Daß Menschen sich waschen & Kleidung tragen – nur eine jener arg=listigen Täuschungen, über die zudem Alle=stillschweigend einig mit1ander sind, um ihre Schmutzigkeit..... zu verbergen. Denn ?wer will !erkannt sein als der, der er !ist.

# III  Jagen Jagen

DIE ABSCHIEDE & DIE-PFLICHT –, UND ZWISCHEN
BEIDES GEDRÄNGT VON ANGST U GIER WEITER-
GESTOSSEN DURCH DIE ZEIT 1 LEBENS: ?ICH.....
UND HAT EINST MIT DEM HERZ-LEBEN'S SCHLAG
BEGONNEN – 'SCHIED-PFLICHT –,– 'SCHIED-
PFLICHT –,– 'SCHIED-PFLICHT –,

## Donnerstag, 22 Uhr 3

Der Erfinder der Guillotine muß unter Insomnie gelitten haben: Nacht=für=Nacht vom Trittbrett des Schlafes abzurut-
schen und niederzustürzen ins Wachliegen neben geköpfte
Träume –, so lassen sich Maschinen ersinnen, die Selbst-Be-
freiung verheißen u Ewigenschlaf –.– Um Diesestunde, wie
in allen Krankenhäusern so auch in der Charité, ist den Patienten Nachtruhe anbefohlen. Den beiden Anderen im Zimmer scheint diese Verordnung passabel: dem Unterstufenlehrer
u 1 pensionierten Bahnbeamten, der die Witzelein darüber,
weil er früher für die Deutsche Bundesbahn gearbeitet, inzwischen seine Rente vom Debet der DB beziehe, schon
nicht mehr hören kann (auch sonst 1 mürrischer, kurzsilbiger
Mensch); aus ihren Betten wechselseitig Schnarchen. Unter
diesen Geräuschen all die anderen aus dem Charité-Koloß:
Bettenhaus, zwanzig Stockwerk Elend schlagen klirren keu-
chen röhren tagsüber ihren eigenen Klang –, hier: Station
29b, Onkologie, Patient K.: seit-Wochen meine Anschrift.
Vom Tagsgelärme nur noch Schattenrisse, Flure in mottener
Beleuchtung – wie von fernen Nachtmaschinen den Gebäude-
block durchströmendes Tönen, dazu von-Draußen die Stadt,

zur-Stunde in kleine grelle Scherben zerstanzt – Polizei Feuerwehr Rettungswagen – im Blitzelicht mit Paniksignalen die Luisenstraße entlang, schaffen sie immer aufs-neu fürchterliches Unglück herbei, erst unten vor der Notaufnahme erlöschen die Sirenen.

Am Dienstag werde ich von=Hier entlassen. *Aufgemacht-&-gleichwieder-zugenäht.* Der erfolglosen=zu späten Operation am Magen soll von-nunab die Chemotherapie folgen (ich hörte bei den Visiten aus dem Zirkel der Ärzte, die mein Bett umstanden & durch mich hindurchzublicken schienen, Begriffe raunen wie »insidiöses Zellwachstum«, »Metastasierung«, »imminente Kachexie«; »Prognose: infaust«) – also habe ich der Chemotherapie zugestimmt; auch der Weg durchs Dickicht führt irgendwann einem Ende zu. Du versprachst herzukommen, Dienstagfrüh um 8 Uhr, mich abzuholen, u: Patient K. wieder im-Leben –. Du würdest tun, als gäb es SCHMERZ nicht für mich; SCHMERZ, der die Leben's Maske EISERNE RUHE zerfressen wird zum narbigen Blei..... KREBS ist des inwendigen Leibes technische Katastrofe – gleich dem Schiffsuntergang od Flugzeugabsturz wird das zerstörte Gehäuse Tote hergeben u Verschollene: *die Unauffindbaren* –.– Mit meinen Gedanken bin ich dieser Stunde vorausgeeilt; u mußte somit auch in Diesernacht den Schlaf verfehlen –

Matten Schrittes bin ich in flaches Traumgepfütz getaumelt: In unserm kleinen Buchladen in der Senefelder Straße saß ich, wie vor Wochen in 1 der Winkel zwischen den Regalen im gelbbraunen Lampenlicht, umhegt vom Geruch der Bücher, lesend u stumm. Noch war die Stunde nicht heran, in der Du allabendlich nach Deiner eigenen Arbeitszeit in der Zahnarztpraxis ins Geschäft kommen würdest, Aushilfe auch hier bis zum Ladenschluß, nachdem die Verkäuferin schon fort wäre. Diesen Moment Deines Erscheinens sehnte ich herbei – ein von-Draußen aufblitzendes, lebendiges Licht – u: dennoch blieb mir dabei die Furcht: Denn Du würdest auch die Gerüche aus der Arztpraxis hierher in die kleinen Ladenräume bringen (manchmal in 1 Pore Deiner Wangenhaut noch 1 Splitter Metall, hellgrau & glitzernd) – die Fetzen bösen Erinnerns an jene Zeit, als ich selbst noch Zahnarzt war, in der Stomatologischen Klinik in Lichtenberg, Balatonstraße 20, im weißen Kittel gebeugt über fremde offene Münder voll üblem Atem Zähnebruch u eiterndem Kieferfleisch – in den Jahren Anständigkeit Hilfsbereitschaft Bescheidenheit meines Alltags *'schied-Pflicht* –, im stagnierenden Dunst Chlorphenol & Kampfermenthol (währenddessen das Magengeschwür wuchs). Die Patienten behandelte ich gewissenhaft doch in fliegender Hast, Abkömmling tierhaften Fluchtreflexes, damit suchte ich den Widerwärtigkeiten dieses=Ganzenberufs zu entkommen, u: verstrickte mich inWahrheit nur immer weiter darin..... Denn das wenige an freier Zeit, das ich mir erhetzte, ließ zu nichts anderem sich verwenden als zur weiteren Patientenbehandlung.

Um wenigstens 1mal in Übereinstimmung mit dem mein gesamtes Wesen inzwischen verbitternden Ekel vor Diesemberuf (den ich mir einst aus all meiner Unentschlossenheit zum Wirklichen-Leben, aus meinem Unwillen zu allem Künftigen dennoch selbst erwählte) zu gelangen, trieb mich Damals seit Einigerzeit das Verlangen nach einer absurden Tat, die auszuführen von-Tag-zu-Tag mir dringender erschien, und mit nur immer größerem inneren Aufwand konnte ich zurückhalten, Das zu tun: Während 1 Patientenbehandlung Mundspiegel Sonde Pinzette plötzlich aus den Händen zu schleudern – vor-Alleraugen auf den Boden mich niederzuwerfen, die Arme vor der Brust gekreuzt, und stumm u schnell über das Linoleum des Praxisraums hin-und-her zu rollen (der weiße Arztkittel als Kokon den Leib umhüllend) – so geschwind, daß mein Gesichtsausdruck, zornig zwar doch auch von höchster Befriedigung geprägt, stets nur kurzzeitig u verwischt den fassungslos Umstehenden zu Augen käme –. Und während ich mit immer größerer Schnelligkeit auf dem Boden der eigenen Praxis zu-Füßen wild=fremder Menschen zur Schutzlosigkeit mich erniedrigte, der beglückende Gedanke: Wenn dieser Arztkittel, um den Leib schließlich zum Strick um deinen Hals gedreht, dich erwürgte – es wäre Allemal das Beste, das dir widerfährt –.– Dann, ebenso plötzlich wie ich mich niedergeworfen, hielte ich inne – stünde vom Boden auf, zöge den zerrissenen Arztkittel aus, und würde still u entschieden aus der Praxis gehen – hinaus, fort als ein Anderer-Mensch. Die Vorstellung solchen Tuns war mir seinerzeit ein furchtbares=Glück..... vor dem ich mich immer stärker zu fürchten begann –.–

Doch nichts dergleichen tat ich wirklich. Sondern nur dasselbe wie am Vortag: Mit mechanischer Hast vor den auf dem Behandlungsstuhl hingestreckten Patienten, ihre schmerzdurchflackerten Augen herauf zu mir, führte ich die nötigen Arbeiten aus, während Brechreiz hochstieg in-mir. Der ließ nicht länger sich unterdrücken, sobald aus dem Aufenthaltsraum Kaffeedüfte den Menthol&kampferdunst durchdrangen, und mußte rasch zum Kotzen aufs Klo. (Die Nächte jener Zeit voll Brandnarben, Fleischbrocken in den Träumen; sie galten Dir –.)

Zum Glück würdest Du von meiner Furcht nichts spüren (od: wenn, Du würdest Dich nicht drum scheren): Du bist die Frau des Mannes, der mit 1 Buchladen seinen Kindertraum spät sich erfüllte. Ein Geschäft aber ist Keintraum; hier gilt es einzugreifen, zu ordnen, Kunden zu werben, zu verkaufen. – Das war am 1. Morgen, bevor wir den Buchladen eröffneten; weniger als 1 Stunde bis zum Schritt aus Meinemtraum in seine Wirklichkeit. Vor dem Spiegel übers Waschbecken gebeugt ich, Rasierschaum im Gesicht, plötzlich hielt der Arm mit der Klinge in der Hand inne; ich starrte mein Gesicht im Spiegel an, sprach zu mir=selbst: *Aus der notwendigen Nähe zu Verlagen u: Autoren, zu Agenten & Kritikern kommt das-Angebot zum Automaten am Kalten Büfett – weil Wert=Schätzung immer konjunkturgebunden, beherrschen Judasküsse die parfümierte Luft – : Du wirst die* FORM *bewahren, die du in Vielenjahren als* ARZT *dir erworben hast. Du wirst nicht ins berechnet=Sentimentale verfallen, nicht in schnorrerhafte Schwächlichkeit, wirst nicht nachgeben den Verlockungen zur kalkulierten Weich-*

*heit kampagnehafter Bücherfluten voll aufgestocherten Meinungs-*
*schlamms. Mit allem Mut-von-Oben hörtest du den Aufschtand-*
*der-Anschtändigen lauthals ausgerufen, !was ist draus geworden: Die*
*Magna Karta du Menu für die Partysahnen der Noien-Mitte,*
*vereinigt in den Nobelhotels aller Länder – statt Heugabeln Kuchen-*
*gabeln, statt Schrotkörner Kaviar, für Molotow-Kocktails die*
*Krimsektschwemme. Die Empörung Dergerechten – 1 Schampanjer-*
*rülps. ?!Weshalb eigentlich sollt es ?ehrenwert sein, wenn stink-*
*reiche=Bonzen Almosen geben –. !Wärs ein* Aufstand *gewesen,* die
Anständigen *sorgten für die Karrjere der Partysahnen: den Aufstieg*
*zur Guillotine (:mein Rasiermesser klirrte gegen das Porzel-*
lan). *Doch vor den glatten Schnitt hat die Viehnanz-Lobby ihre*
*Funkzionäre gestellt. Im-Ende, wie Swin Egel, steht immer Die-*
*Feine-Gesellschaft..... Wo die-Parolen enden & das-Geld beginnt,*
*wexelt der Frack die Empörung, & jeder Partysahn ein Dominikaner*
*seiner=eigenen Geschäftsbilanz. Dieserzeit der Inflation von Denk-*
*malsbauten wär unbedingt noch Eines anzufügen: Das Denkmal für*
*die geistig Gefallenen auf dem Gedanken-Strich des Kalten Kriegs.*
*Aus den Jahren DeDeR, der Hohenschule für Aus-Reden, hast du*
*das Wissen mitgebracht: Jede Wirklichkeit tötet; das sieht zu ver-*
*schiedenen Zeiten nur verschieden aus. Drum lösche auch Heut deine*
*Spuren u* Lebe *verborgen hinter der Maske* EISERNE RUHE.
(Seife tropfte vom Kinn – ich spie ins Waschbecken –, sah
wieder auf ins taubeschlagene Spiegelglas:) *Verhalte dich so,*
*daß du andere Menschen nicht als Mittel zum Zweck gebrauchen*
*willst, denn jedem Zweck ist jedes Mittel grad das rechte Mittel u ge-*
*gen jeden anderen Menschen, auch gegen dein Selbst.*– Dann setzte
ich die Rasierklinge in den angetrockneten Seifschaum an die
Kehle. Und erschrak: Als der Spiegel, um 1 Stück verstellt,
Dein Gesicht ins Blickfeld schwenkte. Seit geraumer Weile
hattest Du mir zugehört: Stumm aus dem silbrigen Glas
schautest Du mich an –.– Und immer, wenn Du herein in
den Laden eilst – morgens noch vor der Verkäuferin, abends
nach Deiner Arbeit in der Zahnarztpraxis, Jacke od Mantel
rasch an den Haken, kaum Zeit Dir läßt in der kleinen Koch-
nische auf dem 2flammigen Gaskocher den Kaffee Dir zu

brühen (kurzes Fauchen der Flamme; der dünne blaue Gas-
geruch war inzwischen untrennbar mit Deiner Erscheinung
hier im Laden verknüpft) – warst Du bereit für Deine zweite
Arbeitszeit, beflissen lächelnd Bücher für Kundschaft herbei-
holend, Papiere ordnend, in den Räumen die Stromschnellen
fraulichen Tatsachensinnes schaffend, weiß ich, daß, trotz
Allereile, Du aus den Augwinkeln über mich wachst –.

Und nun zur Nachtstunde zeigte im Flachwasser 1 Traums
ein anderes Spiegelbild mich=selbst: mit verfrüht fadenschei-
nigem Haar, hockend in 1 Winkel des Ladens über bedruckte
Seiten gebeugt (wie einst als Arzt über die Patienten), vorn
keine Kunden, nur die Verkäuferin am Tresen raschelte noch in
Papieren – als EINE STIMME zu mir in die Ladenecke drang.
Mir schien, sie kam direkt aus den Rücken | an | Rücken in die
Regaletagen gereihten Büchern hervor; dröhnend u voller
Zorn aus bittrer Enttäuschung: !DU HAST NOCH KEIN
!FLEISCH VON DIR GEGEBEN.

Erschrocken fuhr ich hoch; erst beim Wachwerden, hier im
nächtlich summenden Krankenzimmer der Charité, verklingt
die tief=entrüstete Stimme. Der Schreck hat wie ein Stein
getroffen. Denn ich weiß (wie man nach Träumen plötzlich
wissen kann): Die Stimme, sie hatte recht. Ich war aus Mei-
nerform, u finde Dorthin nicht mehr zurück: Nur die eigenen
Illusionen sind unerbittlich; Wirklichkeiten, faul hinterhältig
stupide korrupt wie Subalterne, stellen sich als schlampig=lust-
lose Vollstrecker. Mein eigener Traum als Wirklichkeit ist für
die Maske EISERNE RUHE zum fressenden Rost..... geworden.

## 23 Uhr 1

In den Tagen vorm Ladeneröffnen von Männern des Liefer-
services ins Geschäft unermüdlich hereingeschleppt die Wa-
genladungen Kartons voller Bücher, übereinander gestapelt
aus braunen steingewichtigen Quadern zum Labyrinth an-

wachsend, immer schwächer schien das Licht & immer enger die Räume mit nach Pappe schmeckender Luft – als sei der Zauberlehrling ich, u wieder einmal die rettende Formel vergessen..... Dein Blick aus dem Augwinkel sagte mir die-Pflicht: *Du hast, was !du wolltest. Jetzt !will, !nimm-dich-zusammen & gib dir !Mühe.* –

Solch Wunsch war 1 der wenigen letzten Pfähle einstiger Dorfschaften der Kindlichkeit u tief ins Vergangene gesenkt, dort wo man sich das-Andere noch zu wünschen traut: ein Tier sein – eine Pflanze od 1fach protzige Armmuskeln haben und mit den Ohren wackeln können –. So formt sich früh die Herzgröße fürs Wünschen, und so auch der Pfahl-Traum vom Anderen-Leben –. In diesen Träumen, unterm luftdichten Gewölbe des Wollens, eisenhart aus Kinderzeit gegossen, sprechen die Gestalten nur selten; auch wir=beide, Du ich, in Letzterzeit. Meintraum vom Buchladen war ins-Licht-der-Tat=Sachen herausgetreten, in die Ansprüche aus Heute & Morgen.

Meintraum: Ich suchte den-Leser für jene Bücher, denen Leserschaft bislang versagt geblieben, weil diesen Büchern – !sie sind der !wirkliche *mainstream* – im geld&medien=verseiften Gehudel nur die Nichtteilnahme zugeschlagen. ?!Wo erfahren jene Vieledutzend Kleinverlage im Land=Überall, die aus der ungesonderten Menge des Schreibwahns das wahn=Sinnige herausheben & zum Druck bringen, eine Aufmerksamkeit. (Im-Markt, allgegenwärtig wie Gott & Geheimdienst, ist weder Demokratie noch Alfabetismus: der-Markt ist dumm, läßt nicht mal mit sich rechnen) : ?!Weshalb mit Büchern-aus-dem-Schatten, die zur Mehrzahl gehören, ?nicht wagen, was der Reichen=Minderheit ohnehin geschieht: Geld & Aufmerksamkeit. ?!Haben nicht gerade die im Dunkel gebliebnen Bücher & ihre Autoren die !deutlichste Lautsagung nötig. Denn schlimmer als vergebliche Mühe ist vorauseilende Mutlosigkeit – dieselbe aus den Begegnungen mit Menschen : Weil der-Fremde nicht mehr existiert, kommt aus Unbekanntem immer nur Bekanntes; was überwunden geglaubt tritt uns entgegen, und im-Ende sehen wir uns selber laufen. Berlin=Heute ist weniger als Dorf, weil hier Unbekanntes nicht auf Neugier trifft. Mit Schaufeln voller Geld wird Prominenz herbeigekarrt –: ?!Wann in den letzten=Zehnjahren ist Kreatives *in* Berlin !entdeckt worden. Daher hoffte ich aufs Menschlichste im Menschen: die am Leben gebliebene Neugier aufs nicht schon Dutzendemal Gehörte & Gehabte, das nur immer Das-was-ist zu bestätigen sucht. Ich meinte, ich müsse Lesern nur die Angebote auf noch Ungelesenes machen, und sie würden aufmerken wollen. So mein simpler=Traum. Der, wie alle Träume u alle Ausbrüche der Wut-im-Kopf, letztlich frei u vergebens. Denn weder Gutes noch Böses in den-Menschen ist die wirkliche Gefahr, sondern aus gewiefter Leidenschaftslosigkeit das unfaßbare, das grenzenlose Nichts..... So sind die meisten Lebenden zu beiden Seiten der Bücher schon lange tot, sie müßten nur noch sterben.

Nach der-Wende, aus dem ekelhaften Zahnarztberuf, war ich aufgebrochen in meinen lange gehegten Traum, wie das lange gehegte Geschwür in meinen Magen : Das Zeugma die Leben's Spur, & jeder Schritt ein fremder Schritt in der eigenen Rüstung zum Glück.....

## 23 Uhr 26

Ins Krankenhaus wie in einem versunkenen Tauchboot eingeschlossen die Klopfgeräusche der Nacht, Stille; in mir aufgewühltes Lärmen. Als wir ein=ander begegneten vor fünfzehn Jahren, im Sommer 1985, warst Du noch Kunststudentin in Dresden u verheiratet mit einem Journalisten in Berlin. Der kehrte von einer Dienstreise in den-Westen nicht zurück –. Der-Westen: Das hieß für Dich ein Land wofür ein Mann den Reiz Deiner Weiblichkeit verlassen hatte. Also bist Du geblieben mit Deiner kleinen Tochter in der Neubauwohnung im Hans-Loch-Viertel in Berlin-Lichtenberg, auf dem

stetig kleiner werdenden Brocken DeDeR, in der Dürftigkeit
des Berufanfangs als Malerin ohne nennenswerten Auftrag.
Dennoch, sagtest Du, mit dem Studienabschluß als Malerin
stünden die Chancen für Auftragsarbeiten besser in Berlin als
in Deiner Heimatstadt Dresden – zu einer Zeit, als immer
größere Menschen=Massen voll Gier nach einer Menge
ungelebten Lebens, die Stimme in den Füßen – die-Nazion
erwacht stets an ihrem muffigsten Ort –, dem Inselland
DeDeR davonliefen & von den Strömungen West sich fort-
spülen ließen. Bis Du Einestags in der Zahnklinik Balatonstraße 20 meine Patientin wurdest – –

## 23 Uhr 36

Im flachen Betonbau zwischen vielstöckigen Hochhaustür-
men inmitten dieses Neubaubaubezirks aus den 60er&70er-
jahren war zu DeDeR-Zeiten die staatliche Zahnarztklinik
untergebracht, dort war ich nach dem Studium als Arzt 1 von
vielen Angestellten –:– Nach der-Wende, als die staatlichen
Zuschüsse für den Klinikbetrieb ausblieben, mußten die
Ärzte auch hier in selbständig wirtschaftenden Praxen neu
sich niederlassen. Etliches Personal, besonders Arzthelferin-
nen, konnten nicht länger Beschäftigung finden; *unwirtschaft-
lich* geworden, mußten sie entlassen werden ebenso, wie
mancher der zuvor hier angestellten Ärzte, zu spät entschlossen, dann keine Genehmigung mehr zur Niederlassung bekam, denn im Verwaltungsland Berlin gelten für Arztpraxen
Zulassungsbeschränkungen. (Wir trennten uns von den ehemaligen Kollegen im Unfrieden, mitunter vor-Gericht.) Für
mich die Wiederholung der Pflicht-Schleife aus Früheren-
jahren, als der Schulfreund, der zum Studium der Medizin
entschlossen mich in sein Schlepptau nahm, schließlich selbst
keinen Studienplatz erhielt, während ich, 1mal auf dieses Gleis
gestellt, die Lebens=Berufsjahre entlangzulaufen hatte –:–
Die-Wende der Schienen-Bruch; ich war 1 derer, die bleiben

konnten & die Praxis im alten Gebäude neu eröffnete. *Die Abschiede & die-Pflicht –*, und was ich seit Vielenjahren nur wider-Willen gewesen – Zahnarzt – : Von-nun-ab, im Weiß eines Gehäuses aseptisch erstickter Lebenszeit, !mußte ich sein: Der Zahnarzt, gefangen von straff=geschnürten Fesseln hoher Bankkredite, ohne die keine Praxisneugründung beginnen könnte. *Von Angst u Gier weitergestoßen durch die Zeit 1 Lebens: ?ich......* – Du, zur-Wendezeit schon *Meinefrau*, hast mit dem Vermögen Deines Vaters den Banken die Kreditwürdigkeit geboten, während ich vor meinen eigenen Augen an Würde nichts zu bieten hatte. Das war Damals ich, der 1.

Und für den anderen Ich, der diesen Beruf Zahnarzt hingeschmissen und geworden war, was er von-jeher hatte sein wollen – Buchhändler – hast Du kurz davor Deinen eigenen Beruf als Malerin aufgegeben & noch rasch den Lehrgang zur Zahnarzthelferin absolviert, des Geldverdienens wegen für *Unsere Familie*, denn 1 Tagleben kann niemand erdichten wie seinen Traum. Also bist Du in der Zahnarztpraxis geblieben; ein anderer Arzt hat Dich sozusagen übernommen samt der Hypotheken, die für-Jahrzehnte auf dieser Praxis liegen. Das war Anfang der Neunzigerjahre – die Zeit Großen Versprechens..... & größerer Beute.

Heut, zehn Jahre später, bist Du noch immer dort; Dein Leben dreigeteilt: Arztpraxis – Zuhause – abends eilst Du in den Buchladen Senefelder Straße, mit dem Schub fremder Tagesluft kommst Du herein (Dein Blick aus dem Augwinkel, mit dem Du über mich wachst). – Auch Damals, am Erstenabend=vor-fünfzehn-Jahren, ging Dein Blick zur Uhr:

## 23 Uhr 58

dann zu mir –: ? –:Um diese Stunde begann in den Gaststätten im Neubaubezirk die Schließzeit; ohnehin waren wir beide seit geraumer Weile die letzten Gäste im Lokal. Schon anderthalb Stunden zuvor hatten Kellner demonstrativ große

Teile des weitläufigen Restaurants abgedunkelt, Stühle wie Würfelbecher laut auf die Tischplatten gestülpt, mit Blecheimer & Schrubber verbissen um uns herum aufzuwischen begonnen. Wir, Du u ich, blieben trotzig als eine Insel der Störung am Tisch. (Ich spürte den Wein *Grauer Mönch* in den Magen schneiden –.) Die Kellner (überlegte ich damals) könnten uns 1fach rauswerfen, SIE haben diese Macht. Doch Feigheit hindert SIE: ihr faulböses Getu zerschellte ohne Wirkung an unsrer Selbst=Sicherheit (immer war mir Deine Gegenwart die Festung für meinen Mut; ich brauchte dann nicht Nur-Ich sein). Unsere Indolenz ließ das Kellnerpack im Zweifel: wir könnten WER SEIN=DIE SICH BESCHWEREN, die Folgen: Rüffel von-Oben, Prämienabzug.

Danach wieder draußen auf der Straße vor der Tür des wie eine Kranken- od Sträflingsbaracke ins Dunkel befohlenen Weinlokals. Der Himmel war voller Nacht, u die zugige Luft fegte durch die Windkanäle des Neubaubezirks, in den Böen Flugsand & Fetzen Autolärm. Wind auch zerrte uns Damals fort, hin zu Deiner Wohnung, in eines der oberen Stockwerke im fliesenglatten, im Quecksilberlicht aus der Straßenbeleuchtung wie feucht schimmernd breit hingesetzten Hochhausturm in der Dolgenseestraße. Du schautest noch kurz ins Schlafzimmer Deiner Tochter. Dann kamst Du behutsam, als seiest hier die Fremde Du, ins gelbe Licht der Wohnstube zurück, her zu mir.

## Freitag, 0 Uhr 18

Und sah mich gleichsam noch immer Draußen auf der Straße, an der Seite Dieserfrau, vor den aus chemischbleicher Nacht herausgeschnittenen Häuserblöcken – dahinter & hoch hinauf in den Rauch geschraubt mit bissigen Lichtköpfen das Kraftwerk Klingenberg, illuminiert wie das Karussell einer Raketenrampe. Und gelbhell das Fenster im Fassadenbeton, hinter dem ich selbst seit geraumer Weile im Zimmer Dieserfrau mich aufhielt, als 1 von etlichen Ausstanzungen in einem Lochstreifen für unbekannte, lautlos fließende Computerprogramme : Jeder Betonturm ein Bündel Nachrichten –, Fetzen unaufhörlichen Raunens aus flackerndem Lebensfeld mit dem Herz-Leben's Schlag *'schied-Pflicht –,– 'schied-Pflicht –,– 'schied-Pflicht –*

Immer gab es für mich einzig den Langenweg bis zum Spüren der Anderen Haut; bis zum Glück der ersten warmen Berührung den Stolpersteinweg der Wörter entlang –:– *Die Frau muß Dem Mann !dienen.* Großmutters Satz, nur zu gewissen-Gelegenheiten von ihr laut ausgesprochen, bedrückte über-Jahre-hinweg wie ein mürrisch blakendes Licht all mein Nachdenken über Geschlechtliches. *?!Wie soll Dienenmüssen ?Spaß machen; ist jeder Diener doch heil=froh, wenn ers hinter-sich-hat od: gar nicht erst in=Dienst-genommen wird.* Damals stellte ich mir Geschlechtliches zwischen Mann u: Frau einfältig wie Schularbeiten-&-Saubermachen vor – für die-Frau: leidig & pflichtvoll und mit dem Rückenwind der Freude !auf&!davon, sobald *Das erledigt* wär; für den-Mann: ein Grund mehr *sich schuldig zu fühlen.* (?Hatte Man deshalb auf allen Darstellungen Dem-Gekreuzigten – auch Er ein Mann – das Tuch um die Lenden ?gelassen.) Als ich 10 od 11 Jahr alt war, hatte die Mutter mir erklärt, was FREUDENHAUS bedeutet & auch, daß Dorthin verheiratete Männer gingen. Nur Eines hatte ich an Mutters Erklärung nicht verstanden: Daß die Ehefraun über dies Tun ihrer Männer wütend seien –. (Wesentlich anders sehe ich das bis=Heute nicht. Weil aus mir Keinkrist geworden ist, ich also SEX mit SÜNDIGEM DRECK nicht in Über1stimmung zu bringen vermochte, bleiben mir gewisse Freuden dieser Häuser verschlossen.) Doch hielten sich Zweifel, ob Frauen *den-Geschlechtsverkehr* wirklich genußvoll fänden, und immerwieder schlug ich Blicke u Wollen auf Mädchen und Frauen, die mir gefielen, nieder. Bis ich Nichts mehr wollte. Das war nichts Äußerliches, was Mädchen & Frauen abhielt, mit=mir sich einzulassen; keine körperliche Häßlichkeit, die mich abstoßend machte & zwang, gegen mein Naturell der-Aktive sein zu sollen, Miß Willen zu überwinden –: Von-früh-an ahnten Mädchen & Frauen das Ungesellige am Einzelgänger, den Selbstgenüger der !allein durch-die-Jahre gehen will –, u: der, wider Willens in-Gesellschaft geratend, dort binnen kurzem Schweigen herstellt, und als sänke in meiner Gegenwart die Temperatur zu frostigen Graden, schlechte Laune sich ausbreiten ließ. Mitunter geschahen Streitigkeiten, sogar Unfälle daraus –: Also rückten Mädchen und Frauen von mir ab. Soweit, bis Nichts mehr war. (Dein Anblick begeisterte, und ich wußte nicht, waren es Deine lange Nase od die starken Wangenknochen, die das Maß Deiner Schönheit erst zu Geltung brachten; eine Schönheit, die mich schmerzte. Denn ich wußte sofort, auch Du bliebest für mich *unerreichbar*.....) Der Eindruck von Zurückhaltung mochte Dich damals für mich eingenommen haben, woraufhin Du beschlossen haben mußtest, mich in Deinen Sinn für Ordnungen & Tatsachen hineinzunehmen. (Mein Büchersinn dagegen hat von-jeher an Melville sich erinnert: »Wer sich von Büchern verletzen läßt, wird vor Tatsachen nicht sicher sein. Daher sollte man Tatsachen, nicht Bücher verbieten.«).

So !mußten wir beim Erzählen auf vielerlei Lichtungen & Kahlschlägen ein=ander wiederbegegnen; dort, wo Uniformen Konjunktur feierten, wo in den Jahren aus Schokolade & Stahl, süß & gefährlich aufblitzend unter kaltschnäuzigen Wortfetzen zumeist im-Stillen gelitten & getötet wurde, immer fern von uns in anderen düstren Winkeln 1 Landes –, von dorther ließen wir uns in Diesernacht einander näherbringen.

Und weil wir im Geschäft des Ein=ander-Anbietens, neben dem Fleisch & dem Verlangen unsrer Körper, keinen wesentlich anderen, unverbrauchbaren Reichtum vorzuweisen hatten als unsere Stimmen für Die-eigenen-Geschichten, hatte ich zu erzählen begonnen. Eine Menge Leben, von Worten eröffnet – –

Mit 8 Jahren wars *der Abschied* von der Urgroßmutter Johanna, den ich nun zur späten Stunde im Erzählen wiederfand.

Wahrhaft alterslos diese wie all-jene anderen Frauen in dunklen Kleidern, die ihre Gesichter unter ebensolch dunkel gemusterten Kopftüchern trugen, niemals anders u scheinbar immer=so daseiend –: Jene Gestalten von Urgroßmüttern, die, unbewegten trotzigen Blickes, mit der vom Schmerz aus den Gelenken durchstochenen Langsamkeit in den Bewegungen uralter Menschen, der Wucht u Würde ihrer körperlichen Erscheinung bewußt, immer dann dem Gang-der-Ereignisse in den Weg sich stellten, sobald kleinlich=sadistische Beamtenkreaturen gegen Etwas verstießen, das jene monumentalen Frauens-Bilder in=sich trugen als ein natürliches Maß für Menschlichkeit, u somit all jenen die Aura ihres erdmütterlichen Schutzes boten, die ins Visier 1=jeden beamteten Lemuren & deren verschrobener Verfügungen geraten sind.–

Eilig, überhastet redete ich –, wollte mit dem Atem aus dem ersten Satz auch alle übrigen Sätze weiter sich tragen lassen als bestünde Gefahr schon im nächsten Moment unterbrochen zu werden, und danach käme niemals wieder Gelegenheit zu 1 Wort.– Du unterbrachst mich nicht (in gelben Strähnen ruhte Lampenschimmern auf Deinem Haar).–

So hatte meine Urgroßmutter Johanna den STAMMBAUM gefälscht zu einer Zeit, als es wieder überlebenswichtig wurde nachzuweisen, daß nur die 1 Sorte amtlich gestatteten Bluts im Familien-Körper floß. Weil die Lüge stets um einiges präziser sein muß als die Wahrheit, damit sie als Wahrheit geglaubt wird, braucht es in Zeiten tödlicher Wirklichkeiten virtuoser Lügner : Sie hatte, als Man sie zur Gendarmerie in Komotau bestellte, zuvor diejenigen Seiten- u Nebenzweige vom STAMMBAUM (dem Nachweis von Hannas außerehelicher Herkunft, 1 Seitensprung Johannas mit einem jüdischen Kaufmann aus Holland) kurzerhand abgeschnitten; ausradiert, was auf dem Papier lediglich Tinte war, Blut aber ko-

sten sollte.– Ihre Kühnheit wurde nur von der sturen=
Dumpfheit der Beamten überboten, die, sobald die-Papiere
in-Ordnung zu heißen waren, selbst an dem Familiennamen
Rosenbach nichts Verdächtiges witterten. (?Vielleicht im Er-
innern an den hakenkreuzlerischen Reichsminister mit dem
Namen Rosenberg.....)

Und Diese Frau war auch sonst kein Untertanen=Gespenst :
Obwohl Glaube u Gottesfurcht ihr Denken und Handeln
bestimmten, wies sie die eitle Bemerkung ihrer Tochter Maria, dem Papst sei wieder eine Marien-Erscheinung geschehn,
hellsichtig u anarchen zurück: –*Ein Mann in !seinem !Alter
sollte sich Was !schämen.*– Im Schwarz ihrer immergleichen
Kleider u der Unverrückbarkeit ihrer Grundsätze war Diese
Frau von solch zäher Gegenwärtigkeit wie von Allenwettern
gehärtetes Holz. So daß der Verfall dieser aufrecht gegen
alle niedrigen=Gemeinheiten gestellten Statue erst sichtbar
wurde, als sie, diese gerüstete Frau, 1 frühen Nachmittags im
Winter plötzlich die Nachtbekleidung – ein helles, bis zu den
Füßen reichendes Leinenhemd – anlegte und zu Bett sich be-
gab. –

Vor wenigen Monaten erst waren wir – Großmutter, Maria, die Urgroßmutter & ich – in die geräumige Mansardenwohnung unters Dach der Güterabfertigung umgezogen. Die
Wohnung hatte zuvor einem Bahnbeamten gehört, der samt
Familie kurz vor dem 13. August 1961 in den-Westen geflo-
hen war. Als wir damals die Räume zum 1. Mal betraten –
alle Fenster & Türen geschlossen –, lagen in der Küche auf der
Kredenz, dem Tisch, dem Gasherd verstreut noch Eßwaren:
Käsebrocken gelbgrau wie alter Radiergummi, daneben 1 an-
gebrochnes Stück Butter, die verschmierte Schneide 1 Mes-
sers neben offenem Steingutgefäß für Pflaumenmus, von
Gärfliegen umschwirrt – der Gestank säuernder Milch klebte
dick in der stockenden Luft, u wie eine Faust zerpreßte den
Atem die Witterung von nassem Brot. Fortan verbanden sich
für mich mit dem Wort *Republikflucht* die kaltglatten Fett-
gerüche in einer Wohnung, nicht allein von Menschen leer,

vielmehr von einer Unsichtbaren Gewalt, undurchsichtigen Plänen zufolge, Allenmenschen entzogen –.

An Johannas Sterbeabend, zu Späterstunde, stand ich grimassierend u an Tränen würgend hinterm Schrank im Flur versteckt. Die kleine Ampel der Flurbeleuchtung blieb ausgeschaltet, Großmutter & Maria huschten wie Schatten durch die Wohnung (sie ließen mich in meinem Versteck; Sterben *ist noch nichts* fürs 8jährige Kind. Überdies schien Sterben aufwendig, womöglich störte meine Gegenwart den komplizierten Ablauf). Die Finger verkrampft u flüsternd, bis der Hals wehtat, so hielt ich mich im finstern Eck. *!Ich bin Dertod. Und ich hole !dich.* –:!Das, glaubte ich, müßte Dentod erschrecken und Er ließe ab von hier. Doch meine Beschwörungen brächten mich Ihm sehr nahe – Ihm, den ich (weiß ich Heute) in=mir habe –, und ich erschauderte vor der Möglichkeit, Ihn sehen zu müssen – –

–*Komm.* – Unerwartet tritt die Großmutter vor mich hin, 1dringlich u leise nennt sie meinen Namen. Und fügt noch an –*Es ist !Zeit.* Sie nimmt meine verkrampften Finger & führt mich aus der Ecke fort – in das sirupschwere Licht in die Wohnstube voller Medizingerüche hinein, wo seit Tagen die Urgroßmutter in ihrem Bett inmitten weißer Kissen liegt. Der Pfarrer (ich hab sein Kommen überhört), ein kleiner gedrungener Mann von der Statur eines Bauern, die Soutane schwarz, violett die Stola mit dem goldenen Kreuz – er riecht nach *Weihrauch u Staub*, seine Gegenwart wie die eines verirrten Reisenden –, stumm & eilends packt er winzige Gegenstände in seine Ledertasche zurück, Marias Schluchzen begleitet ihn zur Tür. Großmutter wendet sich zu mir: –*?!Willst du von Oma nicht Abschied nehmen.* – Ich blick auf das winzige, reglose u mit 1 Mal unbekannte Gesicht, das im Kissen zu versinken droht. Und rühr mich nicht. Da spüre ich Hannas Hand an meinem Hinterkopf, energisch drückt sie mein Gesicht dem Gesicht der Unbekannten näher – auf-mich zukommend der offene Mund, groß wie der Buchstabe O *im schwarzen Wort* TOD –:

Und die Hand in meinem Nacken zwingt mein Gesicht nieder auf diese Stirn, meine Lippen berühren die leblose kühle Haut zum Kuß.

## 1 Uhr 36

Hier war Jemand ohne 1 weiteres Wort *DAVONGEGANGEN*. *FÜR=IMMER*. Ich begriff damals: Alle Worte wären in diesem *SCHWARZEN* O, lägen auf seinem Grund, doch sie würden ausbleiben ohne Wiederkehr. – Nach zwei Tagen wird die schwere müdmachende Trauer in der Wohnung vor der fest verschlossnen Tür zum Wohnzimmer (dem Totenraum) plötzlich von Geschäftigkeit zerbrochen : Alle Türen sperrangelweit offen & in wässriger Zugluft fahren Gestalten durch die Räume den Flur entlang – der Leichenbeschauer als 1 schwarzes Stück Treibholz mit dürren Armen & fliegenden Beinen im Strom der Beflissenheit, dann erscheinen im Flur Männer mit einem Sarg aus hellbraunem, glänzendem Holz. Die Bedeckung abgenommen, tragen sie, aus dem Spitzensaum der Kissen aufragend, das ernste Profil der Toten an mir vorüber – zerfältelt windzerweht wie 1 verlassenes Vogelnest. Still schaffen die vier Männer den Sarg aus der Wohnung hinaus, stellen ihn eine halbe Treppe tiefer noch 1 Mal ab. Eine Stimme hallend von-dort zu uns herauf: –?Wolln Sie die-Tote nochmal ?sehn. – Großmutter rührt sich nicht, hält mich an der Tür, ihre Hand liegt fest auf meiner Schulter, – doch Maria stürzt aufschreiend an uns vorbei, die Stufen hinab, und vor dem offenen Sarg die Hände ringend, die Finger in die Wangen gekrallt als wolle sie im Fleisch nach zusätzlichen Tränen graben, lauthals *!Mutter !!Mutt Ter* schreiend, springt sie etliche Male mit beiden Füßen gleichzeitig auf den gelben Steinfliesen auf und nieder (ihre *AUSGEBLICHENEN SOCKEN*, sie zeigen dünne blaßgrünrote Ringe auf grauem Stoff, rutschen über die seltsam weißen Knöchel herab) – ihr schrilles Weinen zerbricht im Widerhall des Treppenhauses. Schließlich bringt man die Schreiende in die Wohnung zurück, während die *HAMMERSCHLÄGE*, die den Sarg verschließen, das gesamte Haus erfüllen –. Vom Bahnhof schwankendes Pfeifen einer Lokomotive & das Eisengeklirr von rangierenden Güterwaggons –: *dort=Draußen hämmern sie einen Zug aus Särgen zusammen –*.

Die End=Gültigkeit eines Abschieds Tage später in den *KRÜMELN ERDE IN MEINEN FINGERN* (nur wenige Bröckchen, die ich zögernd zu dem Sarg=unten ins *ERDLOCH* hinabfallen lasse). Daß kurz darauf Männer-mit-Schaufeln den neben der Grube getürmten Erdeberg dort-hinab schippen, die Grube füllend, empört mich: Und beginn vor-Allenleuten wütend zu schrein zu heulen um mich zu schlagen –.– Die Leute-um-den-Grubenrand starren mit schweren Gesichtern stumm auf mich. – So verschwand diese Frau, und mit ihr, schien mir Jahre-danach, waren in unaufhaltsamer Folge all die anderen so beschaffenen Menschen verschwunden. Seither gewannen die-Ratten..... mehr an Boden auf diesem verdorrten Kahlschlag im programmierten Un-Menschentum.–


## 1 Uhr 58

– – An dieser Stelle meines Erzählens – (aber ich bemerkte Das erst viel später, als wäre Dein Blick aus Lichtstunden Entfernung auf mich getroffen) – spürte ich aus Deinem Augwinkel dies eindringlich ruhende Wachen –.– Damals jedoch ahnte ich Nichts von Deinen Gründen. Selbst=vergessen während des Redens starrte ich auf 1 umgeschlagene Ecke am Tischtuch (erkennbar im periodisch wiederkehrenden Blumenmotiv der Korbrand, durch sein wulstiges Relief an eine schlecht vernähte Narbe erinnernd, u die wirr umhergezogenen bunten Wollfäden, die auf der Sicht-Seite das Motiv ergaben, hier=drunter aber ebendieses Bild aufweichten, zerfaserten wie 1 durchschauten, zauberlos gewordenen Trick). Und redete weiter und weiter – der Angstredner –, Deine

Stummheit erschien mir als das langentwöhnte Inter=Esse. (Ich bemerkte damals nicht Dein heimliches Gähnen – übersah die Zeichen, die Du mir gabst, indem Du wie unabsichtlich mehrmals mit Deinen Füßen meine berührtest, einige Schlucke aus meinem Glas trankst, denn die letzte Weinflasche war bereits leer. Was, aber besonders wie ich Dir erzählte, mußte Dir zwar so komisch wie simpel, dafür aber viel zu ernsthaft im Ton erscheinen.– Ich aber glaubte damals, keines meiner Worte sei zu-Boden gefallen. Heutzutag empfinde ich vor Dir für meine Erzählungen laugig schmeckende Nach-Pein; als hätt ich inmitten einer noblen Abendgesellschaft auf den Teppich gekotzt, und müßte daraufhin diesen Leuten alltäglich wiederbegegnen.) Damals, zu Dieserstunde aber spürte ich davon nichts, also fuhr ich mit Erzählen fort.

Wenige Tage später hatte ich an die tote Urgroßmutter einen Brief geschrieben. Mein 1. freiwillig geschriebener Brief galt einer Toten. Das Blatt Papier rollte ich zusammen und tat es in 1 der Flaschen, die verstöpselt & mit Wachs versiegelt, ich auf einer der Radtouren mit 1 Schulfreund nachmittags in ein verfallenes Fürstengrab am Dorfrand von Tylsen schmuggelte (es war die Zeit jungenhaften Überschwangs, der selbstgemalten & mit Kerzenflammen an den Rändern versengten Freundschaftsgelöbnisse & Schatzgräberpläne, die wir in Wäldern & auf Friedhöfen vergruben). Untererderde, meinten wir, kennen sich=alle: die-Toten=halten=zusammen.– An diesem Tag, nachdem der Schulfreund & ich uns an dem Grab zu schaffen gemacht hatten, folgte uns auf dem Heimweg ein Erwaxener auf seinem Moped. Er stellte uns, schnauzte von DENKMALSSCHÄNDUNG, schrieb unsere Namen & Adressen auf, die wir uns rasch ausdachten & ihn hemmungslos belogen. Darauf töffte er davon, der schmierige Benzinaffe, sein Gestank blieb noch wie eine dumme Rüstung vor uns stehn. : Der schien mir nur einer mehr aus der Menge abgeschabter Erwaxener, wie sie=in-Scharen am Lohntag zu Großmutter in die Hauptkasse zum Bahnhof kamen, linkisch vor dem Schalterfenster anstanden, & jeder von denen brachte Gestank mit herein – vorwiegend Ungewaschenheit in Kluften voll saurer Arbeitz=Pflicht, tot zerdrückte Lebenszeit. Aber selbst deren Gestank unentfaltet, ohne Eigenheit, als käme er aus dem Fundbüro. Dann kritzelten sie ihren Namen in eine der Lohnlisten (ich sah, aus einer Ecke des Raumes heraus, ihre verrutschten Gesichter). In dieser Ecke im Kassenraum, dicht gefüllt mit Bürogerüchen – Tinte warmgeriebener Radiergummi die Holzgirlanden von angespitzten Bleistiften & Graphitbrösel dicke müde Aktenordner der scharfe Geruch von Geldnotenbündeln aus offenem Rollschrank – dort, eingehüllt in die Ruhe ofenerwärmten Staubes, saß ich tag-für-tag am braunglänzenden Tisch, hinter einer Klivia verborgen, & malte mit 3 Buntstiften rot grün blau auf die Rückseiten alter Formulare, was ich gehört hatte von *der-Heimat-Komotau den-Nazis & der-Vertreibung* –: In mir geweckte abstruse Ungeheuer, Massaker-Szenen etagenweise in bizarren Miethäusern, Söldner & Henkersknechte unter roten Kapuzen mit Augenschlitzen, die sämtlich in anderen Etagen dieser Folterhäuser ihrerseits vernichtet wurden. Und nach den grausamsten Szenen, die ich, verborgen hinter der roten Explosion der einzigen Kliviablüte, auf die Rückseiten vergilbter Formulare gezeichnet, empfand ich für-Momente die Schönheit aus enormer !Befreiung. So (dachte ich noch Vielejahre-später) müßte ein Mensch empfinden, nachdem er seinen Großen Peiniger endlich !töten konnte –.

Großmutter hatte im Kindergarten (nachdem ich von-Dort immer=wieder weinend ausgerissen war) schon nach 1 Monat mich kurzerhand abgemeldet. Meine-Mutter-in-Berlin, gewiß mit dieser Entscheidung nicht einverstanden, mußte dennoch zustimmen, weil Hanna ihr entgegenhielt: *Das Kind kommt noch unters Auto wenn es den Ganzentag ohne Aufsicht durch die Stadt läuft. Ich & Ria, wir müssen arbeiten, Mutter ist tot, und außer uns achtet ja !niemand aufs Kind.* Also saß ich tagsüber bis zu Hannas Dienstschluß still in der Ecke im Büro, zeichnend, u beobachtete die-Erwaxenen, hörte ihr albernes od hinterhältiges Geschwätz, öde Brocken, die sie in Hannas Schalterfenster hin1warfen. Nicht mal den eigenen Namen konnte manch-1 fehlerfrei hinschreiben.

VON DER BLÖDHEIT DER KINDER SIND ERWAXENE NUR DURCH IHR ALTER GESCHIEDEN. WO SIE KÖNNEN QUÄLEN ALLE MIT FREUDEN DIE SCHWÄCHEREN U DIE TIERE. WEIL MENSCHEN BESSER SEIN KÖNNTEN ABER NICHT !WOLLEN, HABEN MENSCHEN DAS RECHT AUF MENSCHLICHKEIT VERLOREN.

Als ich den Brief an meine tote Urgroßmutter schrieb (heimlich in der Ecke im Büro), gab ich mir furchtsam zitternd Mühe bei der Schrift, weil ich glaubte, GOTT würde schließlich die Zeilen lesen. GOTT: den ich mir dachte als überstrengen Schuldirektor, lang & spindeldürr mit eingefallener Brust u krankem Magen (Besseres wüßt ich auch Heute über Ihn nicht zu vermuten); eine Steigerung des Direktors an der Schule in Birkheim. 1 Mann, allmorgendlich vom Fenster seines Amtszimmers im 3. Stock die Schüler beobachtend, die, den Hof überquerend, vor der Fahnenstange mit DeDeR-Flagge den Gruß-der-Jungpioniere zu verrichten hatten. Und bestellte jeden, der Das (absichtsvoll od nicht) vergaß, zu=sich ins Direktorzimmer zur VERWARNUNG. Im Wiederholungsfall gabs vor der versammelten Schule zum Fahnenappell den ÖFFENTLICHEN VERWEIS. So dieser Direktor (dessen Stellvertreterin spielte sonntags in der Kirche die Orgel) & so auch GOTT, der meinen Brief an die tote Urgroßmutter zu lesen bekäme.

*Schade, daß Du gegangen bist* – waren meine 1. Worte in überanstrengter Schönschrift. Bald schon begann ich für diese Zeilen mich zu schämen (aber sie lagen unwiederbringlich in 1 Flasche in jenem verwahrlosten Grab Eines von Schulenburg im Dorf Tylsen). Besonders schämte ich mich des Handels-Pakts, den ich GOTT vorgeschlagen: Er solle auch mich zu=sich nehmen, dann könne Er die Urgroßmutter behalten, hätte mich hinzubekommen & ich wäre wieder mit ihr zusammen. Im Nachsatz an GOTT: *ich werde Dir dann immer brav und folgsam sein.* :Für diesen Nachsatz !schämte ich mich über-Allemaßen; mehr sogar, als mit frischem Haarschnitt od in neuen Schuhen vor-die-Klasse zu treten, damit das Kuschen vorm Erwachsenen-Gebot..... bekundend.


## 2 Uhr 47

Wiederholt an diesem Punkt meines Erzählens hat begonnen, was auch nach-Jahren, Du warst längst *meine Frau* geworden, von mal-zu-mal in solchen Momenten geschah: Aufmerksam aus dem Augwinkel Dein Blick, über mich wachend –. *–Dein November,* sagtest Du einmal zu diesem Blick, *–u deine Erinnerung.....* – An diesem Ersten Abend spürte ich Furcht vor dem Unbarmherzigen in Eines=jeden Nähe. !Wär unser Sinn wie unser Geschlecht ein sichtbares Organ : Alles wäre 1fach u Nichts der Angst aus dem Erratenmüssen preisgegeben. In Deinem Mund der Geschmack von Wein; und später in meinem Kopf halbwüchsiger Triumf *!Wieder 1 Frau.* Aber Du warst die eine Frau die mir !geblieben ist –


## 2 Uhr 55

*–KOMM.* Die Stimme der Großmutter, leise u 1dringlich nennt sie meinen Namen. Die Frau, im Türrahmen vor dem grell erleuchteten Flur unbeweglich als dunkle Silhouette, fügt noch an *Es ist !Zeit –:–* Ein mahnender Klang, mit dem sie mich in frösteliges Wachsein holt, sobald wir (meist zwischen drei und vier Uhr morgens) aufbrechen um in den Urlaub zu fahren: *So haben wir wenigstens noch Was vom Tag –.–* Als Angestellte der Reichsbahn haben die beiden Frauen Hanna & Maria Anspruch auf Freifahrtscheine, & von der Gewerkschaft erhalten sie regelmäßig 1x pro Jahr einen Ferienplatz zugesprochen (gewiß wegen mir, dem *Kleinkind,* &

zum heimlichen Groll der übrigen Kollegen, denn der Zuspruch eines Ferienplatzes-nach-Wahl gilt als Vergünstigung).

Meist fahren wir ins Gebirge, vielleicht weil die Landschaften des Harzes, des Thüringer Waldes, aber insbesondere des Erzgebirges Hanna u Maria an *Die Heimat* erinnern. Seit dem letzten Abend vor der Reise stehen im Flur schon die großen, gepackten Koffer u Taschen, jetzt in der Frühe wehen aus der Küche Schwaden von Wurstbroten & Malzkaffee, die Kinnbacken der Großmutter zermahlen die Bissen, die Küchenuhr die Brocken Nacht. Dann eilt Hanna nervös mit derben Schritten (beide Frauen sind seit geraumer Zeit reisefertig gekleidet) in der Küche hin&her, die Dielen graunen; ihre Unruhe überträgt sich auf mich, und oft zu solch frühen Stunden muß ich mich übergeben; Kälte fährt danach tiefer unter meine Haut –.– Und alsbald der-Aufbruch, die fünf Minuten Weg von der Güterabfertigung die Ladestraße entlangstolpernd in den zugigen Dampf&staub des Bahnhofs – mit der für alle Flüchtlinge typischen Gewohnheit viel zu früh dort ankommend (immerhin, der Zug könnte anders fahren als im Fahrplan vermerkt, der Plan-selber vielleicht schon wieder Makulatur; es könnten keine Plätze mehr frei bleiben für uns auf diesem *Transport*, und jeder Zug wäre *Der letzte Zug.....*), vorüberhetzend an der fettig schnorchelnden Lokomotive, Dampfwölkchen aus dem fieberheißen Eisen & in regelmäßigen Abständen das Klopfen metallischer Knöchel; die Waggontür öffnend, auf die Holzbänke im rauchkalten Abteil niedersinkend, um danach, atemlos aber unendlich erleichtert (:!Dieser Zug würde uns mitnehmen, wir würden !entkommen –), übernächtig von den Geräuschen des Bahnhofs eingehüllt, 1 stumpfen Weiterschlaf sich überlassend. Und, Stunden-später beim Bahnhofs-Halt, in die hohle Eisenstille 1 Stimme raunend als verkünde sie Die Offenbarung: *5 Uhr 40: !Halber Stadt* –.

Die Quartiere in den Ferienheimen der Gewerkschaft schreiben sich als immergleiche Spuren in die Erinnerung ein: schwere klamme Federbetten, und Matratzen in denen

man tief einsinkt; mit Blumenmustern bemalte Porzellan-
schirme über Nachttischlämpchen gestülpt; aus den Schränken naftaline Dumpfgerüche, während in 1 Zimmerecke gerückt, im feuchtkalten Wasserhauch, die Waschkommode auf
meist angeschlagener Marmorplatte zwei große Schüsseln &
Kannen aus Porzellan vor einem Spiegel mit blinden Flecken
bereithält.– Im Speisesaal für die Urlauber auf weißbetuchten
Abendbrottischen, aufgereiht die Mittellinie entlang, stehen
helle Teekannen beidseitig, wie Polizisten an den Alleen zur
Parade als Spalier, grüngerandet dickwandige Porzellantassen
(an den Rändern oft gelbliche Abbrüche). Lauwarmes Aroma
von Kräutertee entströmt dem Porzellan u mischt sich mit
dem der Brotscheiben zum stehenden Herbergsgeruch, in
den die Urlauberherden, aufgeteilt & festgesetzt zu 2 Durch-
gängen, pünktlich einzukehren haben: an den angeschlagnen
Tellerrand gelegt frühmorgens Buttersterne, Marmeladeklum-
pen grellrot in Plasteschälchen, und abends Tee- & grobe Le-
berwurst sowie Käsescheiben, glattgelb & dünn – zugeteilt
für Jedermann.

Die Tage in den Gebirgsorten fließen für=mich zusam-
men zu grauschäumigen Regenbächen die Ränder schmaler
Straßen u Gassen hinab vor steil die Hügel hinaufgebauten
Häuserzeilen – und erdigschwere Baumdüfte aus sonnen-
od regenverhangenen Bergschaften wehend; von allen durch
Waldesdämmer gewundenen Wegen (gewiesen von Farbtup-
fern auf Baumborke od an Pfählen von hölzernen Zeigetafeln)
bleiben braune Tannadeln an den Schuhsohlen haften, An-
Blicke von grau u schründig hochgetürmtem Felsgestein, und
Geschmack von kalkigkrümeligen Bissen hartgekochter
Eier, zerspült mit Schlucken aus kaltem Tee.– Später dann
von schnörkelig geschnittenem Papierrand umrahmt die in
Schwarzweiß blinkenden 6x6-Fotografien: Zur Ansicht die
beiden Frauen, Hanna u Maria, Arm–in–Arm vor dem Hin-
tergrund einer als dunkle Woge aufschäumenden Baum-
krone, mit ihren vieltausendhändigen Blättern erstarrt im
Greifen nach diesen beiden sehr klein u ergeben anzuschau-

enden Fraun, gleich Holzspänen hell in den Maschen ihrer eigenen Strickwesten verfangen. Scheu die Spur Lächeln in den winzigen Gesichtern, als suchten sie zu verbergen das insgeheime Versinkenwolln in den dunklen Buchten u Höhlungen einer laubbewehrten Natur.

Sämtliche Fotografien, die mich selbst zeigten, habe ich beizeiten zu vernichten gesucht. Ich verbrannte sie nicht; ich zerriß das Papier zu winzigen Fetzen. Einmal ging der Riß längs durch mein rechtes Auge – weiß wie 1 Sägeblatt gezackt die Kante, u in der Hand behielt ich den Schnipsel, darauf blieb vom zerrissenen Auge nur sein äußerer Winkel, die zerteilte Pupille, mich überwachend –

## 3 Uhr 32

Dann, mit 12 Jahren, war ich im 1. Urlaub gemeinsam mit der Mutter & ihrem Ehemann Günter. Sie hatten sich während des Studiums in Berlin kennengelernt, und vor einigen Monaten geheiratet. Bereits nach der 1. Karte ihrer Tochter, die mit dem Nachsatz schloß – *habe mich verlobt, aber wir müssen nicht heiraten* –, hatte dies Hanna natürlich kommen sehn, doch Alles-weitere stillschweigend abgewartet. Marias Augen füllten die Tränen, während Hanna die Karte ihrer Tochter weiter vorlas. (Mir wurden die umfassende Bedeutung sowie die Folgen von Annas knappen Worten..... verschwiegen.)

Sie lebten in einer 1-Zimmer-Neubauwohnung in Adlershof (dort wars wie in 1 Kleinstadt mit Straßenbahn, Linie 84, die Dörpfeldstraße entlang); erst später, als ich FÜR=IMMER bei ihnen bleiben sollt, zogen wir in einen Altbau nach Lichtenberg; hier gab es für mich ein Zimmer=allein.– Bald nach der Hochzeit hatte der Mann, den ich nicht, wie schon seinerzeit anläßlich der Besuche zusammen mit Anna in Birkheim, länger beim Vornamen, sondern mit *Vater* anreden sollte, verkündet, er wolle mich adoptieren. Denn alles Familiäre sollte !endlich Seine Ordnung bekommen. Aus dem Namensunterschied zwischen mir u: meiner Mutter, die fortan den Namen jenes Mannes trug, mußte noch die harmlose Befragung durch Fremde sofort peinlich werden: Das sollte !aufhören – der Makel einst unehelicher Lust sowie die Preisgabe, dieser Mann (den ich *Vater* nennen sollte) wäre nicht der *Leibliche Vater*, mußte getilgt sein zur ORDENTLICHEN FAMILIE.

Daraufhin meldete sich Hanna !entschieden zu-Wort. (Mit derselben Entschiedenheit, Jahre=zuvor, hatte sie mir den Besuch mit der Jungpioniergruppe bei der sowjetischen Militäreinrichtung in Birkheim verboten: –Da gehst du !nicht hin.) –*Das kommt nicht in Frage!*– Mit strengen Worten im Brief an ihre Tochter Anna verbot sie kurzerhand die Adoption. *Wenn durch diese Heirat Du unseren Namen schon verlieren mußt,* schrieb Hanna voller Empörung, *dann werde ich nicht dulden, daß Du auch noch dem Kind unseren ehrlichen Namen wegnimmst für diesen »Nosse«, was sich wie eine Krankheit anhört!* Und alljene bislang nicht ausgesprochnen, insbesondre nach der Hochzeitsfeier, die in Birkheim bei Hanna Maria u mir stattfand, still & verbissen gehegten Vorbehalte Hannas gegen die Verbindung ihrer Tochter mit jenem um acht Jahre jüngeren Mann, der am liebsten bis mittags im Bett lag od beim kleinsten Übel sich krankschreiben ließ, auch tagsüber verpennt wirkte u das Maul nicht aufbekam (es sei denn, man diskutierte gegen die-Partei). Denn jener Günter war, wie Hanna leise bemerkte, einer dieser Tausendprozentigen..... die bei Westwind am liebsten das Atmen einstellten, weil der Wind vom KLASSENFEIND herkommt –. Aller Zorn Hannas kam in diesem Brief zum Ausbruch. Besonders ihren Groll gegen den Aufmarsch & das Benehmen der Verwandtschaft von *diesem Schweigersohn* (sie mochte ihren Schreibfehler nicht bemerkt haben) zur Hochzeitsfeier ließ Hanna Freienlauf. Neben seinen Eltern – einer ohne ersichtlichen Grund beständig sorgenvoll die Hände ringenden, korpulenten u nach Ungewaschenheit riechenden Frau, *so ungebildet, daß sie keinen Satz zuende sprechen kann, ohne sich zu verhaspeln und diesem ständig vom Weinbrand angesüffelten Mann,* dem Familien-Vater (dessen Hauptbestreben schien, mich mit allenmöglichen Faxen immerfort zum Lachen zu bringen) – waren noch sieben Geschwister von Günter erschienen, darunter 1 ältere Schwester, die in der Wohnung ihr Sortiment hochhackiger Lackschuhe & Petticoats ausbreitete. –*Der Junge* (hörte ich, mit Blick zu mir, Günters Vater zu seinem Sohn sagen) –*der isson spacker Hering, hockt immer für=sich-all-1 u kuckt so trübselig wien Alter: Da mussudich mal drum kümmern.....* (:Als hätt Jemand mir die Hose runtergerissen, fuhrs ärschlings kalt an mir hinab: SIE !haben mich –.) Daraufhin mied ich die Nähe zu diesem kleinen dürren Mann.

Solch Besitzergreifen einer für diese Leute immerhin fremden Wohnung samt der darin lebenden Fremdenleute (die durch die Heirat zur Verwandtschaft geworden waren), Das hatte Hanna nicht verwinden können. Und in ihrem wohl längsten Brief, den sie je an ihre Tochter geschrieben hatte, kam All-das zum Ausbruch. *Du hattest mir von einfachen Leuten erzählt. Statt dessen fiel mitsamt diesem maulfaulen, primitiven Kerl, Deinem Ehemann, eine Mischpoche aus hochnäsigen Dämchen und Taugenichtsen bei uns ein. Ich wünsche in Zukunft keinerlei Umgang mit einem dieser Subjekte, und ich bedauere nur das Kind, das Du uns fortgenommen hast, um mit diesem Kerl eine Familie sein zu wollen. Er wird weder Dir ein guter Ehemann, noch dem Kind ein Vater sein. Ich prophezeie Dir, das geht nicht lange gut. Dieser Mann hat Dich nur geheiratet, um den Zuzug nach Berlin zu kriegen. Es wird kein gutes Ende nehmen mit Dir und diesem Kerl, dessen Name ich nicht mehr nennen mag. Eines Tages wirst Du an meine Worte denken! Ich hoffe nur, daß es dann für Dich und für Dein Kind nicht zu spät sein wird. Aber ich weiß, es ist nutzlos, Dir heute zuzureden, denn auf mich hörst Du ja schon seit langem nicht mehr –*

Ich sah damals Anna, meine Mutter, zum ersten Mal weinen –. Reglos im küchenkalten Licht saß sie auf 1 Hocker, im Schoß die Briefbögen, sie fielen zu Boden. Rasch bückte sie sich danach, hob sie auf, als befürchtete sie, die Worte könnten unlöschbar ins Linoleum sich 1ätzen. Dann zerknüllte sie den Brief, warf ihn in den Müll, und sagte kein Wort davon zu ihrem Ehemann. (Heimlich hatte ich die Seiten aus dem Abfall wieder rausgenommen und sie aufbewahrt.) Niemals hatte die Mutter mit mir über diesen Brief gesprochen. Doch die Adoption fand nicht statt; mein Name blieb wie er war. Denn, seltsam, dieses Mal befolgte Anna das Verbot ihrer Mutter. (?Vielleicht hatte jener Brief 1=gewissen Verdacht..... in Anna bestärkt. Der rührte her aus ihrer gemeinsamen Studienzeit, als einer der Professoren in Gegenwart Annas zu Günter *—Ihre Frau ist in den Sprachenfächern wesentlich !begabter als Sie —*, und, mit Blick auf sein Parteiabzeichen, unverhohlen abschätzig bemerkte: *—An Ihrer !Frau sollten Sie sich ein Beispiel nehmen — G. Nosse.* :Subkutan blieb seither im Eheleib 1 Stachel.....)

An einem Tag im 1. Urlaub als ORDENTLICHE FAMILIE, in der Straßenenge der Harzstadt Blankenburg zu wolkenrissiger Mittagsstunde — nach langem Regen weißgelb glänzend das Licht —, traf mich im Vorübergehn 1 Blick aus dem Augwinkel einer Fremdenfrau mit braunem ovalen Gesicht u wirr zerkräuselten Haaren. Ich spürte Diesen Blick wie den Stich 1 Nadel, die 1 Zwirnsfaden in mich hakte — so daß ich mich umwenden und vom Blick der Fremdenfrau gezogen ihr folgen mußte —. Ein Blick, von dem ich nichts weiter verstand als Das Fremde, das Andere *SCHWARZE* O, das eiseskalt Blickende..... — das !mir=!allein zuvor noch niemals Gegoltene —. Mutter zerrte mich fort: *—KOMM.* (Sagte sie hastig:) *—Das ist eine !ungute Frau. —* Und ich begriff wie Kinder begreifen: !diese Augen sind *Abschied* —.— In die Eile, zu der die Mutter mich zwang, drückte mein dringendes Bedürfnis zum Scheißen; ich verkniffs mir, folgte still & mit verkrümmtem Leib der Hand meiner Mutter samt ihrem Ehemann (der wie 1 Schuljunge neben meiner um acht Jahr älteren Mutter wirkte u der mein namentlicher Vater nicht sein durfte). Später sank der Tag in schwefeliges Licht, und die Gewitterluft schmeckte nach rostigem Blech. Regen schwemmte viele

Tage dieses Urlaubs davon, auf dem Pflaster zerplatzend in grauen Wassertrichtern – der gutmütige, zottige Hund der Wirtsleute roch nach feuchtem Hader – morgens beim Blick aus dem Quartierfenster Nebel u ein tief auf die Bergspitzen und in die Täler herabgreifender Himmel – auf meinem Kopfkissenbezug die braunen Flecke vom nächtlichen Zahn-fleischbluten (das dort placierte Handtuch immer verrutscht) die Lippen brandig von Schorf – dann zum Frühstück Knäckebrot & der blechsüße Geschmack mitgebrachter Apri-kosenmarmelade aus der Konserve – :Mein 1. u mein letzter Urlaub mit der Mutter & ihrem ehe-Mann. Denn während der dieser Ehe noch verbleibenden 5 Jahre fuhr ich sommers in den Schulferien (manches Mal auch über Weihnachten) allein zu Hanna & Maria nach Birkheim.

Dann wurde Anna von dem acht Jahre jüngeren Mann ge-schieden.

Er blieb, ohne je die Spuren des-Vaters in diese kurzlebige Familie geprägt zu haben, was er gewesen: 1 fauler & lang-mäuliger Halberwachsner, die Parolen der EsEhDe bis zur Ermüdung aller nachplappernd & so Stunde-um-Stunde die Abende verderbend; 1 Popanz, dessen 1zige Erziehungsmacht im strikten Verbot des West-Fernsehens bestand & der voll-kommnen Ablehnung jeglichen Produkts aus dem-Westen, bis hin zur Tafel Stollwerckschokolade. Diese kam hin&wie-der zu uns durch Pakete von Hanna & Maria (die wiederum stammte aus Paketen früherer Nachbarn aus dem Sudeten-land, die nach dem-Krieg in die Westzonen geflüchtet warn).– Du fragtest mich einmal, wie meine Mutter zu diesem Mann u zu mir sich verhielt. Damals, als Du mich fragtest, hatte meine Antwort auf 1 anderes Gleis geführt. Heute sehe ich einen seltsamen Zusammenhang: Je weiter Hanna & Maria das Lebenmüssen in Birkheim als *ihr Leben* hinnahmen u der Traum von *Rückkehr in die-Heimat* verblasste, desto weiter geriet Anna, meine Mutter, in die Abhängigkeit von die-sem Mann. Als hätt Anna ihr bisheriges Leben hauptsächlich geführt gegen ihren höchsten Feind: ihrer Mutter tiefsten

Wunsch: *Rückkehr in die-Heimat*. Denn Alles was Anna getan hatte, seit sie von Birkheim weg nach Leipzig ging, an der Dolmetscherschule studierte und später vom Außenministerium der DeDeR weg als Sekretärin zum Schwermaschinenbau, weil sie von einem Industriebetrieb die Delegation fürs Fremdsprachenstudium benötigte, um schließlich als Dolmetscherin zu arbeiten, geschah im Wissen, jeder weitere Tag ist ein-Tag=weiter-weg von *dieser-Heimat*..... Dafür nahm Anna Vieles in-Kauf.

Einestags kam in die Wohnung der Schofför des Ministers, der auch Annas Obersterchef bei der Staatlichen Versicherung war. Glänzenden Auges & mit ergriffen zitteriger Stimme im stunden=langen Tratsch mit dem ferkelblonden Burschen, sein Gesicht wie ein Eibrötchen: Anna beim Lackeiengewäsch: wichteliges Gerede aus jedes Dienstbolzen Sehnsucht nach Teilhabe an Kommandohöhe & Herrschaftsblick. Annas Leben mit Männern & Obrigkeit: bis zur Selbstaufgabe unterwürfig, u: renitent; hörig jedweder Obrigkeit solange Obrigkeit die-Herrschaft innehat, u: gnadenlos grausam bei deren Verlust: ?ein slawischer Zug aus ihrer Kindheit, ins Kyrillische gefaßt –.

Somit auch wollte in Allem-&-jedem Anna ihrem Ehemann zu-Wort-&-zuDiensten sein solange, wie die ORDENTLICHE FAMILIE noch bestand. Einst nach langem Streit mit mir sagte sie laut, so daß er, Günter, im Wohnzimmer auf der Kautsch lümmelnd, jedes Wort hören konnte: *–Solange du dich uns nicht unterordnest, solange steht es hier=im-Haus Zwei zu 1 gegen !dich.–* Doch Günter war nichts unliebsamer als Erziehungsmaßnahmen, es sei denn, sie boten ihm Gelegenheit zu seinen Agitationen: *Kritik&selbstkritik* – stundenlanges mir-Insgewissengerede, nach 1 schlechten Note od *mangelnder gesellschaftlicher Arbeit* in der Schule. Früher, bei Hanna & Maria in Birkheim, mußte ich im Religionsunterricht die 10-Gebote-der-Kristen pauken / Heute bleuten mir der Mann, den ich *Vater* nennen sollte, & die-Lehrer im Unterricht die 10-Gebote-der-Sozialistischen-Moral ein. Oft habe ich jene

Schulkameraden !beneidet, die bei ner schlechten Zensur von ihrem Alten Eine gelangt bekamen, & damit war die-Sache ausgestanden. Während jener 2-Stunden-Kommunismus mir die Zeit zum Spielen fraß –.– So mußten mir im-Lauf-Dieserjahre sowohl der Stiefvater als auch die von ihm verkörperte EsEhDeh und schließlich die GanzeDehDeheR als 1&dieselbe affige Komödie..... voller Abscheu Ekel u hassenswerten Exerzitien erscheinen. »Ich kann das Predigen nicht vertragen; ich glaube, ich hab in meiner Kindheit mich dran überfressen.«

DER UNTERSCHIED ZWISCHEN KOMMUNISTEN U: KATHOLIKEN : DIE-KOMMUNISTEN HABEN DEN MIESEREN GOTTESDIENST.....

Doch Mutters Sucht nach 1igkeit mit diesem Mann konnte die Ehe vorm Zerfall nicht schützen. Der Mann hatte Anna, wie sich in der Scheidungszeit zeigen sollte, offenbar tatsächlich nur wegen der Zuzugsgenehmigung nach Berlin geheiratet. Denn 1abends hörte ich ihn brüllen: *–!Glaubstu im ?!Ernst, daß das-mit-uns für die-?Ewichkeit gewesen wär*. Inzwischen waren sie im Hausflur vorm Garderobenspiegel, seine Stimme noch lauter: *–!Schau dich an. !Da: !Was ?siehst du: n fettes altes Weib*. (Ich hörte 1 Speigeräusch, während die Mutter kreischend in die Küche stürzte.) / Auch nach der Scheidung blieb der Mann in der kleinen 2-Zimmer-Wohnung; die-Beamten, die die Wohnungsnot des-Ostens verwalteten, hatten kein Ohr für die Pein solcherart *unbedeutender Fälle*..... – 1 Wäscheleine mit Decken behängt war die Trenn-Mauer im ehe-Zimmer (im andern Zimmer ich=allein). Günter lernte inzwischen 1 andere Frau kennen – hatte sich für drei Wochen krankschreiben lassen & tagsüber, sobald Anna zur Arbeit aus dem Haus war, aber auch an den Wochenenden konnte man die Beiden hinter der Deckenwand beim Ficken hören, während die Mutter über-Stunden, bis Das vorbei u die Beiden schliefen od die Fremde wieder gegangen war, in der Küche saß, die Ellbogen aufgestützt, ins Dunkel starrend – –

In dem geteilten Raum, Wohn/Schlafzimmer, stand auch der Fernsehapparat. Den schaffte die Mutter auf ihre Seite des Zimmers (den Apparat hatte seinerzeit nachweisbar !sie von ihrem Geld gekauft), & schaltete allabendlich die West-Programme ein. Den Ton lautgestellt, ohne Unterbrechung bis Sendeschluß, mußte Günter jenseits der Decken-Mauer den gehaßten FEINDSENDER mitanhören. Das war Mutters endgültiger Abschied vom !fluß dieses Mannes. Doch sie achtete sorgfältig darauf, daß ich die West-Programme nur dann sah, solange Günter nicht im–Haus war, damit ihm auch nachträglich keine Handhabe wegen des Westfernsehens als *Jugendgefährdendes Verhalten* gegeben wär. (So kam ich endlich auch hier beinahe Jedentag zu diesem Fernsehn, das mir vordem !STRENGSTENS !VERBOTEN war. Als einst herauskam, daß ich in den Ferien in Birkheim bei Hanna & Maria Westfernsehn durfte, hatte im Auftrag von Günter Anna ihre Mutter angefahren, weil die, wie Anna meinte, ihrer beider – Annas & Günters – *Erziehungskonzept torpediere, um Zwietracht in ihre Familie zu bringen.*)

1 Mal, als Günter hinter der Decken-Mauer im Bett lag, schaute ich=heimlich zur Mutter ins Zimmer. Sie hatte ein Westprogramm eingeschaltet: Die Lippen straff, den Mund nadeldünn, blickte sie nirgendwohin, während ihr der Bildschirm graublaue Lichtfetzen ins Gesicht schlug. Sie hoffte gewiß, mittels dieser Fernsehattacken, Günter umso schneller zum Auszug aus dieser Wohnung zu drängen.

An 1 Nachmittag über Weihnachten lag Günter=all-1 im Bett hinter der Deckenwand (seine Freundin mochte ihn inzwischen schon wieder verlassen haben) – dort besoff er sich, zum 1. Mal mit einem französischen Cognac aus dem Intershop. Stunden später, die Mutter & ich saßen gemeinsam in der dämmerigen Küche, öffnete sich langsam die Zimmertür: im Rahmen 1 Mann, ohne Hosen, das zerknitterte Hemd bis zu den Knieen, die fast leere Flasche in der Hand, u Tränen liefen übers kalkbleiche Gesicht, dann stürzte er auf den Kokosläufer im Flur, ohne mit den Händen sich abzustützen, wie 1 Balken steif. Die Mutter sah mich an – hielt sich die Hand vor den Mund –, aber ihren spitz auffahrenden Lachschrei konnten die Finger nicht halten. / Solch behördlich als *unbedenklich* betrachteten Fälle wurden zu *bedenklichen* Fällen, sobald körperliche Gewalt hinzutrat od Etwas Anderes. In den letzten Wochen nach Arbeitsschluß ging dieser Mann abends öfter in den Lesesaal der Staatsbibliothek. Aus Büchern über das Kamasutra hatte er regelmäßig Nacktfotografien rausgerissen, zuerst nur in seiner Akten-Tasche verborgen, später aber offen überall in der Wohnung verteilt. Und als auch noch – vermutlich von ihm selbst & handschriftlich verfaßte – pornografische Geschichten hinzukamen, war Das für Hanna, die Davon hörte, der Anlaß, die Initiative zu ergreifen. Sie reiste aus Birkheim an, schlug auf 1 schmalen Sofa in meinem Zimmer ihr Lager auf – eine Woche dauerte ihr Krieg, dann war es vorbei. Aller Groll-von-Jeher gegen diesen Mann verlieh der alten Frau die Kraft, *den Schweinkram* mit spittsen Fingern zum Paket zu schnüren & das Ganze zum Jugendamt zu tragen. *Jugendgefährdende Schriften* (ich war 14), *nicht länger zu verantworten, daß Soeinkerl in 1 Wohnung mit einem Heranwachsenden lebt* & – !Das gab Den Ausschlag – *Soeiner will !Genosse sein.*– Hannas Empörung war um kein Jota falsch (sie hatte sich nur der zeitgemäßen Werkzeuge bedient). Also wurde der Genosse=Günter N. durch Parteibeschluß verpflichtet, die Wohnung binnen 2 Wochen zu räumen. Man hatte ihm von seiner Parteiorganisation 1 Zimmer zur Untermiete vermittelt; von-da-ab verloren sich seine Spuren. Von jeher kamen mir Diesejahre, in denen er *Mein Vater* hatte sein sollen, vor wie dieser eine durch Schlechtwetter verpfuschte Urlaub : Der Mann war für=mich von-Anbeginn bereits verschwunden.

DIE VÄTER SIND VON DEN KINDERN NICHT MAL DIE VERACHTUNG WERT.

Aus der oftmals unüberbrückbaren Kluft zwischen dem Verlangen nach Büchern u: deren Unerreichbarkeit in-den-Jahren **D**ödel**D**ilettanten**R**üpel wuchs in der gleichen Verschlossenheit mit dem-Krebs auch meine Renitenz: Die Aus-Wahl von erlaubten Autoren samt ihren gesiebten Büchern waren mir wie Mahlzeiten ohne Essen, 1 Hohn. Also besuchte ich sogenannt geheime Lesungen in Wohnstuben, auf Dachböden, in Kneipenhinterzimmern. Und Die waren mir, Du weißt, allzuoft wie Essen ohne Mahlzeiten, Viecher an der Raufe.....– In den Jahren nach 1989, weil die-Welt sich drehte & all die unerreichbaren Bücher vorbeikamen, ist nur deren falscher Schein verschwunden, nicht der Grund zur Verschlossenheit. Auch Heute = in-den-Jahren **B**löde**l**R**üpel**D**i-let-Tanten sind Bücher u Autoren unliebsam, solange Die Sprache für DEN STAAT eine Gefahr & für DEN MARKT eine Ver-Störung ist, die BEIDE daher mit er!staunlich günstigen Angeboten zu unterwerfen trachten, indem STAAT & MARKT mittels Der Sprache immerfort nur SICH=SELBST in IHRER MACHT abzubilden suchen. Das macht deren MACHT lächerlich & gefährlich, wie alles Lächerliche gefährlich ist, sobald es MACHT erhält. – Für STAAT & MACHT unerreichbar bleiben Die Stimmen : Die Stimmen sind frei (so dachten wir) – also haben Du u ich schon kurz nach dem Eröffnen unseres kleinen Buchladens begonnen, Lesungen zu veranstalten: Monatlich ein Mal sollten noch unbekannte Schriftsteller, Neue im Beißgehege auf dem Wörtersand, vor Publikum aus ihren Manuskripten lesen.

Dir machtes im-Anfang nichts aus, als zu den 1. Veranstaltungen nur die 1samen Alten kamen (die Eine regelmäßig, mit bandagierten & messerscharf nach Salben stinkenden Beinen) – im $\frac{1}{2}$ rund saßen die paar Besucher um den schwitzenden Vorleser. 1 Jungefrau brachte zur Lesung ihr Kuschelstofftier mit, das sie=angstvoll in ihren Schoß gepreßt hielt, während sie mit Hauchstimme belanglose Versehen las (geheimnistuerisch ohne Geheimnis); eine Andere hatte um-sich als Mauer sakrosankter Autoritäten alljene Bücher geschart, denen sie erklärtermaßen ihr Manuskript verdanke; 1 Jungermann hatte seine Freundin neben sich gesetzt, sie mußte seine Hand fest in ihrer halten über die Ganzezeit, die er zum Vorlesen seiner Geschichten & angefangenen Romane benötigte. Doch waren all seine Texte vom-selben-Schlag: *An der Raststätte traf ich Stefan Raab. Er hatte seine Freundin dabei, sie war sehr schön. Nur ihr Mund kam mir komisch vor, so als sei bei der Schönheitsoperation irgendetwas dumm gelaufen.* (Die Leute lachten schal.) Dem folgte: *Es war November. Es regnete. Ich saß an meinem Schreibtisch, sah aus dem Fenster und dachte an mein Leben. Aber war das eigentlich mein Leben?* (Ich hingegen fragte mich, ?!worauf eigentlich nehmen diese Jungenleute !Rücksicht; ?was zwingt zu solch frigider, sprachgehemmter Schreibe doitscher Akademikersämlinge ohne jeglichen Mut. Aus diesen Texten spricht kein !Muß, außer dem der Schreiber zum Geldverdienen. Daher 1 Schreibe, markthörig & bettlerisch ums Bonzentum geschart, Made in Kulturspeck.....) – Aber desMenschen Geduld sitzt im Hintern; nachdem der Lachzucker aufgeschleckt, knarrten alsbald die Klappstühle; der Jungemann spürte, Man langweilte sich schon nach knapp fünfzehn Minuten (auch der handhaltenden jungen Frau-an-seiner-Seite schien die Hypnose geschehen; blicklos stierte sie vor-sichnieder –) – und die mühsauere Ebene aus Dreiviertelstunden Lesezeit breitete sich noch vor-Allen hin. Wie 1 lauchfarbener Schatten wollte der Jungemann versinken vor den 6 schlohkalten Herren mit vorgewölbten Bäuchen – ich sah sie gleichsam von-Außen durch die Ladenscheibe auf ihren Klappstühlen hocken mit parallel zueinander hingepreßten Schenkeln, dumm wie Besserwisserei, fett wie Ignoranz: Obmann Obfrau, die Gesichter schwer u sinnend wie Kühe beim Pissen –.– Im Anschluß ans Vorlesen zwangsverpflichtet *zum-Gespräch*, dem Nachschlag zur Buchstabensuppe. Und darin diese Jungschreiber, kaum 1 Manuskript zusammmgeschmiert, schon 1gestimmt aufs professionelle *Alas-Alas* gewisser Altskribenten (Rotweinsüffel auf ihrer Landhausterrasse): !wie 1sam !wie beschwerlich !wie mühsam Dasschreiben sei, wie !froh sie wären, garnicht schreiben zu !müssen, sondern *leben* zu können : Firma Jammer & Stöhne. !Die sollten Telefonsex machen – da könntense mit Jammern & Stöhnen viel Geld verdienen.– Manchmal gingen wir zu anderen Veranstaltungsorten. Dort zwar nicht wie bei uns die Strohblumen, dafür aber Sorten litter=arischer Awang-gar-Disten : Hosenbeine raufgekrempelt, auf 1 Bein hüpfend Wort&versbrocken krähend, aufm Glatzkopp trommelnd das Mikrofon zwischen den Zähnen – das-Publikum begeistert, lärmte applaudierend –:– Inmitten der wein&bierjauchzigen Menge, den Hooligans des Firlefanz, ungerührt hockend ich der Stein vom Mars. (Ich schaute um-mich herum, sah mir diese Awang-Gardejünger an:) Gibt Mengenleute, die halten die olle Zöpfeflechterei DaDa & LautgeDichte gar noch für suppwehr-syph, aus Zeiten als Staats-Sinn noch zu zertrümmern war. !Das aber hat inzwischen der-Staat=selber übernommen & ist längst sein bester DaDaist..... : Vielleicht ists das Schicksal aller Jünger, daß sie in den entscheidenden Stunden am Ölberg einpennen. In Selbstgenügsamkeit & mit den Knochen ihres Hl. Jandl beklappapplappern diese Geld-Scheinrebällen, kläfferkläfferkläffer, ihr Maulstußksüllofohn : Weder obszön noch gefährlich, solch Spaßigelei in der Süßwaren-Abteilung der Kuhl-Tour..... Auf weich-salärten Stacheln staatstragend die fauligen Äpfel der Tautologien – :!Achherr-!jott wie !öde solch Anblick von Verlornen Eiern. Welch Schreiberling Heutzutage stören könnte, der kommt nicht in die Arena: Vor-die-!Löwen; der kommt in sein Landhaus vor-die-Hühner od ins Nobelhotel vor-den-Kanzler. Also hielt ich den Mund nicht u rief laut in den Lachtumult hinein: ?Woher solch Trieb zur Selbst-Erniedrigung. : !Da stockte die Menge (die von Kindern Rohheit, von Alten die Ressentiments besaß u: von diesem Besitz gewiß nichts wußte), MAN blitzte mich böse an, denn MAN spürte: Hier ist 1, der IHNEN den-Spaß versauern will – :Höhnisch pfiff MAN mich nieder. Du rauntest zu mir: –Früher der Untergangs-, Heute der Belustigungs-Gehorsam: *Entertäner befiehl, wir !lachen.* Wenn Demnächst die Zwangsironiker von der Internazionalen Spaßbehörde All=umfassend die-Macht ergreifen, wird Leuten-wie-dir lebenslang Zuchthaus mit verschärftem *Fann* aufgebrummt. (Ich hatte bald von diesen wie von unsern eigenen Veranstaltungen die Nase !gründlich voll.)

!Du aber sahst nur die Aufmerksamkeit bei den wenigen Besuchern, die zu=uns kamen. Hieße man Dich die-Sahara durchqueren – Du erzähltest nach Deiner Rückkehr von den Schönheiten der Oasen; die Hitzequalen Durst Fieber den eisernen Zugriff des kosmoskalten, Allesleben zernichtenden Nachtfrosts in den Wüsten, hättest Du – vergessen.....

–Für das Programm in unserm Buchladen (sagtest Du eines Abends unerwartet), –soll es auf-Dauer wahrgenommen werden im stumpfen Schwindelbunt in-Mitten der Metro-Polyprowinz Berlin, darin auch die-Bohäme Regeln regulär durchbricht (!das gefällt den-Touristen-Allerkaliber & SIE lohnens den irr-Regulären gut), müssen wir Vieles ändern – –

Ein anderes Konzept, zunächst für die Leseveranstaltungen-im-Buchladen, hattest Du schnellstens zur-Hand: Fortan stellt Ein-Bekannter im-Literaturgeschäft zu seinen Lesungen 1 Unbekannten vor. Keineswegs neu – aber Das verfing; mehr und mehr Leute drängten abends zu den Lesungen in unsre kleine Buchhandlung herein, füllten Ecken & Winkel (Man wollte natürlich Den-Bekannten sehn, der=Niemand galt ihnen als leidige Zugabe). Du schafftest für die zumeist nicht geringen Honorare Der-Bekannten (auch bekannte Schriftsteller müssen essen & Miete zahlen) sogar vom Kultursenat 1 Unterstützung herbei – (:mir wäre !niemals gelungen, Meinentraum von der zitterigen öffentlichen Knauserhand tragen zu lassen. Meine Maske EISERNE RUHE war Täuschung: Daß ich in der Ecke des kleinen Buchladens saß, da-seiend in Allerruhe u von früh-bis-spät lesend, entsprang jener Lyrik des Verlangens nach Faulsein aus mir niemals erreichbarem Leben's Ernst: Karrieremachen, Familiegründen & Besitztumhäufen, in Vereinen & Partein die kommunal gestimmte Selbst=Sucht pflegen. Denn Wohltun-trägt-Zinsen –.– Ich bin schon zu alt, um noch erwachsen zu werden.)

Einesabends zur Lesung als in Letzterzeit gerühmte Schriftstellerin, deren jüngstes Buch vielgekauft & sogar gelesen (unser kleiner Laden faßte die Besuchermenge nicht), kam auf Deine Einladung Sie..... hierher. Glücklicherweise !keine jener in Medienlob&hudel erglänzenden gans jungen Fraun die *auch* schreiben. Erstaunlich bei denen die Wiederkehr der Adligen (?Erb- od ?Kaufadel), mitunter Namen entweder wie Man sie früher Dienstmädchen od Haustieren gab od wie in Faßbinders Filmen die der Huren – nur ohne deren lebenskluge Sanftheit; vielmehr mit kreidiger Kaltheit, Marktkategorie Kalbsauge somnam-Buhl od Priapussy, im Augenschimmern hart=Geld sobald Agenten Globalisten & Ewig-Morgige aufkreuzen : Träumend vom *Jet set*, reichts im-Ende oft nur zum Jet lag. In deren Doitsch, zeitgeistparfümiert, kaum 1 Satz ohne zerkwätschte Amerikawortbrocken, das Joop-Doitsch internett –. Globalistisches Empfinden – eine über die Geschlechter-Grenzen hinweg wirksame, besondere Form von Penisneid. *Denn wos nichts mehr zu sagen gibt, werden die Worte kindisch & süß.* Von Bombe zu Bonbonnière. Solche Bücher, zumeist mit grellfarbigen Umschlägen, lagen neben jenen, dick wie Pralinenschachteln voll mit hitzezerlaufenem Konfekt, 1tags auch in unsrer Auslage. –Hast ?!du Das dort hingelegt. (Hatte ich wütend 1spruch gewagt) –Wenn morgen Bubi & Frollein Wunder werden was sie heute schon sind: Bubi – denn nachts sind alle Glatzen grau – & Frollein Plunder : Seit Kadaver als Tiermehl zu füttern verboten ist, bleibt uns dieses gestern hochgeschossene morgen vergessne Zeug wie dem Weltall die Pisse der Astronauten. ?Haben wir !das ?!nötig. / Mein Widerstand war sogleich zerschollen an Deiner lichtharten Stimme: –!Ob wir das nötig haben: !Was glaubst denn ?du, wovon ein Buch-Händler ?!leben soll. (Und spürte wieder das Rieseln vertrockneten Sandes, *in den*

*Fingern* KRÜMEL *an Urgroßmutters offenem Grab,* hörte den harten Einstich der Spaten in den Sand, & die Erde-ringsum verschlang den hölzernen Sarg auf Keinewiederkehr.) *!Aber*
(wollte ich Dich anschreien) *waren wir ?nicht aufgetreten, Das-
Andere zu versuchen. !Waren wir ?nicht einig über Langeweile all
der Toten in Berlin, wo im Gelärme der Farben die Vollstreckungs-
beamten des zeit Geists auftrumpfen, die das Leben Vieler um deren
Eigentum an Leben's Geist enteignen, die künstlerisches Leben zur
Totalen Verblödung mobilisieren: Groß&kleinkoppfete aus Allen-
himmelsrichtungen, die einbrechen ins Fellachen-Rokoko=Berlin,
mit großmäuligen Parolen das Fett ihrer Gehirne zu kaschieren wie
mit Designer=Klamotten das ihrer Leiber. Kunst u: Leben – :das
ewig Unvereinbare, hier hat Mans ver1t; hat Kunst mit den Kom-
promissen des-Lebens u: Leben mit der Rigorosität der-Kunst betrogen, woraus lauwarme Kunst & gefühlloses Leben folgen – die Noie
Mitte als Metro-Polyprowinz in verfügter Selbst-Verstümmlung,
eine Stadt ein Leichnam & noch einmal gemordet –:–* Nicht daß
offenkundig Du inzwischen desertiertest ließ mich frieren –
Eheleute sollten zuweilen vor ein:ander auf Distance gehen,
so können sie Vieles von ein ander erfahren –; mein Frieren
kam aus dem Bewußtsein von Schäbigkeit der Lebensseite im
Leben – die !Weißgott ich kannte: Zu früh an zu Alte gehalten, aus Erwachsenen den Ernst-des-Lebens zu erfahren –
habe ich diesen Halt, der keiner war, zu früh abgebrochen.
Seither lebe ich von Erfahrung, die nicht aus Er-Leben
kommt. Was bleibt, ist HALTUNG aus der Einsicht: Leben
macht auch Träume gleich u öde.....
  Aber Du wolltest mich nicht vernichten mit Deiner Antwort, still & aufmerksam sahst Du mich an –, als prüftest Du
mein Gleichgewicht, und erst als ich nicht zu stürzen drohte,
ließen Deine Blicke behutsam von mir. – Später, im Geschäft
lag schon die Feierabendruhe, entdeckte ich Dich im Winkel
reglos über 1 Tischchen gebeugt – schales Licht prägte mir
Deine Gesichtszüge ein. –Es ist wahr – (mich überraschte
Dein Tonfall) –die Großeltern kehren in den Enkeln wieder.
Deine Stärke ist deine !rücksichtslose Schwäche. Hättest du

dir nur 1-bißchen Wirklichkeits-Wissen angeschafft, deine Mensch-Verachtung hätte dich zum Großkarrieristen begabt. Davon blieb dir nur deine Gier..... Damit zerstörst du Alles. (Das Gesicht rotfleckig voller Tränen, und mit erstickter Stimme riefst Du noch:) −Was deiner Großmutter *die-Heimat Komotau*, das ist dir *die-Heimat Bücher*. Du verdammter !Scheißkerl: In ?welches Grab hast !du als Schwur ?deine Schuldgefühle hinein erbrochen. − Am selben Abend (am Schlafzimmerdunkel die Schabgeräusche der Stadt) plötzlich Deine Stimme: −Laß uns noch ein Kind haben.− Dann hieltest Du nach diesem Satz den Atem an, lauschend −. (In mein Schweigen Dein Schlaf, er besiegte mich; und ich, oft schlaflos, hab nie wieder mit Dir geschlafen −.)

Und an diesem Abend zur Lesung *Sie* : 1 Frau, vor knapp vierzig Jahren in der DeDeR geboren, dann mit den Eltern in den-Westen ausgewandert/ausgesiedelt (kein Unterschied für 1 5jähriges Kind); Heute lebt diese Frau in Trastevere, dem Stadtviertel Roms wo einfache Leute sich niederlassen. −*Ich bin aus Vielengründen von Doitschland fort nach Italien gegangen.* Hatte die Schriftstellerin auf 1 Frage aus dem Publikum geantwortet und hinzugefügt: −*Aber !nicht, um Dort das Leben einer Dauertouristin od das einer antikapitalistischen Gutsherrin zu führen.* Fest blickte sie die Fragerin an, die Augen hell u groß, als hätt inneres Blitzlicht ihr Gesicht aufgerissen −. Niemand fragte sie noch einmal nach privaten Dingen.

Später nach der Lesung, als wir gemeinsam in der vom Buchladen nicht weit entfernten Kneipe saßen, hatte sie von sich zu erzählen begonnen und mehr, als die Wiederholung der Daten, die ihre Biografie auf dem Buchumschlag hergab: Nach dem Romanistik-Studium 1ige Jahre an einer Universität − dann Leben als Schriftstellerin, 2 Kinder, verheiratet mit 1 Italiener aus dem Süden, Arbeiter in 1 Handwerksbetrieb. −*Zwar gehts in Doitschen Akademikerkreisen an* (sagte die Frau) −*daß eine deutsche Intellektuelle vom-Italjener sich vögeln läßt − aber einen !heiraten, !Kinder haben von ihm u mit=ihm innem !Arbeiterbezirk leben: Seit Intellecktuelle im Proleten nicht mehr*

*die-Arbeiterklasse sehn, die-Zukunft-der-klassenlosen-Gesellschaft*
*schon gar nicht, zudem sie in der-Klassengesellschaft !ausgezeichnet*
*sich eingerichtet haben –* vom Kommunistischen Manifest *zum*
Globalistischen Money-Fest *–, gilt in Akademicker-Kreisen mei-*
*ne Lebensweise als Etikette-Verstoß, & der ist ruinöser als das-*
*falsche-Parteibuch.....*

## 22 Uhr 12

Der-Zufall verhilft zu vielerlei Gelegenheiten, Wünsche zu
erfüllen – oft aber erst, wenn Zeit diesen Wünschen bereits
das Gesicht entstellte. Und was gewartet hatte als das Unaus-
weichbare, das Unvollendete aus den Gründen der Gier, es ist
im Warten schon unkenntlich geworden. An !Diesemabend
gingst Du nach der Lesung nicht mit in die Kneipe – zum
1. Mal nicht –, wolltest die Stunde nutzen (wie Du sagtest),
unerledigten Papierkram – Abrechnungen, die Steuererklä-
rung – besorgen; das würde dauern (Du sahst mich nicht an),
wir sollten nicht auf Dich warten –.– Also zogen wir, die
Schriftstellerin mit den hellblickenden Augen, ich=all-1,
durch Diesenabend..... – Anderntags hatte sie noch eine Lesung in Berlin, im Literaturhaus in der Fasanenstraße; ich
ging dorthin, wiederum allein (!ausruhn, sagtest Du, einen
Abend mal !nichts vorhaben, und ließest mich noch 1 Mal gehen –). Später, in der Gästewohnung im Literaturhaus, auf
dem Lakenweiß nackt ausgestreckt der Frauenleib, erinnernd
an mageres sonnegehärtetes Holz, die Augen dunkel, groß
wie der *Buchstabe* O, u wie kleine Schlangen die Strähnen
ihres dunklen Haars durch meine Finger gleitend –. Die
Stimme dieser Frau, als läge sie in ihren etwas zu groben Händen, zupackend & derb, sie schlang ihre Schenkel um meine
Hüfte. Eine Frau, die gewährt & ist !niemals eine Andere als
die, an die Mann sich wendet: ein Gefäß für Anderer Fan-
tasmagorien. Die Redseligkeit ihrer Texte, ihr Satzbau & die
Schreibweise in der Manier von Frauen, die vorm Spiegel

ihrem Körper Kleider anhalten – vor dem eigenen Image sich eilig drehend & wiegend den Stoff dabei glatt an Schenkel, Hüfte, Schulter pressend, und das Nichtpassende Instinkt= sicher achtlos von sich schleudern, um sogleich das nächste an Stoff sich vorzunehmen; womit jeder ihrer Texte zur stücke-weis be-Triebenen Kleideranprobe gerät, Homonyme & Me-talepsien als dünne plapperige Fummel am Sprachleib; der helle Blick dieser Frau sucht – niemand (außer den zahlenden Käufer). / Stumm, in nicht gesättigte Begierde gehüllt wie in zu dünnen Mantel, zur bleichfrösteligen Stunde der 1. U-Bahn, ging ich fort von ihr (in meiner Erinnerung diese groß u flach blickenden Augen; deren Klarheit natürlich !niemals mir gegolten hatte). – Als ich damals die Treppe zu den Gä-stewohnungen im Literaturhaus hinunterging, am Eingang zu den nachtstillen Küchenräumen des Restaurants vorüber, lagen im Flur Gerüche wie Andachtsreste *WEIHRAUCH U STAUB* in einer soeben von Gläubigen & Priester verlassnen Kirche einer Religion des Seitensprungs (den Du 1 Mal mir gelassen hast). Überdies eine Religion ohne Beichte – also war ich stumm geblieben gegenüber Dir. Bis jetzt –


## 22 Uhr 30

– in Ich-Haft gefangen im spitzen Lichtbau der Tischlampe, Krankenstation 29b: *Die Abschiede* –.

Zu dem Wissen, aus einem Niemand's Land, dem Irr-Wahna DeDeR, zu kommen als der Ewigfremde, & nur be-dingt 1 Recht aufs Hier-Sein in Diesemland, weil auch Zeit-Kontinente driften & somit der-Westen vorbeikam, trat die Ahnung hinzu, Meintraum, so glatt in Erfüllung gegangen, wird aus-sich=selbst für die Erfüllung am Ewigfremden Vergeltung nehmen.– Du hast mir über-Diesejahre hinweg dennoch die Gewißheit gebracht, die mich zu 1iger Leben's Gelassenheit führte. Das erschuf Dein Sinn für den präzisen Umgang mit Tatsachen, Deine Nach-Sicht. *Liebe.....* – ohne

Erbarmen sehend schleudert sie Leiber gegen:ein:ander, u wie Steine gegen Mauern prallen, schlägt *Liebe* beim Auftreffen die Scherben des Gewöhnlichen zur offenen Anschau heraus; schon bald fühlte ich Dir gegen:über im Schutthaufen meines trägen Mittelmaßes mich versinken. *Liebe* brennt das Licht Ernüchterung, scharf der Geschmack-des-Ungewöhnlichen wie Kräuter der Fremde als ein faszinierender Verdacht.–

*WEIHRAUCH U STAUB* –, Schnee liegt keiner mehr, doch Nachtfrost hat die Erde zu Krumen zerbröselt. In die eisenharte Luft, im Ort wie festgenietet, werfen Böen erneut Schneekörner hinein, als gälte es mit Salz die winterstarren Häuserbrocken Birkheims zu würzen –

Großmutter Hanna, mich mit frostschmerzenden Fingern an der Hand, meine Wangen u Nase im Eiswind brennend, Maria & 1ige Nachbarn aus dem Ort, Vertriebene aus dem Sudetenland auch sie, als filzvermummte Bündel inmitten der rissigen Schneeböen durch die nachtleeren Straßen eilend, hin zur Lorenzkirche in der Holzmarktstraße –. Drinnen warm & dampfend die versammelten Leiber = die kleine katholische Gemeinde Birkheims & der nahen Dörfer, zur Mitternachts-Messe am Heiligabend, unserem 1. nach Urgroßmutters Tod. *Die-Pflicht* –, den Pfarrer vorn am Altar, die kleine bäuerliche Gestalt: derselbe aus jener späten Stunde *WEIHRAUCH U STAUB* –, Damals engschwarz gewandet wie ein verirrter Reisender – heute im üppig wallenden schwarzen Meßgewand mit an den Borten wie von Eisblumen bestickten Verzierungen, das süßschwere gelbe Licht aus Dutzenden von Kerzenflammen zieht wie aus Wachskochern brenzelig & sengend durch Steineskälte ins tonnenförmige Kirchgewölbe –.– Trotz unsrer Eile durch die schneegesalzene Nacht, wir kommen verspätet, die Messe hat schon begonnen. Die Verspätung ist meine Schuld; mein Weihnachtsgeschenk, die neuen Schuhe, haben während des Laufens das frosterstarrte Fleisch an den Fersen rasch wundgerieben, bald schon spürte ich dort unangenehm Lauwarmes, Sickerndes,

von den Wollstrümpfen aufgesogen und zur Kruste sich ver-
härtend –, jeder Schritt 1 Nagelstich in den Fuß; notgedrun-
gen mußten die Anderen ihre Eile meinem Gehumpele an-
passen. Die Holzbankreihen in der Kirche finden wir bereits
voller Menschen, dichtgedrängt & gehüllt in Filz&loden, wie
ruppige Säcke hier abgeladen, unter Kopftüchern Hüten Fell-
mützen bisweilen schaut kaltrot 1 Gesicht hervor, Atemhanf
schnürend & zwischen den Lippen spinnbeinig die Gebete.....
Kein Platz in 1 der Bankreihen für uns alle – Großmutter
schiebt mich rasch an 1 noch freie Stelle in der 1. Reihe, sie
selbst Maria & die Anderen stellen sich in den hinteren Kir-
chenteil unter die Orgelempore, in eine der steinkalten Nischen voller Menschendampf. Ich, all-1 unter Fremden, sehe
sie nicht mehr, nur filziges Gemurmel zur Seite u anschwellend Stimmen als Woge im Rücken. Niemals zuvor war ich
zur Messe in der 1. Bankreihe einer Kirche = so nahe dem-
Kreuz=dem-Vollzug=dem-Altar der Obrigkeit..... Und vor-
Tagen auf dem Küchentisch Daheim das tote Kaninchen, das
Großmutter auch dieses Jahr fürs Weihnachtsessen beschafft
hatte. Und hörte die *HAMMERSCHLÄGE*, mit denen die Vor-
derläufe des ausgespannten Tierleibes, ihm das Fell abzuzie-
hen, an den Türstock gekreuzigt wurden. –*!Geh raus*, sagte
Hanna zu mir als sie mein spuckbleiches Gesicht sah, –*und geh
auch von der !Tür weg* (rief sie von-drinnen), zu spät: ich (hinter
der Tür im Flur lauschend) hörte den schweren Blutschwapp
ins Zeitungspapier auf den Küchenboden stürzen –.– ?!Was
aber soll ich hier: vor dem hölzern ausgebreiteten wurmstichi-
gen Leid der gekreuzigten Kristusfigur. Zwar erkenne ich die
Lieder, aus dampfenden Münden zu Wolken fremder Wörter
gezogen & schließlich in jammerigen Kadenzen ausgehaucht,
aber schon die zu=nächst hockende vermummte Gestalt hütet
vor meinem Blick das Gesangbuch wie einen Besitz. Also bleib
ich stumm, singe nichts, schaue seitlich vom Altar zur Krippe
mit den Menschen & Tieren aus Holz hinüber, teilnahmslos
hingestellt & in dummer Geduld wartend – ?worauf –, seh das
seifhelle Stück Holz in 1 Schütte Stroh, aus den Augen der ge-

schnitzten Mutter-Figur beugt deren Blick sich über dieses vom Staub-der-Kirchenjahre vergraute hölzerne Kind : Und seitlich über dem Krippenbild & über dem Altar hoch aufgerichtet die gekreuzigte Figur, das Kind als Mann, das Gesicht in Schmerznarben geschnitten (mit den Zügen des beinlosen bettelnden Krüppels, der auf seinem speckigen Holzbrettchen sitzend mitunter plötzlich laut kreischend durch Birkheims Straßen rollt); den Kopf mit der Dornenranke gebeugt, scheint auch Er auf das Holzkind im Stroh zu blicken: auf sich=selbst, ans Foltergerüst geschlagen & 3 Mal ohne Ausweg: an den ausgebreiteten Armen & die beiden Füße über1ander, um 1 Nagel zu sparn (die Nägel die durch die Zeiten gehn u die Erinnerungen an1ander zwingen) – ?wollte Er noch ein Mal ?beginnen; ?sah Er in Seiner eigenen seifhellen Vergangenheit beim zweiten Mal die ?Rettung vorm gewaltsamen Tod. Doch die dicken Ärmchen Seiner hölzernen Puppe im Stroh sind schon ausgebreitet zum Kreuzes-Zeichen.....

Ich forsche in dem würmerzerstochenen Gesicht – :Beinah hätt ich !aufgeschrieen vor Schreck: Das rechte Auge leer, finster : !Ausgeschlagen von 1 Stein – *denn was du dem Geringsten getan !siehe das hast du mir getan* – leer das rechte Auge das O *IM SCHWARZEN WORT* TOD –: !Auf – !raus aus der Kirche – !fort von *WEIHRAUCH U STAUB* & weg aus dem Korral der Vermummten, Dampfenden (die mich !erkannt haben & meine Schuld), die voller Triumf über mich brüllen GLORIA IN EXCELSIS DEO –

*Jagen Jagen durch die Nacht* durch salzscharfe Schneeluft – – spät erst, die Güterabfertigung schon als grauen Hausblock im 1samen Bleilicht der Lampen die Ladestraße entlang vor Augen, holt die Großmutter mich ein. – Ich kann nichts sprechen, ohne Atem (die Kälte u der Schrecken pressen mir eisig Fäuste in den Mund) doch voller Angst u Schmerzensstiche aus den wundgeriebenen Füßen halte ich zitternd mich an Großmutters Arm. –?*Was !hast du nur* (höre ich sie ebenfalls heftig atmend) –?*Was ist nur !los mit dir. ?Warum rennst du fort* –. Und als ich auch die Reihen dunkler Fenster-Augen aus dem groben Hausblock GÜTERABFERTIGUNG auf mich starren seh: ?Ist während meiner kurzen Abwesenheit aus diesem Ort 1 Stätte des Verfalls geworden, ?darin die einst vertrauten Menschen wie das Vertraute an den Menschen seit Jahren gestorben liegen. Alle Lichter erloschen, Dach & Wände eingestürzt – die Zimmer verwaist, den Wettern überlassen, 1 Ort ohne Schutz, der Ort, von dem ich nur paar Stunden einer Nacht mich fortgewesen glaubte – knirschend über Mörtelscherben u herabgestürzte Ziegel durch Disteln & anderes Unkraut hinein in den nachmenschlichen Geruch einer Ruine führt mein Weg – das rechte Auge leer SCHWARZES WORT TOD – :Da !endlich fährt es aus mir, ohne Halt u mit aller Kraft aus freigelassnen Ängsten: Das Schreien Das Schreien – –

Natürlich muß ich Großmutter & Maria später beichten, im hellen Stubenlicht vor dem erloschnen Weihnachtsbaum. Muß berichten, was vor Monaten auf der Ladestraße am Tag einer Viehverladung passierte.

Von früh=an schallen von der Verladerampe mit den bereitgestellten Güterwaggons & Laufgattern aus den Viehboxen & Tiertransportwagen das rohschlächtige Gebrüll der Bauern&viehtreiber die Straße entlang, schlägt wie Schwappen Dreckwasser gegen die Güterabfertigung. Rinder & Schweine, einzeln u benommen vom stunden- od: tagelangen Transport in den finstern Waggons, nun geblendet vom Licht, stolpernd, auf wackeligen Beinen, verängstigt durch Geschrei & Stockschläge – auch elektrisch geladene, und die Tiere unterm Elektroschock zucken dann zusammen wie bei Stichen von großen Insekten – die Laufgatter weitergetrieben mit Fußtritten Schlägen auf Köpfe in Bäuche u Flanken, in die Koben gehetzt & dann fuhrenweise in die Transportfahrzeuge, zur Ab-Fahrt in den Schlachthof Schillerstraße..... Immer an Solchentagen, beim Geprügel der Männer & ihrem Geschrei mit den klatschenden Hieben auf die Tierleiber, sticht !Wut in-mir hoch – unbändige Wut –. Und immer wächst meine Freude ins Riesenhafte, sobald einem der Tiere der !Ausbruch gelingt. (!Wie gern hätte ich dieses Tier dann weggeführt und heimlich versteckt.) Denn seine Freiheit währt meistens nur kurz, zudem weiß das Tier mit dieser plötzlichen Freiheit nichts anzufangen, außer von Angst getrieben immerfort im Kreis um die Wagen & um die Koben herum zu jagen. Die Männer hetzen das Tier Indieenge, & haben es so recht bald wieder eingefangen. Es wird danach noch brutaler geschlagen als die übrigen. So geschieht es an Diesemtag einem Rind – das schwarzweiß gescheckte Tier ist aus dem Pferch gebrochen – die Rampe hinab –; die Männer haben mir zugebrüllt *!Verschwinde Junge der !Ochse is los* – (ich schleiche davon, bleib jedoch in einiger Entfernung stehn, mit allen Gedanken halte ich fest zu dem Tier). Umsonst. Bald schon ist es wieder ins Gatter zurückgetrieben. Dort, mit hocherhobenem Knüppel, steht 1 der Verladearbeiter, die drahtige Gestalt im jauchebespritzten Overall, das Haar verfilzt & dürrsträhnig gesträubt, rothitzig die Suffwut brennend in hohlwangiger Viehsahsche – mit Speichelschaum auf den Lippen brüllt der Mann auf das Tier ein & lauter nur als das Gebrüll sind die Stockschläge auf den Schädel des Tiers. Pfeifend trifft der Knüppel die Schnauze, dumpf brüllt das Tierim-Schmerz, will fliehen, der Koben ist für Flucht zu eng, nirgends Schutz vor den Knüppelhieben des Mannes (meine Kehle schnürt sich zu, wässrig der Schleier vor den Augen) : Plötzlich, u lauter als Gebrüll&johlen, dieser Eine Laut: Als wäre trockenes starkes Holz zerborsten : Ein Knüppelhieb hat dem Ochsen den Kieferknochen zerschlagen – Blutstrahl aus dem Maul, das Tier mit zerknickenden Vorderbeinen stürzt langsam unter der Wucht des eigenen Leibes in Blut&jauche nieder –. Zuckend in der Luft die Hufe, zwischen den Hinterbeinen ein gelber Strahl, die Haut des Tieres wie unter Stromstößen zitternd –. Der Prügler steht aufrecht neben dem Leib, stemmt, als hätt er den Minotauros erlegt, einen Fuß auf dessen Bauch; man reicht ihm die Flasche mit Schnaps. – *Ich: der spitze Schotterstein, der sich mir zwischen Daumen u Zeigefinger der rechten Hand legt. Ich: der Schwung aus meinem Arm, der den Schotterstein wirft. Ich: die Luft für den Flug die-*

*ses Steins. Und ich: die Spitze am Stein, die dem Mann im jauche-*
*bespritzten Overall das Auge ausschlägt.* – Aus dem Koben=dort
1 Kreischen, durchdringend, der Mann-im-Overall hält das
Gesicht schräg im hohlblöden Blick starr zum Himmel rauf,
dicker Schleim Blut&gallert quillt aus dem SCHWARZEN O in
seinem Schädel. Fassungslos, wie träges Gewürm, kriechen
die übrigen Viehtreiber zu ihrem Kumpan im Dreck (ich
stehe still in der Entfernung, seh ihnen zu, in=mir brennend
Die Angst.....) Man schreit nach *dem !Saukerl der Sowas getan*
*hat* – irre=hetzen sie in ihrem Halbsuff zwischen Tieren &
Fahrzeugen umher; auf mich, den 9jährigen, kommen sie
nicht. Im Schmerz grabschen des Mannes dreckige Pfoten an
die Wunde; an seinen Fingern Dung, im zerschlagenen Auge
brennend wie Karbid – der Mann schreit pfeifend-schrill –,
Tage-später im Krankenhaus stirbt er, Tetanus, es steht in Der
Zeitung.– Langsam gehe ich davon, in den Schutz der Güterabfertigung hinein (die schlotternden Angstflammen blaken
nieder, und in=mir ein Großer Triumf, leuchtend u hell).

Willst Du ?wissen, wie ich Heut darüber denke: Weil
HOMO FABER den Erdraum mit Schlauheit & Gewalt zum
Menschraum sich erwütet, darin H. F. als HOMO MENSURA
die Welt nach rechts der Dienstbarkeit, nach links der Ver-
nichtung zubefiehlt, Die Kreatur quält & schindet, der ist 1
der vielzuviel Gebornen aus der Reihe aller Nullen, die voller
Hoffnungs=Wut IHRE Große Führer-Ziffer I erwarten. Obwohl SIE nachwaxen wie der Hydra Köpfe, blieb durch meinen Stein ein Mistkerl !weniger in der Welt. : Ich bereue,
nicht !öfter Stein gewesen zu sein.

Als ich Großmutter & Maria erzählte, fuhr erneut Die
Angst in=mir hoch – ich Ein !Mörder –, aus den Augen Tränen.– ?Vielleicht haben Großmutter & Maria Diesache deshalb eingesperrt in der hellen Stube gelassen, weil sie Damals
schon wußten, ich würde nicht mehr lange bei=ihnen sein; in
wenig Monaten schon ginge ich fort aus Birkheim nach Berlin FÜR=IMMER, zu Anna & diesem Ehemann. Berlin ist weit
u weiter, als die Schlagzeile in der Lokalpresse vom Tod 1

Vieh=Bauern reicht.– Niemals zu niemand hatten die Großmutter & Maria 1 Wort über Diesache verloren. (?Vielleicht
mochten Hanna u Maria im Grund !genau!so empfunden haben wie ?ich.....)

*'schied-Pflicht –,– und ich: der Stein der* durch meine Zeiten
fliegt: *der Stein der* den Bus mit der Kindergruppe vorm Ab-
sturz im Gebirge aufhält. Ich war 10 Jahr als ich im Winter aus
dem Kurheim für unterernährte Kinder zurückfahrend in
diesem Bus saß –,– *der Stein der* unters Vorderrad des die ver-
eiste Serpentinenstraße ohne Halt hinabrutschenden Busses
sich legt, kurz vorm Sturz-in-den-Abgrund –,– *ich: der Stein
im Schlamm*, in den mein Fuß beim Spielen am Jeetzefluß tritt
und mir die Lymphbahnvergiftung einträgt; abends bemerkte
Hanna den breiten Roten-Strich auf der Haut am Bein.
Hanna sah die Dringlichkeit, im Weg-zum-Arzt nur Zeitver-
lust. Auch mißtraute sie Ärzten u mied solange wie möglich
deren stethoskopkühle Hände, in den Sprech-Zimmern die
Atemluft schlecht & warm von Kleidern & schweren Men-
schenleben, wo schließlich vor Dem Arzt eigenes Mißge-
schick laut wie im Beicht-Stuhl zu bekennen wär. *Man geht
nicht dorthin, wo der Tod zuhause ist.* Sagte sie. Und damit Sela.
(Und damit Jahre=später ich zu-spät zur Untersuchung ging –
*Aufgemacht-&-gleichwieder-zugenäht* – mein Fall.) Einst half
Großmutter, schnitt die eiternde Fußwunde auf & legte
Quarkverbände an –,– *und ich: der Eisensplitter* von der explodierten Granate, die wir beim Spiel finden & unwissend ge-
zündet haben; 1 Splitter hat !meinen Augen gegolten u: *ich:
der Stein der* diesen Splitter ablenkt (der Eisenstachel schlägt
nach dem Abprall vom Stein wenige Zentimeter neben meinen Augen in einen Baumstamm, saß dort so tief & so fest im
Holz, daß er mit keiner Zange zu entfernen war) –.– Damals
bin ich innerhalb 1 Jahrs dem-Tod 3x von-der-Schippe=ge-
sprungen. Ich habe als Kind erlebt, wie !leicht es ist zu sterben. Seither habe ich=als Erwachsener nur vor dem-Leben
Angst, denn die größte Gefahr des-Lebens ist die tödliche
Langeweile im-Leben..... *Ich bin der Stein der töten will – –*

205

Seit-Längerem mußte Hanna erkannt haben, daß *die-Heimat* verloren blieb, *FÜR=IMMER*. Und fand sich unversehens ins Alfabet fremdbestimmter Zugeständnisse verstrickt; ihre Macht über die Tochter war damit endgültig gebrochen.....
Zuerst die Billigung von Annas Heirat mit dem ungelittenen Mann, und in deren Folge auch ihr 1verständnis zu Annas Plan, mich betreffend: *Ein Kind gehört in eine* ORDENTLICHE FAMILIE.– Im Gegensatz zu Früher hatte Hanna allen Forderungen ihrer Tochter nachgegeben.....

Auch vor Annas Heirat war ich in den Schulferien zu ihr nach Berlin gefahren. (Immer hatte ich mich auf den 1. Moment der Begrüßung auf dem Bahnsteig gefreut: ich steig aus dem Zug und Anna stürzt auf mich zu, helles Lachen schaukelt in ihrem freuderoten Gesicht, u sie nimmt meinen Kopf in ihre Hände und gibt mir ihren lachenden Mund – während ihre Hände flink durch mein Haar fahren.) Das blieb aus, seit Günter mit zum Bahnhof kam. Ich ahnte betrübt, solch Freudensturz gehört sich nicht für eine ORDENTLICHE FAMILIE.....
Etwas Ähnliches mußte auch Hanna, die mich jedesmal bis nach Berlin begleitete, angesichts der Veränderungen im Verhalten ihrer Tochter empfinden. Aber die 1 Mal getroffene Abmachung galt: Zu-Beginn des 5. Schuljahrs kommt der Junge nach Berlin.

*DAVONGEGANGEN. FÜR=IMMER.* Abschied aus Birkheim: Die-Pflicht zu bleifarbener Mittagszeit am vorletzten Augusttag 1964. Ich=11jährig auf Marias altem Fahrrad übers Kopfsteinpflaster der Ladestraße die kurze Strecke zum Bahnhof hinfahrend, die hölzernen Lenkergriffe prallend in den Handflächen, auf dem Gepäckträger stuckernd mein kleiner schwarzer Koffer. Der Betriebslärm um die Verladerampen – als letzter Gruß der vertraute Geschmack des Windes: verfrühtes Herbstbitter in kleinen rauhen Luftwellen, ölfett grau & rußigkalt im Wassergedampf der Geschmack von Bahnhofeisen, gleichsam herausgeschnitten u schon wie Zurückbleibende auf dem Bahnsteig vorm davonfahrenden Zug, kleiner und kleiner werdend –. Winzig die Gestalten Hanna & Maria, auf dem Bahnsteigpflaster vorm Waggon, hinaufschauend zu mir, mein Gesicht vom zu großen Zugfenster gerahmt.

Marias *AUSGEBLICHENE SOCKEN* mit den dünnen blaßgrünroten Ringen auf grauem Stoff, zur Gartenarbeit beim Unkrautjäten trägt sie die noch immer, auch heute herabgerutscht über die seltsam weißen Knöchel. Hell klingend die *HAMMERSCHLÄGE* des Rangierers gegen die Bremseisen der Waggons, *sie hämmern einen Zug aus Särgen zusammen* – im Bahnhofslärm in den faserigen Wolken Dampf zu Dieserstunde meinen Zug.....

Hanna, windbleich & hastig: –*Wir wollten immer nur dein Bestes.* :Also haben sie mein Bestes mir genommen: *Birkheim=!meine-Heimat* –.– Ich reise fort aus meinen Jahren im backsteinroten Sonnenlicht enger Straßen, darin aufgehoben das 1. Schuljahr & die erste Zigarette im Gebüsch vor der Katharinenkirche (ein Mund voll bitterem Rauch), das Jahr der Wangenglut beim ersten Kinofilm, Jahre der altbackenen Frommengerüche in der Pfarrstube zum Religionsunterricht, die Sonntage mit gefürchteten Opern zwei Stunden=lang aus nußbaumbraunem Radioschall im Visier vom Magischen Augengrün, die Sonntage der im Herbstlaub windgestreuten Ausflüge hinaus in stille Wälder wo hoch über allem Staunen die Luftkriegs-Panoramen den monströsen Wolkenheldenepos kochten (von-Frühan bei *Truppen-Transporten* am Bahnhof zog meine Angst vor allem Militärischen hinauf, wie Sonne das Wasser zieht aus schwerem Boden), Jahre der Schulzimmergerüche mit Schauder vorm Turnhallenschweiß, Jahre der heimlichen Leidenschaft für die *Unerreichbare* 3 Bankreihen vor mir, graue still=einsame Dämmerung am Nachmittag vorm Weihnachtsabend, Jahre der Freude über meterhohen Schnee und der Trauer über die Schmelze, Jahre in Teewärme schwimmender Feierabendfenster (die Stubenluft=dort brotig u dicht), Herbste voll süßfruchtiger Apfelaromen aus den Güterwagen zur Erntezeit, in Nächten vom

Bahnhof her fernsuchtsvoll die Pfiffe der Lokomotiven –, u: Alles nicht zuende gelebt, jetzt waren die letzten Reste Kindheit vorbei. Der Zug fädelte sich aus dem Schienengeflecht, hinaus in feldereinsame Strecke – die Stampf-Lok vorn *ich!schaffesschon, ich!schaffesschon* in den leeren hellgrauen Himmel hinauf, unterm Waggon die *HAMMERSCHLÄGE* Stahlräder *wann-denn, wann-denn, wann-denn,* & mein Herz im Leben's Schlag – *'schied-Pflicht –,– 'schied-Pflicht –,–* Stendal – Rathenow – Wustermark – BERLIN. Und lebe seither in Dieserstadt. Doch bis=Heute sind mir Berlins Stadtpläne lieber als die Dörfer=Stadt Berlin. Denn ich bin niemals wirklich ausgestiegen aus diesem letzten Zug, Telegraphendrähte die Notenlinien für die Fahrt den Wind das Geheul – *Wind, Geheul – damals zur Mitternacht in der Kirche:* Aus vollen Hälsen dröhnend in *WEIHRAUCH U STAUB* mit Glockengetobe & braunem Orgelbrausen GLORIA IN EXCELSIS DEO der Kor der Vermummten, Dampfenden ET IN TERRA PAX HOMINIBUS – :!A DIESE !SCHWEINE.

–?!Wiebitte. – In der offenen Tür die Nachtschwester, derb & wuchtig stellte die Gestalt ihre Stimme in den Raum (der Pensionär & der Lehrer, ohne sichtbares Atmen imitierten sie dummschlecht die Schlafenden). In den Lichtschein aus der Tischlampe trat energisch die Nachtschwester zu mir heran, ihre weißschimmernde Kluft verstreute das Licht. –Es ist Sonntag u NACH-!ZWEIUHR-NACHTS. (Rief sie vorwurfsvoll & so laut, daß jeder wirklich Schlafende Davon hätt aufwachen müssen.) –Weshalb schlafen Sie nicht wie alle Anderenpatienten.

–Ich komme übermorgen raus – Schwester.

–Die Klinikordnung gilt trotzdem für Sie, & das heißt: Nachtruhe ab 10 Uhr abends.

–Ich hab noch eine !Menge an Papier – ich meine: noch eine !Menge an Leben zu ordnen, bevor ich –

–Es ist Sonntag u nach-!Zweiuhr-nachts. Weshalb schlafen Sie nicht wie alle Anderenpatienten.

–!Schwester (ich flüster=rief es bittend) –ich fürchte, wir drehen uns im Kreis. Wenn ich hier still sitze & schreibe, störe ich doch niemanden; !schauen Sie – (& wies zu den beiden wie Puppen liegenden Heuchlern in ihren Betten. Daraufhin mimte ich staatsbürgerliches Selbstbewußtsein mit dem Rückgrat der Ökonomie:) –Obwohl mir an Therapie übers Wochenende Nichts geboten wird, habe ich zugestimmt, erst am Dienstagfrüh entlassen zu werden. Übers Wochenende also bringe ich dem Krankenhaus Einnahmen von meiner Kasse für so-gut-wie-Nichts. Und am Dienstagfrüh, Schwester, möchte ich Keineminute länger als nötig Zeit&kosten des Hauses strapazieren. Dazu !brauche ich die Paar=Minuten, meine Sachen in Ordnung zu bringen, damit ich am Dienstag um 8 Uhr früh hier !raus bin.

Tatsächlich senkte sich daraufhin bei ihrer Standardantwort die Stimme der Frau zur Tonlage Verständnis & Gutmütigkeit: –Sie müssen sich trotzdem an die Klinikordnung halten & das heißt: Ab 10 Uhr abends ist Nachtruhe für Allepatienten. Also auch für Sie. Gehen Sie wieder zu Bett, ich lösche das Licht.


Früher hatte ich die Vorstellung, Menschen die im Dunkeln denken, müßten andere Gestalt bekommen, verzerrt zu einem Aussehen das ihren Gedanken Wünschen Ideen mehr entspräche, als jene sichtbare Erscheinung im Tageslicht. In ?welches Aussehen müßte daraufhin ?ich verwandelt sein, als mir die Idee kam, zur Nachtzeit in den letzten Tagen hier=im-Krankenhaus an Dich diesen Brief zu schreiben, die Schlachtensammlung aus dem einzig wirklichen Besitz jedes-Menschen: Zeit für 1 Leben..... In ?welcher Gestalt, die meinen Gedanken & meiner Tat in Letzternacht gleichkäme, würde ich fortan erscheinen müssen: ?Wäre meine Gestalt in wünschevoller Dunkelheit stehngeblieben derart, wie Eltern ihre Kinder vorm Fratzeschneiden warnen. ?Würdest Du am Dienstag um 8 Uhr mich abholen, wie Dus versprochen hast –.

Kaum hatte die Nachtschwester das Licht im Zimmer gelöscht, die Tür von-draußen zugemacht, als im Dunkel die Stimme des Lehrers sich meldete: –Ich habe natürlich !nicht geschlafen. – Verkündete er mit seltsamem Stolz. –Ich hab gehört, wie Sie beim Schreiben mit=sich gesprochen haben: KOMM – das sagten Sie oft, und WEIHRAUCH U STAUB – DA-VONGEGANGEN FÜR=IMMER – !ah und die AUSGEBLICHENEN SOCKEN – HAMMERSCHLÄGE – KRÜMELN ERDE IN MEINEN FINGERN – ERDLOCH – DAS SCHWARZE O –:Das müssen für Sie Zeit-Tunnel sein zwischen Heute u: Damals, Orte, an denen Alles wiederkehrt. (Er raschelte eifrig mit seiner Zudecke.) Ich schaltete die Tischlampe wieder ein: Den Rücken gegen die Wand gelehnt, saß der Lehrer in seinem Bett. Entgegen der Erwartung, die seine prätentiöse Stimme im Dunkeln vermuten ließ, schaute er befangen, unsicher zu mir herüber.

–Sie ?erinnern sich an die Entführung & Geiselnahme, die vor-Jahren in Gladbeck begann.– Fragte er vorsichtig, mit Flüsterstimme, als befürchte er den Lauschangriff. Dann fand er rasch einen kumpelhaften Ton: –Diese Geschichte hatte in der-Öffentlichkeit nen Heiden-Tamtam gemacht, Man zerriß sich wochen=lang das Maul wegen Überschreitung-der-Medienkompetenzen u peinlich auch das Versagen-der-Polizei undundund; Die-Medien kochten wie üblich, sobald sie ne Geschichte in ihren Sende-Topp kriegen, Alles hoch&runter zum faden Geredebrei. Dabei sind es !Die, die aus Wahrheiten Ware machen – aber sie stellen eben alle=Dasgleiche her u: zerstören so die eigene Konjunktur. !Wenn Einer 1x NEIN sagen würde: NEIN ich berichte darüber NICHT. –:Aber genau=diese Entscheidung liegt nicht im-System. Sie !müssen auf die-Themen wie Fliegen auf den Kackhaufen. ?Woran liegt das: DIE kennen nur Besitz, aber kein !Eigentum. Ich las ein Zitat von Karlmarx: Eigentum stellt das Recht her NEIN zu sagen. Während reiner Besitz allenfalls Öde herstellt. Auch existiert ein bedenklicher Hang des-Journalismus zu Abfall & Sekreten..... :!Da haben Sie den Grund für die automatische=

Dummheit jeder Nachrichtensendung – (dozierte der Lehrer; und räuspernd rief er sich zurück in seine Geschichte.)

–Die Ganowen hatten innem Kölner Vorort auf ihrer Flucht einen vollbesetzten Bus entführt. Zwei junge Frauen, Passagiere aus dem Bus, haben sie später als Geiseln mitgenommen, alle übrigen freigelassen. Und wiederholt begann, was man die generelle Unterwerfung der-Medien unters Diktat des Verbrechens bezeichnen muß. Nicht zuletzt hierbei zeigt sich die Herkunft des-Fernsehens aus dem Faschismus..... (Wieder Hüsteln.) –Über Alles hat man berichtet; um !noch teurere Bilder zu kriegen, haben sich Reporter zu den Ganowen ins Auto gesetzt, zu Stadtführern gemacht & ihnen den Weg gewiesen.....

–Über 1 aber hat Man nur 1mal unfreiwillig berichtet, weil das zufällig ins Bild geraten war: 1 alte Frau mit Einkaufstasche, als sie nach der Freigabe des entführten Busses wieder auf die Straße stieg, verwirrt stehnblieb – niemand, der auf diese unscheinbare Alte hätt achten wolln; mit Kameras & Mikrofonen scharte sich derweil die Fernseh=Kanal-je natürlich um die Entführer, beschaffte ihnen Fressalien & freien Abzug durchs Spalier der Gaffer. Um die alte Frau, die unbemerkt als Letzte aus dem Bus gestiegen war, mochte sich niemand kümmern. Nur 1 Kamera, die zufällig in diese Richtung eingestellt war, zeigte die folgenden Bilder: Schließlich, als die Frau sah, daß zwar die Gefahr vorüber, der Bus aber offenbar so schnell nicht weiterfahren würde, überquerte sie die leere Straße, bückte sich mühsam unter den Polizei-Absperrungen hindurch – keiner der sie angesprochen od aufgehalten hätte –, die Einkaufstasche in der Hand, ging sie mit langsamen Schritten ihres Wegs. Ihr Weg-nachhause war ein langer Weg.

–?Woher wissen Sie das.

–Ich stamme aus dieser Gegend, kenne die alte Frau, zumindest vom Sehen, u kenne auch den Fortgang ihrer Geschichte. Diese Frau lebte schon seit-Jahren all-1 in 1 Häuschen am Stadtrand; ihr Mann war verstorben, die Kinder waren aus dieser ärmlichen Gegend fort &, wie das heißt, aus-den-Augen=aus-dem-Sinn. Nur einige ältere Leute u: Asylantenfamilien, von den-Behörden dorthin verfrachtet, waren in dem Vorort geblieben. Paar Monate nach diesem Tag der glücklichen Befreiung aus der Gewalt der Geiselnehmer starb die alte Frau. Es gab wohl Nichts zu erben von ihr: weder die Kinder noch irgend andere Verwandte ließen sich jemals dort blicken, amtliche Nachforschungen blieben ohne Ergebnis. Niemand, den der Tod dieser Frau bekümmert hätte. So erhielt sie 1 Begräbnis auf Gemeindekosten. Das Haus stand seit ihrem Tod leer, keinen Immobilienmakler interessieren Häuser in soner Gegend..... Hin&wieder kampierten Obdachlose & Drogensüchtige in dem langsam verfallenden Haus. Einesnachts – in den Zeitungen hieß es infolge einer Gasexplosion – wurde das Haus bis auf die Grundmauern zerstört, Bagger schafften die Reste fort. Und weil Niemand geblieben war, der um die Grabstätte der Frau sich hätt kümmern wollen, so wurde ein Irrtum erst bemerkt, als es zu spät war: Man hatte die Tote seinerzeit bestattet in 1 Ecke des Friedhofs, dessen Gelände zum Planieren bestimmt war; Beerdigungen an dieser Stelle des Friedhofs waren nicht mehr vorgesehn. So verschwanden unterm Bulldozer auch die Grabstelle u der kleine Stein mit dem Namen der Frau. Als 1 knappes Jahr später im Standesamt Feuer ausbrach, ein gehöriger Teil der Akten vernichtet wurde, war Alles, was an ein Ganzesleben hätt erinnern können – verschwunden. Auch ich hab den Namen dieser Frau inzwischen vergessen. Aber (setzte der Lehrer bedrückt hinzu) –genau genommen hab ich ihren Namen wohl niemals gekannt. ?Nur 1 zufällig entstandene Fernsehaufzeichnung sollte als Zeugnis von ihrem Leben ?geblieben sein. Nach einigem Nachforschen hatte ich die Sendeanstalt ausfindig gemacht, die seinerzeit dieses Bild mit der alten Frau, die von Jedermann unbeachtet aus dem entführten Bus gestiegen war, gesendet hatte. Bildmaterial von der damaligen Entführung gab es in Hülle&fülle, ein Redaktör konnte sich sogar an die Szene mit der

alten Frau erinnern – aber: Ausgerechnet !dieser Beitrag, u es
war der einzige den es gab, war nur in 1 Schnittfassung noch
vorhanden – die Szene mit der Frau hatte man gelöscht. Soviel (schloß der Lehrer) –weiß !ich vom SCHWARZEN O. Das
ist –

–!Krebs. Das ist der !Krebs. Ganz-ge!nau-!so. – Längst,
doch vom Lehrer u mir unbemerkt, war der 3. Patient im
Zimmer, der pensionierte Bahnbeamte, erwacht. Die Stimme unbeherrscht, schrie er im engen Raum schallend vor langezeit zurückgehaltener Angst: –!Ja !Krebs der frißt & frißt bis
Alles weg is und er sich=selber fressen muß – aber dann sind
wir längst nich mehr (Panik entflammte seine Stimme)
–!Chemotherapie ha!haa (seine Blicke zu mir, haßerfüllt &
stechend) –!Sie haben doch auch zugestimmt: Che-Mo-The-
Ra-Pie die blödeste Ausrede für die Ratlosigkeit der Ärzte
dabei gehen wir=alle drauf scheibchenweise & in Raten aber
wir gehen !drauf alle wissen Das O wir gehn alle drauf Sie
werden schon sehn !Sie (höhnte er weiter aus seiner Ecke zu
mir herüber) –Sie glauben wohl dem Gesülze der Ärzte *Wie
!guut Ihr Hailungsprozäss vorahnschraitet* Hoffnung macht däm-
lich & verlängert das Leiden Sie werdens noch erleben Haha-
haa jawoll !Das werden Sie noch erleben u wird nich von
!Pappe sein Sie-selber haben erzählt !was war im O-Pe: *Auf-
gemacht-&-gleichwieder-zugenäht* jedes=!Kind weiß !Was das
bedeutet aber Hoffnung is wie Kacke & zieht die Fliegen an
Daß man Sie wiederzugenäht hat & nich wie andere nur zu-
geklammert weils den Faden nichmehr lohnt !Dadraus schöpfen Sie Ihre Hoffnung *Kopf !hoch, sagte der Henker* Chemo-
Terra-$\pi$=Es-geht-weiter & so gehn die-Menschen=voller
Enttäuschung mit ihrer Enttäuschung um !Ich hab schei-
ßende Angst Das sag ich=!frei heraus Keinenacht schlaf ich
vor Dieserangst: !Jetz ist Es soweit !Jetz gehn DIE SCHMER-
ZEN los DIE hören nie wieder auf !Niewieder – O ES TUT
SO WEH *Aufgemacht-&-gleichwieder-zugenäht* : Wenn man
Ihnen die Schläuche an den Maschinen anschließt dann wer-
den Sie Die Wahrheit wissen u Die heißt:

–Ge!nuk. !1-für-!Allemal: Ge!nuk. (Der Lehrer, als müsse
er einen aufsässigen Schülerhaufen niederherrschen:) –!Seien
Sie Umhimmelswillen bitte !end!lich (– noch vorm letzten
Wort des Lehrers meine Hand zum Schalter, im Augwinkel 1
Blickscherbe Zifferblatt:

## 2 Uhr 55

das Licht verlöschte; die Stimme des Lehrers:) –!!still.

Vor Nächten habe ich meinen Körper zur Dunkelgestalt
sich verwandeln gespürt: Aus den Schultern schwer u klobig
wuchs mir ein neuer Schädel, zog im Gewicht den Oberkörper nach vorn – so drohte ich zu stürzen. Kurz vor dem Auf-
schlag mit dem Schädeldach am Erd-Boden war dieser !eine
Moment vorüber – das Schummerdüster erwachte, zerstörte
die Gestalt. Aber ich lag nicht mehr als der, der ich zuvor gewesen, ausgestreckt in meinem Bett. – Wenn ich, KREBS u
SCHMERZ zu entkommen, dereinst aus irgendeiner Höhe
in-die-Tiefe mich stürzen werde, weil vor dem Ab-Sprung
ich die Augen fest=verschließ, werde ich diese Dunkelheit
mir künftig !niemals verzeihn –

## Sonntag, 22 Uhr 31

Das Erste das in Anstalten der Geschlossenheit sich rum-
spricht sind Möglichkeiten zum heimlichen Verlassen dieser
Geschlossenheit. Über Lieferanten&personaleingänge, durch
Heizungskeller – seit jeher sind es solche Wege auf denen,
heimlich, diese Anstalten verlassen & ebenso heimlich wieder
betreten werden können, u: die 1fachheit zu solchem Tun
muß umso verblüffender sein, je strenger Das verboten ist.

Die Stadt streckte sich in die Nacht – straßenlang –, aus
den Lampen Dunkelbunt, Lärmiges aus Tagstunden auf den
Asfalt gesunken, erkaltet u schwer die Gerüche Vielermen-

214

schen, schon lange fort –, u 1sam wehend nächtige Kühle aus
Stein Glas Beton. Nach-Wochen habe ich vorige Nacht erst-
mals die Straßen um Diesezeit wieder betreten – nie zuvor
war die-Stadt mir so geräumig erschienen. Schritt-auf-Schritt
vom nächtigen Koloß Charité mich entfernend, fürchtete ich
anfangs unter der Operationsnarbe Schmerzen, fühlte als sei
ich am Leib offen –: doch jeder Schritt die lichtergefleckte
harte Straße entlang – zur letzten S-Bahn ab Friedrichstraße
zum Hackeschen Markt, dann mit dem N 58 zur Danziger
Straße/Ecke Prenzlauer Allee – geschah mit der Leichtigkeit
desjenigen, der *entkommen* ist, von einer Großen=Last befreit.
Der Herzschlag ruhig, gleichmäßig in seinem neugefundenen
Takt *Ab-Schnitt* –,– *Ab-Schnitt* – (so wird alsbald dasselbe Herz
anschlagen gegen KREBS u SCHMERZEN, den uralten
Kampf Alleslebens (ungewollt, unbeeinflußt von *mir*) gegen
das-Verschwinden.....– Im Nachtbus hockend paar aus ihren-
Stunden matt insich gesunkne Gestalten; die würden mich
nicht wiedererkennen, wären keine Zeugen.–

Dann, zwischen grauen Häuserblöcken, Nachtwind wie
aus einem Tunnel – Senefelder Straße, in der Fassade lichtlos
der kleine Buchladen, das Rollolid vor der Auslage geschlossen. Lärmig der Schlüssel im Türschloß suchend – *HAMMER-*
*SCHLÄGE* eines Abschieds *FÜR=IMMER* –, zögernd – in den
Laden hinein – in den dunklen, stille stehenden Geruch der
Bücher. (Beim Licht1schalten ein blauer Funke im Schalter-
gehäuse.) In einer Ecke des Raums mein Platz mit der kleinen
Tischlampe: Dort setzte ich mich nieder. Vom düstern Lam-
penschein begleitet, liefen die in Regaletagen dicht | an | dicht
gereihten Bücher, zu bleifarbenem Schimmern verwandelt,
weit ins Dunkel der Ladenräume hinein –.– Meine Lesehast
durch Bücher in früheren Jahren ist aus meiner Hast gekommen am Leben Anderer vorbei. Verwischte Bilder – Drauf-
sichten – verwaschene Konturen – Bleiben !niemals u !nir-
gends – auch bei Dir nicht u: nicht Vater-Sein für Deine
Tochter. (Bald schon wäre sie in jenem Alter, wo Kinder den-
Erwaxenen !grundsätzlich mißtrauen; und die gleiche Ver-

achtung gegen mich, wie seinerzeit meine gegen diesen zugelaufnen Mann der Mutter, zu dem ich niemals *Vater* hatte sagen wolln. Und wäre für Deine Tochter ebenfalls nur 1 Art Köter, ein schlechter sogar, weil er Schwierigkeiten machte, der Pflege=Tag&nacht bedürftig, stinkend nach Arz=nein Blutkotze & Tod.) *Ich: der Stein, der* nie recht hinschauen mochte auf dem Flug durch die Jahre –

Seit ich fort war aus Birkheim, kehrte ich in jedem Sommer in den Schulferien zurück, später kamen die Weihnachtszeit od paar Tage im Winter hinzu. Und fiel ein in die dort still vergehende Zeit zweier Menschen –.– Und beim Wegfahren Jedesmal der Abschied *FÜR=IMMER* von einst, auf dem Bahnsteig Hanna u Maria, *!Ach wenn wir nur ein bißchen näher an Berlin wohnen würden dann wären wir öfter beisammen* und, während der Zug schon anfuhr: *Nun sind wir beide wieder all-1.* Hinter den Mansardenfenstern der Güterabfertigung blieben Hanna u Maria in 1 Leben, geteilt in zwei Menschen, darin ein letzter Lebens-Ton, vor Vielenjahren angeschlagen, – er hallte nach, verklang.


## 23 Uhr 6

Hannas Jahre subtrahierte der Dienst in der ${Hauptkasse}$ der Reichsbahn; Marias, der zehn Jahre Jüngeren, die Arbeit als Sekretärin im selben Dienstgebäude, nur wenige Büroräume entfernt. Obwohl beide Geschwister ihren sudetendeutschen Dialekt in-der-Altmark nicht verlernten (nur während der Jahre, als ich bei ihnen lebte, sie das zu ändern suchten, besonders weil im 1. Schuldiktat dieser breit gesprochene Dialekt, darin Laute wie t mit d sowie k mit g permanent vertauscht, auf meine Rechtschreibung sich übertragen hatte, beim Eintreten in 1 Geschäft od in eine Behörde sie wie eh&je ihr *Grüßgott* entbieten), konnte über-Diejahre der Eindruck entstehn, diese beiden einstigen Flüchtlinge seien nunmehr Hier *angekommen*; die ihnen gegenüber offen gezeigten

Feindschaften=einst seien längst verschwunden. Hier indes wie überall auf Dörfern, in klein-Städten zu Allenzeiten wie Tröpfelwasser durch die Erdkrume sickert Ablehnung hindurch, so daß unterirdisch Höhlungen sich bilden – Dolinen –, u sobald diesen Ort schwere Schritte betreten, bricht die dünne Erddecke zusammen. Meist aus Anlässen zum Neid – so der alljährlich zugeteilte EfDeGeBe-Urlaubsplatz od insbesondere die Genehmigung zum Einzug in die geräumige Mansardenwohnung der Güterabfertigung (:Beides gewiß allein wegen mir=dem-Kleinkind; dagegen Scharen berufstätiger !wirklicher Mütter seit-Jahren vergebens auf Wohnraumzuteilung warten –) – mischten in die Rederein der Kollegen sich auch die Töne von Feindschaft-gegen-die-Dahergelaufnen, uralte blutsüchtige Höhlenwörter: *!Immer bereit.....*

Dagegen zwei Mal im Jahr – solange sie=beide bei der Reichsbahn arbeiteten – waren sie bei all ihren Kollegen rasch zum berühmten Mittelpunkt geworden. Denn sehr !beliebt waren Hannas und Marias Geburtstagsfeiern; zwei Dutzend Gäste u: mehr rückten jeweils zu Diesengelegenheiten an & füllten die Mansardenwohnung. Tage zuvor schon hatten die Beiden gekocht & gebacken, hatten Getränke herbeigeschafft & Knabbereien (Salzstangen, Kekse, Erdnußflips); oft jene *Bückwaren* & nur *durch-Beziehung* zu ergattern. Die Stunden vorm Erscheinen der Gäste dann waren durchbrochen von Zank, denn Keine vermochte den Anforderungen der Anderen zu genügen. Von Kochen Backen & Streiten geschwächt, sanken sie, vollkommen entkräftet, in der Wohnstube nur für-1-Kurzes im Sessel nieder. Denn lange vor Dienstschluß am frühen Nachmittag schrillte Mal-auf-Mal die Türklingel, drangen die Besucher herein, Kollegen von Hanna u Maria – voran der Dienstvorsteher – lärmig unter Füßescharren, & Glückwünsche fuhren von den Zungen wie Flämmchen auf, und sanken mildtönend zu heiterwarmem Gespreche herab. Schwere Düfte aus Blumensträußen (die größten in Eimern abgestellt auf dem Flur), und wenig später schwamm das

Wohnzimmer im gelbtrunkenen Licht, Gelächter Rauch Kaffeeduft & Stimmen über dem langen Tisch mit Gerüchen von Essen & dem Schweiß der Männer&frauen schoben zu fettigschweren Wolken die Stunden zusammen; während Hanna wieder *Geschichten-aus-Der-Heimat*, von ihrer Familie, ihrer Kindheit, vom-Krieg erzählte. Dröhnend das Gelächter aus der Runde (obwohl, mit-der-Zeit bemerkte ich den künstlich hochgezogenen Ton in diesem Lachen, denn was Hanna zu erzählen wußte, das waren Jahr-für-Jahr dieselben Altengeschichten.....)

Dann – das Gelächter über Hannas Erzählungen flaute bereits spürbar ab –, zu 1=bestimmten Moment, vorhersehbar wie jener Augenblick in der Kirche wenn der Pfarrer die Hostie emporhob, trat der Augenblick gemessener Feierlichkeit ein: ab-Sofort hatten Essen Saufen Gerede aufzuhörn (:kurz Davor in-Allereile stopfte so mancher noch die Gabeln voll aufgespießtem Fleisch & Löffel Kartoffelsalat in=sich rein – Fettlippen beschmierten hastig die Ränder von Schnaps&-weingläsern), dann: *!Psst* (flüsterte man) *Otti !singt*. In der tiefernsten Stille erhob sich Der Dienstvorsteher (den sie=alle Otti nannten; sein Dienstrang, zumindest Jetzt & Hier, schien vergessen). Der hochgewachsene, athletische Mann mit Goldrandbrille & Geheimratsecken stieß mit dem Kopf gegen die abgeschrägte Wand, tat rasch 1 Schritt beiseite, nestelte Hemdsärmel & Krawatte zurecht, und begann mit heller klarer u für das kleine Mansardenzimmer viel zu lauter Stimme *Den Gesang*. Zunächst deutsche Heimatlieder (alsbald stimmte Maria ein), dann Sauf&soldatenlieder (:und das Parteiabzeichen war vergessen; was einige in der Runde offenbar freudig erwartet hatten), aus dem Gesang wurde Grölen – in den weitaufgerissenen Mündern zuweilen noch helle Essensbrocken schwimmend wie Abfall in großen Kübeln. Der Kor dröhnte die Liedstrofen solange, bis Rührung über den eignen Gesang die Stimmen erstickte. Ohnehin war Dem Dienstvorsteher das Abschluß-Solo vorbehalten: Und Otti steigerte seine Stimmkraft zum höchst melo=dramatischen

Beschluß. Mit brachialem Applaus, durchsetzt von schrill auf-
klirrenden Gläsern, belohnte die-Runde den Dienstvorsteher
für seinen Gesang. Nach Mitternacht waren sie=Alle wieder
verschwunden (von Tabak&schweiß getrübtes Licht lag über
kaltgewordnen Essensresten auf Tellern & Tischtuch); bis
zum nächsten Geburtstagsfest von Hanna od Maria kehrten
sie hierher nicht zurück.

Nach Hannas und später nach Marias Pensionierung wurden die Geburtstagsrunden kleiner und kleiner. Weil der
Dienstvorsteher nach Magdeburg versetzt worden war, hörte
das Singen auf, und von-Jahr-zu-Jahr kamen weniger der
ehemaligen Kollegen zu den Beiden in die kleine Wohnung
unterm Dach der Güterabfertigung. Schließlich erschien nur
jeweils eine Frau von Hannas bzw. Marias ehemaliger Brigade
sowie 1 offiziell Abgesandte von der TseDeU (der die beiden
Frauen über Alldiejahre als zahlende Mitglieder angehörten).

Weil bei der Reichsbahn unausgesetzt Personalmangel
herrschte, bat Man Hanna auch Langezeit nach ihrer Pensionierung oft um Aushilfe in der Kasse, insbesondre allmonat-
lich zu den Lohn&gehalts-Zahltagen. Hanna, sobald Die-
Pflicht-sie-rief, mochte nicht Nein sagen; also wurde dieser
Zustand zur Gewohnheit. Und Man reagierte verärgert, als
sie 1 Mal ablehnte, weil sie zur Tochter Anna nach Berlin fahren wollte (das war zu Annas Scheidungszeit; die gefährliche
Zeit, als dieser ehe-Mann die Aktfotografien in der Wohnung verstreute –). Und weil in den zuständigen Dienststellen der Reichsbahn offenbar die Meinung bestand: *Die Olle-
frau hat ja sonst Nix zu tun & is froh mal wieder Unter-Menschen
zu sein*, strich Man für ihre Aushilfsdienste den Sonderzu-
schlag. Hanna verlor darüber niemals 1 Wort der Beschwerde,
ja vermutlich bemerkte sie diese Benachteiligung überhaupt
nicht od: die-Bescheidenheit hielt sie von der Empörung zurück, so schien das Verfahren zu Aller Zufriedenheit gere-
gelt.– Hanna war an Diesentagen äußerst aufgeregt; die Angst
beim Auszahlen vorm Verrechnen bescherte ihr Bluthoch-
druck; Abend-für-Abend kehrte sie heim mit tiefroten Flek-

ken an Hals & auf dem Gesicht. Als ein Mal am Schluß eines Zahltags, nachdem der Kassenprüfer gegangen, sie ohnmächtig am Schalter zusammenbrach, befürchtete Man Scherereien; fortan unterließ Man die Anfragen um ihre Aushilfe in der Kasse..... (Maria atmete heimlich auf, während Hanna in tiefstumme Niedergeschlagenheit versank, daraus sie nur bisweilen mit dem traurigen Ausruf *ich bin halt zu-Nichts mehr nütze besser ich fahre gleich in die Grube* wie aus einem bösen Traum hochschrak. Dann sagte Maria einpaar tröstende Worte, und Stille kehrte wieder in die Mansardenwohnung ein.)

Stille auch mußte fortan zu Hannas und Marias Geburtstagen sein. Gewiß wie Allejahre-zuvor saßen die beiden Geschwister am großen weißgedeckten Tisch; hatten, nachdem sie am Vormittag beim Frisör gewesen – & genau wie aus Anlaß Deiner wenigen Besuche hier mit-mir=zusammen –, noch 1 Mal, alten Puppen gleich, ihre Festtagskleider angezogen – so warteten sie (heimlich u wider besseres Wissen) auf mögliche Besucher. Die Enttäuschung über deren Ausbleiben, die ihrerseits durch die Gewohnheit Jahr-für-Jahr lediglich 1 immer schaler werdendes Empfinden übrigließ, brachte die beiden alten Frauen zu jenen Aussprüchen, wie sie das auch am Schluß meiner Besuche zuletzt auf dem Bahnsteig, kurz vor meinen Rückreisen nach Berlin, beharrlich wiederholten. Und mit Blick auf das große Fleurop-Blumenbukett aus Berlin, das jeweils an den Geburtstagen vormittags bei ihnen abgegeben worden war, verstärkte das ihr altes Bedauern noch ein Mal *!Ach wenn wir nur ein bißchen näher an Berlin wohnen würden dann könnten wir öfter beisammensein. Nun sind wir beide all-1.*

Über die *Alte Heimat* (wie sie Komotau inzwischen nannten), sprachen sie immer seltener; *Die* war den beiden Frauen mittlerweile in sehnsuchtslose Unerreichbarkeit gerückt, umso weiter, seit Maria, zusammen mit einer gleichfalls von-Dort Vertriebenen die seinerzeit auch nach Schieben deportiert worden war, 1 Reise Dorthin getan hatte (wohlweislich u nichts Gutes ahnend weigerte sich Hanna mitzukommen).

Entsetzt u ernüchtert, weit vor der ursprünglich geplanten Zeit, waren Maria u die Bekannte von-Dort..... wieder abgereist. (Maria sprach nach ihrer Rückkehr nur Weniges über das dort Gesehene.) Die Dimensionen von *Heimat* für Menschen sind wie Fühlhörner an der Schnecke: die ziehen sich zurück, sobald zum Fühlen Ein Hindernis zu mächtig geworden ist. Drinnen warten sie dann –. Mitunter, und nach dem zigsten Fehlversuch, bleiben die Tastorgane eingezogen FÜR=IMMER.– Maria u Hanna schwiegen, und seufzten beide ein Mal –, ein tiefes Seufzen.

Nur dies Eine. Um gleich darauf, wie das nur Frauen vermögen, die innere Klimazone zu wechseln, indem sie der *Schönen Geburtstagsfeiern von Früher* gedachten. Und als über den Nachmittag und den Abend hinweg die Türklingel noch immer still wie 1gefroren blieb, gerieten sie Jedesmal in bitteres Streiten über die inzwischen verstorbenen od 1fach nur aus-den-Augen=aus-dem-Sinn verlornen ehemaligen Kollegen.– Gekränktes Schweigen folgte solchem Streit, und so gingen auch Diesestunden unter harten Uhrwerkschritten in den Abend zur Schlafenszeit in die Nacht –. Leiser und leiser klang beider Leben's Ton, & immer noch 1-Tag-im-Leben weiter den Zaun der Jahre entlang –, in Birkheims Güterabfertigung, Bahnhofstraße 9.

GESCHENKSENDUNG. KEINE HANDELSWARE. – Nach Vielenjahren hatte eine ehemalige Nachbarin aus Komotau (dort war sie Dienstmädchen bei einem reichen Kaufmann gewesen), die seinerzeit mit *dem-Treck* in die Amerikanische Zone gekommen war, alsbald in Fulda verheiratet mit dem Besitzer eines Handwerkbetriebs, nach Hanna u Maria suchen lassen, um sie schließlich in Birkheim ausfindig zu machen, und den Solangezeit verlornen Kontakt wiederhergestellt. Von-Dorther kamen zur Weihnachtszeit regelmäßig diese West-Pakete.

Und die Schnur um diese großen Pakete-von-Drüben durfte nicht zerschnitten, jeder Knoten mußte 1zeln aufge-

knibbert werden. Dann, !endlich, öffnete sich der Karton –
und dem Paket entströmte jenes unwiederholbare Aroma aus
Waschmittel Kaffee Parfüm Seife Kakao – *in nuce* der Duft
des-Westens – das kleine Mansardenzimmer ausfüllend. Als
hätte der Fernsehschirm seine grauweißen Bilder aus den Re-
klamesendungen in Farben verwandelt & materialisiert, lagen
wie bunte Steine in einem Baukasten eng aneinandergefügt
die Geschenke. Und mit den Worten *Die Ilse schickt nur !ein*
*Mal im Jahr,* Mahnung aber auch heimlicher Vorwurf (:*Kaffee*
*isdoch Drühm !sobillich*) wurde das ölig schwarzbraun glän-
zende Pulver in eine Blechdose gefüllt, der Deckelverschluß
das Gebot: !Nur an Feiertagen zu öffnen –, & wie ein Heilig-
tum im Wohnzimmerbüfett verwahrt.– Bis zum Sommer
1961, dem Mauer-Bau in Berlin, lud jene Ilse-aus-Fulda insbesondere zu den Katholikentagen Hanna u Maria zu=sich
In-den-Westen ein. Maria fuhr öfter Dorthin, Hanna nur
zwei Mal. Die Unmöglichkeit nach jenem 13. August 1961,
zwischen Ost u: West ungehindert reisen zu können, schien
Hanna geradezu willkommen; und als mit den ersten Passier-
scheinregelungen & daran angeschlossnen Verbesserungen
beim Reiseverkehr sowie nach Hannas und später auch nach
Marias Pensionierung diese Reisen-in-den-Westen ihnen
wieder möglich wurden, verzichtete Hanna mit Hinweis auf
all die Beschwerlichkeiten darauf, Maria zu begleiten. (In
Wahrheit schämte sich Hanna ihrer abgetragenen Kleider.
Vor den Abfahrtstagen, über etliche Stunden, hatte sie an der
alten SINGER-Nähmaschine diese Kleider umgeschneidert &
ausgebessert – darunter jenes hochgeschlossne dunkelgraue
Kostüm, das sie vor Vielenjahren auf ihren Such-Fahrten nach
Reitzenhain trug –, sie hatte dieses Kostüm seither nur zu den
Geburtstagsfeiern od zu den wenigen Behördengängen ange-
legt, es ansonsten sorgsam im Schrank verwahrt; denn dieses
Kostüm galt in ihren Augen als *Anständig angezogen.* Doch
beim Anblick all der *gutgekleideten Menschen-im-Westen* mußte
Hanna !sofort die Dürftigkeit der eigenen, mühsam zusam-
mengenähten Kleider geradezu als Vorwurf, wie einst die

weiße Armbinde als Stigma des Flüchtlings, erscheinen. *1 Mal Flüchtling immer Flüchtling* –, u Ende der Sechzigerjahre wollte von den koutüren Improvisationskünsten aus der Nachkriegszeit Niemand irgendwas noch wissen.) Also blieb Hanna zuhause. Während Maria (die *immer etwas auf=sich hielt: Tosca Atrix 47 11* – in Luft zerlöste Tantenaromen, verwoben in den Maschen ihrer Blusen Schals Seidentücher & Hüte, die ich=als 5jähriger vor dem Flurspiegel anprobierte) in jedem Jahr ein Mal in den-Westen fuhr.

?Wie aber für diese Einladungen & für all die Pakete bei diesen begüterten-Leuten-Drüben sich ?revanchieren; gar etwas !Ebenbürtiges, !Einmaliges & !Wertvolles als Dank ?vergelten – : Hanna & Maria verfielen auf Birkheim's Vorkriegsspezialität: den vielgerühmten Birkheimer Baumkuchen. Jedes Mal einen Karton, groß wie eine Hutschachtel, kauften sie zu teurem Geld in der ehemalig berühmten Konditorei (die allerdings nur den Namen-v.-Damals noch trug, seit-Langem aber VauEhBe–Backwaren hieß), & schickten Dasganze nach jedem Besuch, nach jedem Paket an die Adresse gen Fulda: GESCHENKSENDUNG. KEINE HANDELSWARE (Daß sie !niemals weder die Empfangsbestätigung, geschweige 1 Dankeschön dafür erhielten, das fiel den beiden offenbar nicht auf.)

Dieses Mal, über den eng|an|eng gepackten Artikeln im milden Westgeruch, lag ein Briefkuvert. Maria öffnete den Umschlag erst, nachdem alle Weihnachtsgaben aus dem Paket einzeln den Tisch dekorierten wie kostbare archäologische Funde. Und Maria las.

Zuerst ihre Hände – zitternd – dann Tränen –, sie mußte sich setzen, der Brief glitt aus ihren Fingern. Hanna hob das Blatt Papier voll engbeschriebner, geizig bis an die Ränder geführter Zeilen auf, – hielt es weit von den Augen – las ihrerseits –: Und Zornesröte flammte ihr alsbald ins Gesicht. Aber sie blieb stumm, las die ungelenk steilen Schriftzüge aufs neu mit zitternden Lippen, als müsse sie gallige Tabletten zerkaun. Bis sie schließlich das Papier mit ihren dürren Fingern energisch zerknüllte und angeekelt von sich warf.

Maria, inzwischen etwas gefaßt, hob das Knäul vom Boden auf, – glättete die Seiten – und, als wolle sie mich zum Zeugen einer Großen Ungerechtigkeit erheben, begann sie den Brief dieser Frau-v.-Drüben laut mit empört zitternder Stimme vorzulesen. (Das Schreiben war an sie gerichtet:)
und jedes Mal musten wir das Zimmer Stunden lang lüften da wo die Hanna drin gewesen wahr über Nacht. So hat daß immer dort drin gestungen nach Uhrin. Wir schicken euch doch immer Seife mit kann die sich da nicht mal richtig waschen? Und 'rumgelaufen ist sie immer noch wie eine vom Treck! Wir wissen ja, das es bei euch in der Zone keine ordenliche Kleider nicht giebt und ihr könnt ja da nichst für. Wo sollt ihr's auch her nehmen. Aber das du auch so gar kein Bißchen auf deine Schwester Achten dust! Wir haben uns Geschämt für euch! Jawohl, geschähmt haben wir unz wenn du mit der Hanna hier her gekommen bißt, und wir dann mit ihr Unter die Leute gegang sint. Alle Nachbahrn haben auf uns schon gans komisch an-gekukt. Und dann jedes Mahl diese Baumkuchen! So was stubides. Die letzen die wo von euch gekommen warn, die hab ich garnich mehr aufgemacht. Hab sie gleich so wie sie wahren auf den Mist geschmißen. Wer solte dieses troggene zerbröhselte Zeug den essen, ungeniesbar sowas! Das solten wol Geschenke sein? Nicht mal die Meisen wolten das Fressen denen wir das hingeworfen haben... Auf so was können wir hier nämlich gut u. gerne verzichen! Ich, mein Mann u. die Kinder wir Alle wollen mit euch nichs mehr zutun haben. Wir kündigen euch die Freunschaft! Schreibt uns nicht wider und schickt blos nicht noch mal so einen Baumkuchen! Daß mus ich ja austrücklich sagen, bei Leute die wo so stubide seit wie ihr
Als wäre Mehltau über die schönen, duftenden Geschenke auf dem Tisch gefallen, standen sie unversehens als hämische Denk-Male vor uns; keiner mochte sie noch anrühren. (Mich amüsierten die Rechtschreibfehler in dem raunzigen Ge-

224

schreibe dieser sich reich hinaufgeheirateten Landpomeranze. Und ich dachte unwillkürlich an die grausikomische Lächerlichkeit der voll Fehler gespickten Abschiedsbriefe von Selbstmördern –.) Was ich nicht bemerkte, war Marias Gang zum Büfett. Dort nahm sie – aus dem Tabernakel das Heiligtum=die-Kaffeebüchse – heraus, ging in den Flur & schüttete das gesamte aromatisch duftende Pulver in den Ascheimer.– Und, ins Zimmer zurückgekehrt, fiel sie erbost über die Schwester her: –Aber etwas !Wahres ist daran: Wie!oft hab ich dir gesagt: *Zieh doch mal deine !neue Wäsche an, du hast doch genug davon* – (sie stürzte zum Kleiderschrank, riß eine Garnitur nach der andern heraus:) –!Da & !Da – !schau!her: !Nagelneue !nie getragene Sachen. !Sisdochnichso daß wir Nichts hätten. (Tränen erschütterten ihre Stimme –) –Aber !du mußt jahreinjahraus tausendmal geflicktes Zeug tragen. Und wenn ich dir mal was sage, dann is !Werweißwaslos. So muß man sich ja mit dir vor den-Leuten schämen – jawohl !schämen muß man sich. (Tränen schwemmten Maria die Stimme fort.)

–Du brauchst deswegen nich wieder Alles !vollzuheulen. (Herrschte Hanna die Schwester an, die, reumütig, die Garnituren wieder vom Boden klaubte.) –Und schämen brauchste dich meinetwegen auch nicht mehr: Den !Teufel werd ich tun u: noch 1 Mal unter-die-Leute gehn – (sie machte 1 Handbewegung, als wollte sie einen Fliegenschwarm verscheuchen) –wo man nur nach den Kleidern u: nicht mehr nach dem !Charakter schaut. Nicht 1 Funken Anstand im Leib hat dieses Pack. !Wasfürzeiten, wo ehemalige Lackein über Anständige Leute die Nase rümpfen. Hundertmal !gestohlen bleiben kann mir solch ein Ge!schmeiß.....

Und – nach einer Pause – Hannas Lippen, so blaß wie die rausgekehrte Wäsche am Boden, flüsternd: –Die Ilse war früher 1 bescheidenes, nettes Kind. ?!Was ist aus ihr geworden. Wenn Dort die Menschen !so sind, dann will ichs nicht mehr erleben, daß Deutschland wieder 1 wird –.– An der Hauswand scharfzüngig zischelnd der Frostwind.

Doch einestags & *FÜR=IMMER* mußte Hanna die Mansardenwohnung verlassen, benötigte sie Hilfe von Fremdenmen-
schen. Die Reichsbahn beanspruchte die Zimmer im Dach-
geschoß der Güterabfertigung als Lehrlingsunterkünfte; den
beiden alten Frauen kündigte Man die Wohnung zu einem
Termin nach Fertigstellung der Neubauwohnungen am Frie-
densring, einem N-A-W-Bauvorhaben auf einem zuvor brach-
liegenden Gelände am Wasserturm. Gegen diesen Beschluß
durch die Reichsbahn-Behörde gabs !keinen Widerspruch;
sämtliche Wohnräume in der Güterabfertigung waren Dienstwohnungen, Hanna & Maria jedoch seit-Jahren bereits in
Pension.

2-Zi-Neubauwhg. m. Zentralheiz. u. Bad bot Man den
beiden Frauen als Ersatz für die Mansardenwohnung in der
Güterabfertigung an. Und weil für dies Nationale-Aufbau-
Werk jeder dort künftige Wohnungsinhaber eine=gewisse
Zahl an Arbeitsstunden zu leisten hatte, den beiden alten
Fraun jedoch schwere Arbeiten nicht zuzumuten waren, be-
gnügte, neben einer ohnehin üblichen Kaution, die-Woh-
nungsbaugenossenschaft ersatzweise sich mit dem Zahlen
von pro Person dreitausend Mark, nicht rückzahlbar bei spä-
terem eventuellen Wohnungsauszug. Fast die gesamten Er-
sparnisse der beiden Fraun wurden Dadurch aufgebraucht.

Aus dem kleinen Mansardenfenster der Wohnstube – über
Gärten und hohe Pappeln hinweg – konnte man das in Blick-
linie etwa 2 Kilometer entfernte Baugeschehen am Frie-
densring seit-Langem erkennen. So beobachtete Hanna mit
seltsamer Anspannung & Neugier den Fortgang der Bau-
arbeiten; wie Uhrzeiger übers Himmelszifferblatt bewegten
sich die dünnen Metallarme an den Turmdrehkränen –.

Für den Umzugstag eine Spedition zu bestelln, redeten den
beiden die ehemaligen Kollegen vom Güterboden aus. –*!Viel-
zuteuer son Möweltransport mitte Firrma.* (Winkte der Schichtleiter ab, als Maria bei ihm nach einer geeigneten Spedition
sich erkundigte.) –*!Wir=hier ham Ameisn-mit-Anhänger &
sogar n Barkas für die großen Möwel. Keinproblem Frollnrosnbach.*

(–Für die Männer. – Maria steckte dem Schichtleiter Geld & eine Flasche Weinbrand zu: Beides verschwand in seinem Schreibtisch.) –?*Wann sollsn losgehn.* (Maria nannte Tag & Stunde.) –!*Awaklaadoch.* !*Keine Sorrge, geht alles* !*Ruckzuck. Sie wern sehn* –

Am 6. Juli 1980 um 9 Uhr früh, dem vereinbarten Umzugstermin, sahen Hanna & Maria – nichts. (Wie das ihrer beider Art gewesen, hatten sie mir, Dir, auch der Mutter den Umzugstag natürlich verschwiegen; sie wollten *nicht u niemandem lästig fallen*, wollten *niemals von–Anderen*, auch nicht von ihren Verwandten, *etwas verlangen.....*) Du wirst Dich erinnern, wir erfuhren vom Umzug erst, als Alles vorüber war. Und ich erinnere noch meinen Wutanfall, als sie mir später das Geschehen von Diesemtag erzählten. Ich wütete wegen ihrer *dreimal ver!fluchten Bescheidenheit* – es wäre mir damals leicht gewesen, für paar Tage in der Zahnklinik freizukommen & ihnen beim Umzug zu helfen. –!Ihr mit eurem Blöden=Zwang, !bloßja!nicht !aufzufallen (brüllte ich, als ich sie wieder einmal besuchte, in die beiden aschfahlen Gesichter –; sie hielten wie=immer still, warteten, bis mein Jähzorn verraucht war.) Im-Grund brüllte ich gegen mich selber, gegen Das, was ich in=mir wußte von dieser *ver!fluchten Bescheidenheit.....* die ich von diesen Flüchtlingen geerbt hatte wie nen seelischen Buckel. Daher meine Wut auf sie.– Heute, gleich allen Zuspätkommern, bleibt mir nur das Bedauern, zu diesen beiden Frauen niemals !freundlicher gewesen zu sein.

Für den Morgen am 6. Juli 1980, als sie die Männer für den Umzug erwarteten, hatten die beiden Fraun große Teller voll belegter Brote bereitet, Thermoskannen mit Kaffee standen bereit. Es reute Maria, daß sie damals aus-lauter-Stolz den Guten=Westkaffee fortgeschüttet hatte, denn nun mußte sie *Goldmokka* zu 8 Mark 75 das $\frac{1}{4}$ Pfund einkaufen, & wollte den Männern am Umzugstag doch etwas-!Besonderes anbieten. Etliche dieser Kaffeepackungen erstand sie in verschiedenen KONSUM-Filialen (denn mehr als 2 Packungen pro Verkaufsstelle wollte Man ihr nirgends geben; Maria mußte lange

Wege durch den Ort gehn – vom Perver zum Südbockhorn
und hinauf in die Thälmann-Siedlung wo niemand sie kannte); doch sie beruhigte sich, trotz dieser samt der vorausgelei-
steten & noch vorhersehbaren Trinkgeld-Ausgaben, mit dem
Einsparen der sonst fälligen, hohen Umzugskosten.

Inzwischen wars schon nach 11 Uhr; niemand kam. Eine
Stunde verging. Noch eine. Und noch-immer nichts.– Maria
ging hinunter zum Büro des Schichtleiters –, klopfte zaghaft
an, – & erfuhr: Man hatte die Verabredung vergessen. *–?Jäätz-
noch. !Unnmöglich. Tutmirleid Frollnrosnbach.* (Der Mann tat, als
wär das Versäumnis Marias Schuld.) *–Hättense doch früher was
gesakt. !Jeenmoment krieg wir nen Gütertransport rein, da brauch-
ich Allemänner=hier.* (Maria, die Tränen –) *–Awa !awa Frollnrosnbach. Schaumadochma –* (der Mann blätterte gewichtig in
einer Kladde) *–Am Donnerstachfrüh kann ich 1,2 Leute entbehrn.
Numannkeinepanicknich Liewefrau. Keine Sorrge, geht alles !Ruck-
zuck –*

Seit-Tagen schwoll der Himmel und schwere Stürme fielen
über die Gegend her – Bäume entwurzelt, Dächer abgedeckt.
Aus dem Keller holten Hanna & Maria den alten Leiterwagen, mit dem sie seinerzeit aus Schieben hierher nach
Birkheim umgezogen warn, beluden ihn wie-Damals mit Kisten, Körben, Taschen, & schafften so Geschirr, Kleider, einigen Hausrat in die Neuewohnung. Zu-Fuß waren das hin
& zurück beinahe sechs Kilometer. Dreitagelang schoben
Hanna & Maria ihren Leiterwagen & das alte Fahrrad hoch-
beladen diese Strecke (aus den Bürofenstern in der Güterabfertigung sahen ihnen die ehemaligen Kollegen zu). Mehr
als ein Dutzendmal mochten die beiden Fraun den Weg gemacht haben – voll beladen hin, leer zurück – ankämpfend
gegen den Sturm, der ihnen Manches von Rad u Wagen riß
und fortwehte.

Ich vermutete auf einem dieser Fuhren mit dem Handwagen oben auf dem Stapel Gepäck (& respektvoll in weiche
Decken gehüllt) auch den Radioapparat, Nußbaumgehäuse,
den Lautsprecher an der Vorderseite hinter ockerfarbenem

grobem Stoffgewebe verborgen (darauf wie 1 Blutfleck rot
der Spritzer von einem einst in der Küche, wo der Apparat
gestanden, in-die-Luft geflogenen Einweckkochtopf mit
Erdbeeren), links das grüne Magische Auge, drunter u zwischen den großen Stellknöpfen die rechteckförmige Skalen-
scheibe aus schwarzgetöntem Glas, mit kleinen linksschräg \/
rechtsschräg versetzten warmgelben Markierungen beschrif-
tet, die Fantasienamen niemals einstellbarer Sendestationen.
In meinen Kindheitsjahren an jedem Sonntagnachmittag
tönten aus diesem Radio für Zweistunden Klassische Musik –
Opern, Konzerte – die zu hören ebenso zur-Pflicht gehörten
wie der vormittägliche Kirchgang. Hanna u Maria hatten 4
verschiedene Kategorien für Musik: Kategorie Eins – Schwere Musik: Beethoven, aber insbesondre Richard Wagner. Dagegen Mozart – aus Kategorie Zwei – für GÖTTLICH galt
(beizeiten hatte man mich eifersüchtig gemacht auf *seine
Schwerekindheit*). Zu Kategorie Drei zählten Koräle u andere
Kirchenlieder. Einzig Kategorie 4 – *diesem-Tschääss=dieser-
Jannitscharenmusik.....* – galt ihre tiefe Abscheu.– Mimis Tod
in La Bohème ließ mich flennend in die Sesselecke kriechen
(Maria stellte das Radio leiser, sagte, es sei *gleich=vorbei*);
Opern riechen braunwarm nach Radio, ihre hitzigen Liebes-
todleidenschaften sind ausgekocht in dünnen Reagenzgläsern
zu rotglimmendem Elektronengeröhr –.– An Diesemtag des
Umzugs wäre der Radioapparat, klein, verstummt wie ein
greiser abgedankter Diktator, zum-Transport auf stuckerigem
Handwagen nur 1 braunes Kästchen, den orkanischen Böen
ausgesetzt – –

Gegen Mittwochabend ließ der Sturm nach, ebenso die
Kräfte der beiden Frauen; widerstrebend, deprimiert ließen
sie ab von ihrer Tour. Vieles hatten sie zwar in die Neuewohnung geschafft, allein die Bettgestelle mit den schweren Matratzen, die Schränke, Kommoden, Truhen konnten sie nicht
selber transportieren (?was u die-Männer ließen sie Morgen-
früh nochmals im-Stich.....) Die Nächte brachten sie in 1 der
ausgeräumten Zimmer im kalten Staubgeruch der alten Woh-

nung zu; die Erinnerung an manche Nacht aus der Zeit ihrer Vertreibung..... zerriß den beiden Frauen den Schlaf –.

Am Andernmorgen – das Sonnenlicht schien vom Sturm der Letztentagen wie blankgefegt – kamen 2 Männer vom Güterboden, junge Burschen, die Hanna & Maria aus ihrer Dienstzeit=früher nicht mehr kannten. Als die Männer die schweren alten Schränke sahen, die geleimt, also nicht zerlegbar waren, begannen sie zu nörgeln – fraßen zunächst die belegten Brote auf, trödelten lange herum; und gingen schließlich widerwillig an die Arbeit & erst, nachdem Hanna ihnen zusätzlich einige Geldscheine zugesteckt. Für die wuchtigen Möbel aber stand nur 1 Elektrokarren (ohne Anhänger) bereit – Platz für nur zwei Schränke; Bettgestelle, Sofa, Tische & große Kleidertruhe bedurften der 2. Fuhre, die die beiden Männer maulend (& erst nach neuerlichem Trinkgeld) erledigten. Zur dritten Fahrt waren sie unter keinen Umständen mehr zu bewegen; es ging auf ihre Mittagspause zu. Und danach mußten sie zurück an ihre Arbeit auf dem Güterboden; der Schichtleiter war bereits erschienen, hatte gemahnt. So ließen Hanna u Maria etliche Möbel u vieles vom Hausrat in der Mansardenwohnung zurück, *sollens die-Lehrlinge haben.* Die Schlüssel zur ehemaligen Wohnung gaben sie unten in einem Büro der Güterabfertigung ab. Noch am selben Abend sah man in den Räumen unterm Dach bis=späthin Licht; manch zurückgelassenes Möbel & Hausgerät – darunter große Steingutgefäße, Weinballons, Stiegen eingemachten Obstes – fanden zu Diesenstunden neue Besitzer.....

Als hätten die beiden Schwestern Hanna & Maria ein Abkommen getroffen, übernahm fortan in der Neubauwohnung Maria das-Regiment für den kleinen Haushalt: Einkaufen, Kochen, Wäschewaschen, zu-den-Behörden-gehn, sonntags zum Friedhof *auf Mutters Grab.* (Die beiden kleinen Gärten, die sie über-die-Jahre unterhielten, mußten sie aufgeben, die Arbeiten-dort wurden ihnen zu beschwerlich.) Mit-dem-Umzugstag schien Hanna=ihrerseits *end=gültig angekommen* :

Tatsächlich verließ sie die Wohnung nicht mehr. 2 Räume, Küche, Bad – in der kleinen Wohnzimmerstube Hannas Sessel, 1 Tisch, Blick-hinaus zur Balkontür auf den weitläufigen Rasenplatz über den Hof, dort Wäschestücke an Leinen flatternd, dahinter die Rückfront des nächsten vierstöckigen Neubaublocks an der Neuperverstraße –, mit Jedemtag zogen auch dort in die noch baufrischen Wohnungen Familien ein.– Hier lebten zumeist jüngere Leute, viele mit schon mehreren Kindern – Arbeiter, Angestellte, in 1 Art Wohlstand 1gerichtet mit Schrankwand Kautschgarnitur Farbfernseher (aus dem Intershop); die privaten Autos – Trabant Wartburg Škoda, auch Mazda & VauWegolf, eng | bei | eng auf die Parkflächen hingestellt – nicht selten durch West-Verwandtschaft per-GENEX hierher-in-den-Osten geschafft, mittels Zahlung in Demark die jahrzehntelangen Wartezeiten aufs bestellte Ost-Auto umgehend. An den Wochenenden auf den Parkplätzen Männer in Trainingsanzügen mit Eimern voll Waschlauge & die Karosserien wie Egel beklebend od in die Motorenräume tief hineingebückt, der rutschende Gummizug an Trainings-od Turnhosen die Arschkimme entblößend – AUTOWA-SCHEN&REPARIEREN: Im U-förmig angelegten Neubauareal wie aus scharfem Sonnenlicht geschnitten Abgase & Betonluft über hellgrauem Asfalt, Kinderstimmen im halligen Schall –.– Mit einigen ihrer Nachbarn, noch Jungeleute um die 30, kamen die beiden alten Fraun, insbesondere Maria, schnell in Kontakt (Hanna bemerkten diese Nachbarn erst beim Besuch in der Wohnung, wozu Maria sie einlud). Diese Nachbarn auch wie die-Vielen-übrigen, um ihre Art des Wohlstands zu erhalten & zu vergrößern, jenen VERSOR-GUNGSZIRKELN der Beschaffer=Gesellschaft sich 1&unterzuordnen hatten.– ?Erinnerst Du meinen Brief, den ich aus dem ersten Besuch im Sommer bei den Beiden in ihrer neuen Wohnung an Dich geschrieben hab:

Je übler die Zeit, desto widerwärtiger die Gestalten. Als seien die-Umstände in Diesemland 1=bestimmten Typ günstig, kommt Der überall ans-Licht. Schon in Berlin auf dem Bahnsteig beim Warten auf den Zug: ein Kerl mit hornfarbnem Sonnenbrillengestell, steht von seiner Bank auf, schlurft her zu mir, pflanzt sich dicht-neben-mich & drängt mir ungeniert das Du wie seinen scharfen Gestank nach Schweiß & dreckiger Wäsche auf. Beim Reden stößt er auffällig oft mit der Zunge gegen sein gelbes Gebiß. Er käme grad allein aus Bulgarien zurück, ob auch ich ?allein lebe. Ich verneine schroff, verweigere jede weitere Antwort; schließlich rückt der Kerl von mir ab.– Und anderntags in 1 Café in Birkheims Innenstadt wuchtet sich unaufgefordert ein andrer Kerl, der ein Bruder des gestrigen hätt sein können, auf den freien Stuhl neben mich an den kleinen Marmortisch. Unschätzbaren Alters wirkt er wie ne vertrocknete Blattpflanze, die man aus fettiger Büroluft herausgeschleppt & hier abgestellt hat. Als hätt er mich erraten, bemerkt er sofort, er sei erst 28 Jahre, von Beruf eigentlich Feinmechaniker, habe jedoch wegen Akkordarbeit (schon als Lehrling) einen Nervenzusammenbruch erlitten, und sei nie wieder gesundet. Heut habe er 1 Stelle als Pförtner im Schlachthof. Dort, sagt er & bläkt das faulige Gebiß, dem die beiden oberen Schneidezähne fehlen, so daß beim Sprechen die Zungenspitze in die Zahnlücken fährt & dabei das gleiche Lispeln hören läßt wie von jenem Kerl=gestern, dort im Schlachthof erhalte er Deputatsfleisch, Rind Schwein was grad da ist, kostenlos drei Kilo pro Monat, das er dann – und schlürft Speichel hoch – immer !sofort Allesaufeinmal aufißt. (Ich bleib still, antworte, wie in der Zahnklinik auf das Gekwatsche der Patienten, nur mit brummendem Geräusch, während ich eilig den Tee austrink.) Sobald er mit dem Gerede in die Nähe seiner Krankheit, der Nervenschwäche, gerät, packt er mit einer Hand sein Kinn und schiebt es, als wolle ers ausrenken, heftig hin&her. Gleich in den 1. Minuten auch von ihm das Geständnis, daß er allein lebe, ohne Frau ohne Freundin: Da habich Meingansesgeld für=mich. Ursprünglich wollte er als Berufssoldat für zehn Jahre zur eNVauAh; wegen der Nervenschwäche (wieder das Kinn gepackt) habe Man ihn ausgemustert. (Mir lag auf der Zunge, daß Überallinderwelt ein Nervenkranker in keiner Klapsmühle besser aufgehoben wär als beim–Barras.....) Also, gestand er & seine Augen glänzten, geht er als heimlicher Zaungast 2x-im-Jahr zu den Stellplätzen für die–Rekruten.– Anderntags das Gespräch mit dem Nachbarn, einem Burschen von Anfang 30, Bauarbeiter, ein Hüne mit gutmütigem kindlichem Gesicht (bei dem störte mich das Duzen nicht). Rasch kamen wir auf DIE VERSORGUNGSGEMEINSCHAFTEN zu sprechen. *Jedeskind weiß*, sagte er, *hiesiges Geld in jeder-Höhe is vollkommen Ohnewert, aber auch De-Mark-allein ist zum Dazugehören-auf-Dauer nicht hinreichend. !Du=selbst mußt der-Gegenwert sein.*– Damit sind sowohl die eigene Arbeitskraft als auch BEZIEHUNGEN fürs Materialbeschaffen gemeint, über die 1=jeder verfügen muß, denn rar ist praktisch Alles. Das Schlimmste ist der Verlust-des-Gutenrufs: *Weil ich Maurer bin & somit am Bau Manches abzweigen kann, !muß ich zu Jederzeit für Schwarzarbeit zur-Verfügung-stehn. Sollte mich nachts ein-Anderer-aus-der-Gemeinschaft anrufen & sagen: Komm her & re=parier auf meinem Haus den Schornstein: Dann !muß ich hin & es tun, egal wie spät es ist. Wenn du 1 Mal Nein sagst* (er machte die Geste Rausschmiß) *Dann bist und dann !bleibst du !Draußen..... für=immer.* In seiner Freizeit ist dieser Mann Freiwilliger Helfer bei der VauPe..... :!Niemals werde ich Solche-Zeiten vergessen.

Und auch nicht jenen frühen Samstagmorgen, als eine andere Nachbarsfamilie aus ihrem Urlaub zurückkam. Noch nicht 6 Uhr –:!plötzlich als würden Sturmtrupps einfallen aus der Nachbarwohnung das Dröhnen&kreischen einer Schlagbohrmaschine (in die Betonplatten der Neubau-Wände ging kein Nagel rein); nebenan wollte Man den aus dem Urlaub

mitgeschleppten Andenkenkram !sofort an den Wohnzimmer-
wänden placieren wie Trofäen od den Firlefanz in Schieß-
buden. – Nach Einerstunde ununterbrochenen Gelärmes
wollte ich=wutentbrannt rüber – das rücksichtslose Gesox
zur-Rede-stelln –:– Maria & Hanna in der Zimmertür ver-
traten mir den Weg. Bittend, flehend – beinahe hätten sie sich
mir zu-Füßen geworfen, meine Absicht, die Beschwerde bei
Diesennachbarn, mit Allenkräften zu verhindern. Wieder
regte ich mich auf über ihr Duckmäusertum, ihre Leisetrete-
rei & den Dienstbotengeist. Maria unterbrach mich unerwartet energisch: –!Du fährst in paar Tagen wieder weg-von-
hier. Wir aber müssen !bleiben & sind auf Gedeih&verderb
auf die Hilfe-der-Nachbarn !angewiesen..... Wir sind Alte-
leute, Hanna geht nicht mehr aus-dem-Haus, ich schaff nicht
Alles=all-1; du deine Mutter deine Frau: ihr=Alle seid
weit=weg in Berlin u: könnt uns nicht helfen. ?!Wer soll uns
Hier unterstützen, wenn nicht die-Nachbarn. Und du willst
dich bei Denen: !Beschweren. ?Kannst du dir nicht ?!vor-
stelln, !Was du uns Damit ??einbrockst.....

Hanna u Maria hatten IHNEN Nichts zu bieten, also mußten sie von IHNEN Alles sich bieten lassen –:– Diese-Zeit &
ihre Aus-Geburten, Staatsangehörigkeit: Schlau-Raffenland,
Nationalität: Materialklau – Heute sind SIE die *frei Gelas-
senen*.....

## Montag, 3 Uhr 37

Meist das Kleine, das Wenige & in schmaler Münze, was
Menschen als *ihr Leben* ausgezahlt bekommen; dafür mit
vollen Händen Nöte u Beschwernis. Jahre verbrennen wie
dürres Unkraut am Bahndamm und der Mensch stirbt an den
Freunden, die er nicht hat.

Ohne zu wissen, daß es Das Letzte Mal sei, fuhr ich im
Winter 1988 für zwei Wochen Urlaub nach Birkheim. Beim
Eintritt in die Wohnstube bemerkte ich 1 winzige alte Frau,

in einen Sessel gesunken, in der Zimmerecke der Fernsehapparat, u aus dem Sessel die Augen der Frau weitoffen, ausge-
waschen über-die-Jahre – :Hanna. Schneefahl wie Spinnweb
das Nachmittagslicht im Zimmer. Der Fernseher ausgeschaltet (noch war nicht Abend), staubiges Glas der Bildschirm,
eisengrau wie Hannas alte Augen. Ohnehin bekam sie kaum
noch was mit von den Unterhaltungs-Versuchen der Spiel-
film-Hersteller, konnte u: wollte längst keiner Handlung
mehr folgen, zuckend daraus nur die Reflexe: *Wer schweigt hat*
*recht; wer schreit ist böse; wer gut aussieht ist gut; wer tötet ist ein*
*Verbrecher.*

Maria, die vom Bahnhof mich abgeholt und zuvor ihrer
Schwester sicher gesagt hatte, weshalb sie aus der Wohnung
fortgeht (nur mochte Hanna inzwischen diesen Grund, gegenüber jenem anderen der Maria betraf, vergessen haben),
wiederholte nun & lauter als zuvor ihren Ausruf: –!*Schaudoch*
*Hanni, wer uns !besuchen kommt.*– Die Frau-im-Sessel, wie aus
tiefem Schlaf erwachend, blickte auf und mich an –: !Erken-
nen – das Augengrau überzog 1 glänzender Schleier –; sie
murmelte 1paar Silben, mühsam ihr Versuch sich zu erheben –,
aus Rückgrat u Gelenken stach der Schmerz bis in ihre Miene
hinauf: So kam sie mir schließlich entgegen. – Und kurz vor
meiner Abreise stets im Turnus vergeßlicher Beharrlichkeit
Altermenschen kam sie mitunter zwei od: drei Mal zu mir,
um mir Geld zu schenken (ungesehen von Maria, die mich
ihrerseits, & ebenso heimlich, schon bedacht hatte). Hanna
wurde unwillig, sobald ich ihr sagte, daß sie mir doch grad
vorhin Geld geschenkt habe (sie glaubte, ich wollte nichts
von ihr annehmen; gekränkt ging sie davon). Um alsbald mit
demselben Hundertmarkschein in der geschlossnen Hand
zurückzukehren & ihn, verschwörerisch, mit ihren glasküh-
len Fingern mir zuzustecken wie ein Treuepfand –.

Einmal zur Nachmittagszeit, als ich in die essensrüchige
Stille der Wohnung trat (Maria war fortgegangen), sah ich die
Großmutter starr in ihrem Sessel, unverwandt blickte sie auf
das leere graue Bildschirmglas. Auf die Sessellehnen gestützt

ihre Arme, dürr & nervig wie Taue, den Buckel schwer wie Stein ins Polster gedrückt, das Kinn herabgesunken, die Gesichtshaut zerfältelt als preßten feinmaschige Netze dort Muster hin-1 –.

Maria ging seit einiger Zeit öfter aus der Wohnung u blieb abends immer länger fort. Auf der letzten Weihnachtsfeier für die-Rentner-von-der-Bahn hatte sie 1 Mann kennengelernt (dessen Frau war vor-Jahren gestorben); bald hieß es, Maria & er wollten zusammenleben. ?Wohin mit Hanna: All-1 war sie hilflos. ?Was sollte mit ihr geschehn –.

Hanna, von tag-zu-tag in ihrem Sessel auf ihr Ende wartend (-*ich hab keinen Lebenswillen mehr,* hatte sie einmal wie ein Geheimnis mir zugeflüstert), wußte, sie war Anderenmenschen nur noch im-Weg..... Ich sah zu ihr hinüber: Etwas an ihr schien *anders,* 1 winzige Veränderung. Ich wagte nicht heranzutreten, blieb reglos an der Tür. Als mit einem Mal, wie von unsichtbarer Schnur gezogen, ihr dürrer Arm sich langsam hob –, u niederfiel aufs Knie, die Fliege dort zu erschlagen. Mit dürren Fingern hob sie den Fliegenkadaver an 1 Bein vom Stoff ihres Kleides, !Triumf in den verwaschnen Augen.

Abends kam Maria tief bedrückt hierher zurück. Aus ihrem Sessel herauf mit hellwachem Blick die Schwester musternd, stellte Hanna sie stumm zur-Rede..... Die beiden Frauen Auge gegen Auge. Unter schwerem Atem fiel kein 1ziges Wort. Und rührten sich nicht. Mit einem tiefen frösteligen Seufzen schließlich senkte Maria vor der weißen dürren Kälte in Hannas Augen den Blick. Resigniert wandte Maria sich um, ihre traurigen Schritte führten sie durch die Wohnung in die Küche; später das Abendessen, das Hanna auch heute kaum anrühren mochte.

?Wonach eigentlich hatte ich Dort in den Jahren ?gesucht (ohne Dich, allein) an immer denselben Orten, auf alten Wegen, jahrebegangen u braun ins Altern hingestreckt – doch manch ein Abend, warm umflossen, ließ in Feuerfarben Atem u Gedanken frei –.– Solch Festgeglaubtes Jahr-um-Jahr;

plötzlich nur 1 Aschenrauch –. 1988, mein letzter Winter Dort, Tage hart im Frost; ich lief durch–den–Wald, die Schritte sanken tief –. Nächte hell von Schnee, darin jedes Geräusch erstarb, – und die Stunden fielen wie gelöste Seiten aus einem Buch.

Das Verhallen vom 1 Mal angeschlagenen Lebenston in dieser Familie hatte nach ihrer Ehe-Scheidung auch Anna erreicht. Mit mir, ihrem damals 14jährigen Sohn, wußte sie Nichts anzufangen. Zumal ich, weder zu Dieserzeit (nörgelig–sentimental mit der Pedanterie allen Heimwehs den Jahren in Birkheim nachhängend, dabei von früher her gewohnt kwasselnd in jenem frühreif=anmaßenden Ton von Jungen, die in 1 Haushalt aufwachsen müssen ohne Vater) noch irgendwann später nichts ausgesprochen Liebenswertes an=mir hatte: 1 heranwaxender Eigenbrötler, dumm=frech Allerwelt seine pickelige Renitenz entgegenstellend, dabei sogleich zum Rückzug in verstocktes Pubertär-Geträume bereit; 1 Großmutter-Kind u ziemlich feige. Die ORDENTLICHE FAMILIE (von Anna gewiß aus dem Trotz gegen ihre Mutter einst zu installieren versucht so, wie man einen Automaten installiert für den Haus=Halt) war zerbrochen. Die Mutter wollte !nie einsehen, daß ihr Talent zum Mutter-Sein nicht ausreicht, u: sie, gleich dem unzulänglichen Musiker, bedachte nicht, daß daraufhin ihr voll Eifer angelegtes Mutter-Spiel für die Bedachten nichts als Pein u Verletzung sei. Unwiderruflich vorbei auch für alle-Zukunft, denn 3 Jahre nach der-Scheidung mußte Anna (wegen Verdachts auf bösartigen Ovarialtumor) eine Unterleibsoperation vornehmen lassen; andere Kinder würde sie nicht mehr bekommen. Nach der Operation gab es für sie keine psychologische Betreuung od andere, Heut übliche Fürsorge : Anna wurde im Alltag 1fach wieder ausgesetzt.....

Solange sie ihre Arbeit als Dolmetscherin für Russisch – Deutsch – Englisch bei der Staatlichen Versicherungs-Anstalt der DeDeR ausführen konnte, ließ das Leben–außerhalb–die-

ser-Arbeit, über Langezeit weitfort im Unfühlbaren, sich erhalten; Anästhesie des Gefühls durch Arbeit, das probate &
älteste Mittel für den $\frac{1}{2}$wegs Sensiblen, dem daraufhin das
ebenfalls älteste Eingeständnis, *Leben ist nur selten des Lebens
wert*, vorerst erspart bleiben kann.

Anna war oft zu Dienstreisen – Konferenzen, Tagungen,
Kongressen – auch ins sozialistische Ausland unterwegs (nur
zu den Reisen an Konferenzorte ins-eN-eS-Weh gab ihr der-
Chef keine Erlaubnis, weil Anna, parteilos, zudem als All-1-
stehende somit weder *ideologischen noch familiären Rückhalt* besaß). Auf allen Konferenzen sahen die Teilnehmer Anna sehr
gern – ihre Arbeit dort, nicht selten über Sechzehnstunden-
am-Tag, galt als !musterhaft, und sie erhielt reichlich Lob.
Mit-der-Zeit hatte sie aus der Konferenz-Sprache die häufig
wiederkehrenden Standards abrufbereit sich zurechtgelegt,
was ihr die Arbeit sehr erleichterte, weil sie inmitten des
simultanen Dolmetschens genug Zeit übrigbehielt, ihre
Übersetzungen sowie die fremde Aussprache zu perfektionie-
ren. Anderseits konnte sie den Pegel der Anspannung soweit
konstant=hoch erhalten, daß in etwa zu befürchtenden *Leer-
stellen* von Konzentration & Inanspruchnahme plötzlich her-
einbrechende Erinnerungen an Privates sie nicht aus dem
Gleichgewicht bringen konnten. Schlimm bei den auf jede
Konferenz folgenden Banketten waren die Nächte anberaum-
ter Sauferein. Anna, wie alle übrigen Teilnehmer, war angehalten, keine einzige Wodka-Runde auszulassen; gerade
Russen & Mongolen verstanden hierin !Keinenspaß & betrachteten verweigerten Suff als Persönliche Beleidigung
(heimlich leerte Anna ihr immerwieder volles Schnapsglas in
Blumenvasen aus). Zu vorgerückter Stunde mußte sie oftmals
harte Auseinandersetzungen zwischen russischen u: DeDeR-
Konferenzteilnehmern schlichten; besonders heikel jene Momente, sobald die Abgesandten der SOZIALISTISCHEN
BRUDERPARTEIEN im Vollsuff ein:ander beschimpften
als VERFLUCHTE !NAZISCHWEINE : KULTURLOSES
!BAUERNPACK GEGEN SOWAS HAT !UNSEREINS DEN-

KRIEG VERLORN –:– Nicht allein das Übersetzen der Beschimpfungen war Anna natürlich untersagt, vielmehr, & mit Fingerspitzengefühl, hatte sie in !Solchenmomenten Scheinübersetzungen anzubringen, die zudem so markant sein mußten, daß selbst den vom Schnaps benommenen Beleidigten keine Zeit blieb, die krassen Beschimpfungen gar selbst zu übersetzen – worauf unweigerlich der-Eklat gefolgt wäre: Zwischen ranghohen Funktionären *der-Bruderparteien* die offene Prügelei.....

Zehn Jahre vor ihrer Pensionierung kam ein anderer Scheff. Wie immer beim Begegnen von Menschen sind die 1. Zehntelsekunden-Eindrücke, lange bevor 1 Wort gewechselt wär, bestimmend für Freund- od Feindschaft, & entscheiden so über alle folgende Zeit. Die *Schikane* durch den neuen Scheff hieß vorerst, einen Grund suchen um Anna aus seiner Abteilung zu versetzen, sein Nachschnüffeln nach Fehlern in Annas Arbeit. Weil dieser Scheff wohl selten u nur in selbst ihm als belanglos erscheinenden Dingen fündig wurde, überhäufte er Anna mit Mengen an Arbeit, die sie nur unter immer größerem Zeitaufwand (Überstunden bis weit in die Abende) bewältigen konnte. Sie ruinierte sich den Magen, die Augen & an der ältesten, mechanischen Schreibmaschine (die Man ihr hingestellt hatte) die Sehnen an den Armen. Auf einer Dienstreise in die Mongolei – während eines Ausflugs durch die Gobi-Wüste in ein nobles, den Regierungs-Scheffs vorbehaltenes Jurtendorf – nötigte Man sie zum Verzehr von Mengen fetttriefenden Hammelfleisches & zum nacht=langen Wodka-Saufen (& Diesmal paßte Man auf, daß die einzige-Frau-in-der-Runde den Wodka auch wirklich !trank) – bekam Anna eine Gallenkolik. Mit dem Rotkreuz-Hubschrauber schaffte Man sie ins Krankenhaus nach Ulan Bator. Und war für Annas Scheff !der Vorwand, sie *wegen angeschlagener Gesundheit: Sie sind schließlich nich mehr die Jüngste* niemals wieder auf Reisen-ins-Ausland mitzunehmen. Seither bestand Annas Dolmetschertätigkeit aus Büroarbeit in der Versicherungs-Zentrale in Berlin; jüngere Kolleginnen, Genossinenvon-der-Parteischule, die zwar keinerlei Dolmetscherpraxis besaßen, erhielten vom-Scheff gegenüber Anna regelmäßig den Vorzug..... Und Anna mußte erleben, wie nach dem Scheitern ihrer Ehe auch ihre eigene Arbeit denselben Weg des Scheiterns nahm; für Beides fühlte Anna sich nicht verantwortlich. Aber sie *nahm=sich=zusammen*, wollte *nicht-klein-beigeben*, sondern HALTUNG-ZEIGEN; doch blieb ihr die Empfindung zweier großer Ungerechtigkeiten..... Sie stieß in dieser Lebensfase auf Diefrage, ?warum der-Mensch mit seiner Macht immer auf die !Zerstörung des Menschlichen zielt.– Unversehens in derselben Frage zur selben Zeit begegneten sich der Pubertäre u: die erwachsene Frau. Beide erkannten diese Gleichheit nicht, nur das Trennende in allem Gleichen war der Mutter u: mir bewußt. Und was Anna in ihrer Arbeit als helle leuchtende Erfolgs-Fassade über Vielejahre-hinweg sich errichtet hatte, jetzt bekam es Risse, und alles liegengelassen Ruinierte aus ihren Lebensjahren-davor brach offen hervor – –

In den Resten von Familien-Leben gebärdete sie sich fortan wie 1 Abbruchunternehmer, & was mit eigenen Händen nicht zu erhalten war, das wenigstens sollte durch eigene Hände..... fallen. Immer häufiger & rascher gerieten die Gespräche zwischen mir u: der Mutter, noch die allergeringste Hilfeleistung, selbst das bloße stumme da-Sein, zum Streit= Fall; mit vernichtender Präzision zerstürzten nach-und-nach auch die letzten Gemeinsamkeiten zum Bruch. Nur weniger ziel=gerichteter Schlag-Sätze bedurfte es, & die Mutter hatte mich besiegt od, sobald ich mich fortreißen ließ und die Beherrschung verlor, ich ihr durch den Anblick meiner hilflosen=Wut den selbstzerfleischenden Triumf verschaffte (denn oftmals in diesen-Momenten verspürte ich=in giftgreller Erregung den Drang sie zu schlagen; sie mußte das spüren, denn *!!Hilfe er faßt mich !an* kreischend stürzte sie einesabends ins Treppenhaus, ich blieb in der Tür im Grauen vor der körperlichen Berührung mit der eigenen Mutter). Sauer brannte die Luft in solch Mutter:Sohn-Gehäuse voller Streitsucht, spitzkantigen Worten schweißpfotig vor kindisch=hilfloser Wut..... aus dem uneingestandenen Wissen, 1:ander sehr ähnlich zu sein, besonders in jenen Karakterzügen, die man beim jeweils Anderen am scheußlichsten empfand.– Sofort mit 18 Jahren zog ich fort. Der Zufall aus eigener Beharrlichkeit & nachweisbarem Behörden-Pfusch bei der KaWehVau verhalfen mir zur Überwindung einer Unmöglichkeit, als Lediger, nicht straffällig Gewordener od ebensowenig als nicht *anderweitig zu bevorzugende Person*, im-Osten dennoch !legal 1 Wohnung zu bekommen: 1-Zi-Whg. m. Kü., 2. St., Ofenhzg., AWC f. 4 Fam. $\frac{1}{2}$ Tr. tiefer – an grausam=belärmter Straßenkreuzung, 1zig nachts zwischen 2 und 4 Uhr war etwas Ruhe : 1=jener ostzonalen Brutnester für Haß. (Und wäre in !Jedesloch gezogen: Nur !fort aus diesem Abbruchgefilde 1 Da-Heims.....)

All-1, in ihrer mit Möbeln zugekrempelten Wohnung, von fleischig ausladenden Blattpflanzen (denen sie Namen gab) umstellt, lebt seither die Mutter mit nun schon der dritten Katze – das Tier ihr 1ziges An-Sprech=Wesen, & Anna redet mit zierlich singender Stimme, als übte eine Sängerin für ihren Auftritt sich ein, zur Katze, der sie durch die hohe Stimmlage sich anzugleichen sucht. Jede ihrer Katzen, die binnen-Kurzem alle im Verhalten sich ähneln, bestimmt despotisch Annas Tagesablauf: Aufstehn früh um 7 – Katze füttern – Katzenklo saubermachen – Katze füttern – für Katze & sich einkaufen – Schlafengehn; dazwischen Fernsehn. Sobald zu diesen-Stunden jemand sie anruft und das Gespräch versucht, lauert sie bei jedem Wort auf Reizung wie Wetterfühlige & Säufer, und Satzbrocken grantig voller Unmut über die Störung schallen dem Anrufer als Antwort aus dem Hörer entgegen.– Ich wünschte ihr, sie wäre dümmer (die-Dummen sind dem-Lebenkönnen am nächsten), in Dummheit passend zur dümmsten Überzeugung !ICH !HABE !RECHT –:– So aber wütet voller Entrüstung ihre Intelligenz gegen diese ihr=Selbst unannehmbare Attitüde. Und wenn jemandes Trotz keiner sieht, dann richtet der Trotz sich schließlich

gegen den Jemand selbst. In ihren letzten Arbeitsjahren vor
der Pensionierung begannen Annas heikle Un-Fälle: Stürze
mitten auf der Straße, Hinschlagen vor Autos, ein Mal auf
einem Bahnhof rutschte sie zwischen Perron und die Stahl-
schneiden der Waggonräder. Aufstehen mußte sie immer
selbst, niemand der zu ihr kam und half; tiefe Schürfwunden
im Gesicht trug sie dann als die offen sichtbaren Ruinen aus
diesem inneren Bürgerkrieg.– So der Aus-Klang ihres trotzigen Leben's Lieds. Was ich von der Mutter=Heut noch höre,
sind entweder unwillige od rentnerhaft=behäbige Daseins-
geräusche, allsamt wie nach dem letzten Ton Kratzer auf 1
Schallplatte –.–
   DIE MÜTTER SIND VON IHREN KINDERN ZU VER-
GESSEN.


## 5 Uhr 57

Erbärmlich ist es Leben zu bekommen; erbärmlicher, es zu
verlieren.–Weil Maria die Mutter, mich, Dich, *nicht belasten*
wollte mit ihren Kümmernissen, rief eine Nachbarin bei der
Mutter u: mir in Berlin an, doch war Es bereits zu-spät..... :
Hanna, im März 1988 drei Wochen vor ihrem Tod, war ins
Pflegeheim gebracht worden, der Anruf aus Birkheim galt
Anna: *Wenn Sie Ihre Mutter noch einmal lebend sehen wolln, kommen Sie !rasch.* Die Mutter fuhr hin (ich konnte mitten-in-
der-Woche aus der Klinik nicht fort; zuviele Ärzte fehlten:
die-Ausreisewellen-in-den-Westen hatten begonnen, spülten
unsre letztverbliebenen Bekannten u Freunde davon, sie
kamen nicht wieder zurück; bis-Heute blieben wir ein ander
toter als tot). Nach der Rückkehr sagte die Mutter zu mir,
Hanna hätte seit-Langem keinen Laut mehr von sich gegeben, hatte wohl die Einlieferung ins Pflegeheim schon nicht
mehr registriert. Sie lag im Bett, das Gesicht eingesunken, als
wolle sie ihrem Verschwinden nicht den leisesten Widerstand
bieten schlief sie hin=über – so still, unmerklich, daß der Arzt

zuvor mehrmals nach dem fakirdünnen Atem hatte forschen müssen –.

Und ?Maria. In den Tagen nach Hannas Tod 1 mal ihre Stimme für mich am Telefon, so leise u dünn, daß ich sie nicht verstand, das Pfeifen in der Leitung das lauteste Geräusch, und ich sie !anherrschte, gefälligst !lauter zu reden, ihr dann rasch versichernd, bald zu ihr zu kommen – am Samstag nächster Woche –, Marias Antwort 1 dünnes *ja* – den Rest zerkratzten die Störungen in der Leitung. (Wütend soff ich Zweitagelang, weil ich Hannas Tod nicht wahrhaben wollte.) 3 Tage-später der Anruf der Nachbarin, ob meine Mutter mir schon ?gesagt habe, daß sie !tot sei. Ja natürlich wüßte ich von Großmutters Tod – *Nein, nicht Ihre Großmutter* –. (Man zögerte mit dem Bericht –, dann habe ich erfahren:) Als die Nachbarin frühmorgens zur Arbeit ging, vernahm sie hinter der Wohnungstür Marias Stimme, darauf einen Laut als stürze ein Körper zu Boden; sie brachen die Tür auf..... Ich ließ mir Alles noch 1 Mal erzählen – lachte schluckend in Verzweiflung – hielt Das sogar für nen Dummen-Witz..... : Zehn Jahr auseinander in der Geburt, im Tod 10 Tage; Tod ist auch komisch, eine Schande od: eine Schuld, die möglichst rasch zu tilgen war. *Die Abschiede –,–* und die Erinnerung an den Tag der Wohnungsauflösung; die Mutter, ich trafen in Birkheim zusammen. Eine maisonnenhelle Totenwohnung voll vertrockneter Blattpflanzen, im Büfett angeschnittener Obstkuchen, von Maria noch gebacken, nun von Schimmelflora überzogen. Auf dem Tisch 1 Briefumschlag *Eilboten* – *Einschreiben*, bereits zugeklebt & adressiert an die Mutter, drinnen 1 Postkarte mit Marias ruhiger Schrift, nur die gegen Ende immer enger geführten Zeilen hoben und sanken wie schwere Atemzüge.

*Birkheim, 02.05.88*

*Liebe Anna!*
*Beiliegend übersende ich Dir die Sterbeurkunde von Oma.*
*Ich bin heute beim DLK gewesen wegen der Trauerfeier am*
*30.05. Es ist möglich, ich muß nur 8 Tage vorher vorsprechen*

*wegen der Ausgestaltung der Trauerfeier und auch den Pfarrer*
*bestellen. Die erste Rechnung – 245.– M – habe ich auch be-*
*zahlt.*
*Es ist so still und einsam in der Wohnung. Ich sehe sie immer*
*noch am Stuhl sitzen. Wenn sie auch die meiste Zeit geschla-*
*fen hat, aber es war immer etwas Lebendes in der Wohnung.*
*Ich bin immer allein. Es hilft nichts, ich muß es überdauern.*
*Morgen werde ich versuchen ein Paar schwarze Schuhe zu be-*
*kommen. Die ich habe, da tun mir die Füße weh.*
*Bleibe gesund, grüß Reiner herzlich – in den nächsten Tagen*
*werde ich ihm auch schreiben.*
*Es grüßt Dich herzlich Deine alte einsame Tante*

*Ria*

Sie hatte das Kuvert noch nicht frankiert, und sie hatte mir
nicht mehr geschrieben, denn am nächsten Morgen war Maria tot.

Weiter, es ging weiter. Zur Urnenbeisetzung in die Fried-
hofskapelle in Birkheim (obwohl der katholische Glaube die
Feuerbestattung verbot, hatte die ältere Schwester bereits vor
Vielenjahren ihre Verbrennung angeordnet: *Ich will nicht !mehr*
*Platz beanspruchen, als mir nach meinem Tode zukommt.*) –. In
der kleinen Kirche die beiden Urnen auf unterschiedlich hohen Podesten wie zur Siegerehrung aufgestellt, und wir, die
Mutter, ich, zu dieser Feierstunde vor den Augen der Trauer-
gäste – ehemaligen Kollegen & Nachbarn – seitlich an der Ka-
pellenwand wie auf die Anklagebank hingesetzt & ausge-
liefert allen neugierigen Blicken; zum Ende der $\frac{1}{2}$ stundenrede
des jungen unwissenden Pfarrers, später draußen vor der Kapelle, als der Pfarrer, neben einem schwarzlackierten Liefer-
wagen stehend, die Tür zur Ladefläche plötzlich aufriß –: auf
ockerfarbenem Kieselstaub standen die beiden Urnen *Zum*
*letzten Abschied* –,– u: weder die Mutter noch ich wußten,
?wie lange schweigend stehnbleiben vor diesen viel zu winzigen Behältern für das Leben zweier Menschen. Schließlich
fuhr das Auto davon, verwehend die blasse Kranzschleife aus
Benzinqualm –. Noch auf Marias Wunsch hin sollten sie nicht

in Birkheim beigesetzt werden. *!Ach wenn wir nur ein bißchen näher an Berlin wohnen würden, dann wären wir öfter beisammen –*, also wurden Beider Urnen mit einem *Transport* aus Birkheim fortgeschafft. In Allenjahren nach *der-Vertreibung* schrumpften für Hanna & Maria die Chagrinflecken *Heimat*, u: späterhin hatte selbst *Berlin* als zu groß sich erwiesen, um auf diesem winzig gewordnen, duldsamen Schafsfell der Wünsche noch Platz zu finden. Doch Hannas einstiger Wunsch, 1=jener Wünsche die immer Wahrheit werden, ging in Erfüllung: Sie hatte !nicht erlebt, *daß Deutschland wieder 1 wird –*.– Anderthalb Jahr vorm Fall-der-Mauer waren Hanna u Maria schließlich angekommen: In Berlin-Friedrichsfelde auf paar cm² Fremde in der U.ABT N IV, Nr. 158.

Noch auf dem Friedhof, am Ausgang zur Kapelle, traten ehemalige Kollegen von Hanna u Maria sowie Nachbarn zu mir & Mutter heran.

–In der Wohnstube Ihrer Frau Großmutter stehen sechs Stühle.– (Raunte mir ein kleiner schwitzender Mann zu, als wolle er obszöne Artikel verschachern.) –?Haben Sie dafür Verwendung. – Nein. (Mir war Alles egal, besonders das Verhökern der Möbel & anderen Sachen.) –Sie können die Stühle haben. Umsonst. – Der Mann zog befriedigt ab.

Das, obwohl leise gesprochen, mußte dennoch in den Ohren der Anderen wie der Startschuß geklungen haben. Sie bestürmten uns – und später, während des Essens und danach in der Wohnung, noch eifriger. Ich hörte ihre Stimmen wie Ohrensausen *!O diese wunderschönen Bilder – Ach der Fernseher ist aber !sehr alt, eigentlich isser gahnix mehr wert, aber wir könnten ihn für unsere Laube gebrauchen – !Was für !gediegenes Geschirr – !A diese Weingläser – !Schautochnur: diese !schönen=alten Möbel –*; Leute, Fremde die von irgendwoher hereingekommen warn, verstopften mittlerweile die Zimmer. Werweiß wie oft auf deren habgeile Fragerein ich 1fach genickt & die Sachen weggeschenkt hatte, in meinen Ohren der eigene dumpfe Satz – *Sie können es haben. Umsonst* – wie 1 stupides=Maschinengeräusch; bei den Möbeln aber trat die Mutter dazwischen.– Ich wurde das Einebild in der Erinnerung nicht los: Hanna & Maria an ihrem Umzugstag aus der Güterabfertigung, das alte Handwägelchen, voll beladen, wieder-&-wieder durch die Straßen ziehend, & die-Nachbarn hinter den Fenstern schauten ihnen zu & warteten..... Und am selben Abend=damals das Licht in der verlassnen Wohnung unterm Dach & Schatten huschten dort umher, die neuen Besitzer all der zurückgelassnen Sachen –. Jetzt waren die beiden Flüchtlinge end=gültig enteignet.

Nach der Urnenbeisetzung, dem Essen & der Wohnungsauflösung blieb ich noch den restlichen Tag und die Nacht in der kleinen Stadt (die Mutter fuhr derweil nach Berlin zurück). Im Messinglicht 1 Un-Toter=ich, umhergehend wie mit Watte unter den Sohlen – Nichts u Niemandem zugehörig inmitten dieser Kleinenwelt aus Zugehörigkeiten.

*Auf dem Spaziergang zur Ritzer Brücke die beiden Jungen, jeder etwa 7 Jahr alt, auf Kinderfahrrädern spielten sie Funkstreife. Hattens auf mich abgesehn, strampelten mir schreiend hinterher, wollten Ausweis-sehn & Strafgeld-ham. Zunächst ignorierte ich sie, die Gören aber blieben hartnäckig. Verfolgten mich, kreischend ahmten sie Polizeisirenen nach. Dann schnitt mir 1 den Weg ab, fuhr mir das Fahrrad gegen die Wade. 1 Tritt stieß ihn vom Rad – der Bengel stürzte mir direkt vor die Füße. (Wie !gern hätt ich ihn zertreten.) –Wer mich noch 1mal ankarrt, der kriegt was aufs !Maul. (Brüllte ich sie an) –Habter !verstanden. Und jetz !verpfeift euch. Aber !dalli.– Erst nach gut hundert Metern Abstand trauten sich die beiden mir !Arschloch hinterher zu rufen.– Diese=Feigebrut ist schon im Kern faul: die Rotzer spielen, was sie von ihren Alten kennen; die meisten sind mit Bullen od gewissen-Anderen-Organen im Keimstand, FAMILIE – der Schoß, dem aller Dreck entsteigt. Was Hierzuland den Horizont heraufzieht: das Ende in purer Scheiße. Dazu die Allgegenwart von Schmeißfliegen: ganze Schwärme, mich umschwirrend, suchen 1zudringen in Mund u Nase – (:?Lauern sie mir auf wie die Bälger vorhin; mich, der Hier nichts mehr verloren hat, zu ?vertreiben). Bislang emp-*

*fand ich zwischen mir u diesem Ort keine körperliche Tren-*
*nung; dieser vertraute Körper ist zerrissen, verdorben zum fau-*
*ligen Fleisch, im Hotel kotzte ich stundenlang. Nachts Regen*
*und Abkühlung, der frühe Morgenhimmel wasserhell u die*
*Luft süßlich im Geschmack von Metall. Am Horizont eine*
*Millionenwolkenstadt, überragt auf dürrer Säule von thronen-*
*dem Nebelpilz – Himmel=grandios, wie jene kindisch=voll-*
*mäuligen Versprechen auf das Jahr 2000.*

1988, aus juniheißen Scherenschnitten *Abschiede & die-Pflicht*
–,– ich reiste ab FÜR=IMMER, und die Amputation ist voll-
zogen. Nach Zwölfjahren, den Mund leer von Versprechen,
ein Heute zu Dieserstunde.

## 6 Uhr 44

Allein für Dich habe ich aus Nächten diese Zeilen geschun-
den, als ich=heimlich aus dem Krankenhaus fort und in unseren Buchladen schlich, dort auf meinen Platz (ihn werde ich
vermissen) mich niedersetzte, den Blick die Reihe bleifarbener Bücher, die niemand haben will, entlang. Wenige nur
fürs Altenteil um meinen Platz in der Ecke, die Du mir gelassen hast, & auch sie handlich angeordnet schon für den Ab-
transport: !Dein-Leben, nach mir..... Manchmal ists besser,
den Raum !vor der Stunde-der-Bescherung zu betreten. – Im
Laden die Büchermauern, die den Käufern Rat & Trost versprechen, Esoterik Hobby Reisen Fitness Lifestyle Religion
Software, & jene mit grellen Einbänden in Farben von hitzezerlaufenem Konfekt..... : *Bücher, die !gut gehen*; auf die Ha-
benseite schreibst Du bereits Schwarze Zahlen..... Du wirst
ohne mich vollenden, was mit mir stets unvollendet bleiben
mußte. Es ist !Dir & !Deinem Ordnungs=Sinn angemessen.

Ein Letztesmal durch den Geruch der ungelesenen Bücher
gehend, um den Tresen mit der Kasse in die kleine Koch-
nische hinein. Vor dem 2flammigen Gaskocher Deine be-
nutzte Tasse; die Spur Kaffeesatz an der Innenwand des Por-

zellans hinauf zum Rand, dort der Abdruck Deiner Lippen –.
*Liebe...... ist Erbarmungslosigkeit.*

Am Ende des Tags vor der Ladeneröffnung, die Transport-
leute waren verschwunden und die grauen=Kartonstapel
voller Bücher erstickten mit Pappdeckelgerüchen die Luft in
den kleinen Räumen, selbst das Glühbirnenlicht schien bla-
kend, kamst Du den Flur zwischen den Kartontürmen entlang auf mich zu, 2 Gläser Sekt in Händen, das Hellgrau Deiner Augen in metallischem Schimmern.– Danach nahmst Du
das Glas mir fort, stelltest es neben Deines in eins der noch
leeren Regale; Atemundaugen=direkt zu mir, und nahmst
meine verblüffte, schülerdumme Hand: –Faß mich an. Da.
Spürst dus: Ich bin feucht. Nein, zieh dich nicht aus. (Während Du Pullover und Hose Dir vom Leib zerrtest.) Nackt vor
mir, Deine Stimme hastig u fordernd: –!Fick mich. Tus. !Jetz-
undhier. Wir haben so!lange nicht. Machs mir von-hinten.
Kommdoch. !Ja. *KOMM.* – Aus Deinem Mund voll Hitze
fuhr hastig die Zunge in meinen Mund, dann, das Rückgrat
durchgebogen, mit den Händen 1 Regalpfeiler umklam-
mernd, botest Du mir die nackten weichen Hinterbacken u
stemmtest den weiblichen Cellorumpf gegen meine Lende.
An diesem Tag mußtest Du Dein sonst glattes, über die
Schultern auf den Rücken herabfallendes Haar zum Zopf geflochten haben: streng in den Nacken gezogen – in die Senke
Deines Rückgrats schmiegte sich die dunkelblonde Haar-
schlange hinein, von 1igen grauen Strähnen durchmustert – u
während des burlesken Geschütteres unsrer Leiber, aufs Regal
übertragen wie *HAMMERSCHLÄGE* die abgestellten Sektgläser
klirrend, bei den Fleischesgeräuschen Deines Geschlechts
grübelte ich über die Recht-Schreibung *Anakonda* nach –.
Meine Finger tastend nach Deinen Lippen, aus Deinem
Mund dem *SCHWARZEN* O die rauhen Laute Gier; und von
der feucht schimmernden Rückenhaut glitten zuerst Dein
Zopf, darauf mein Erinnern in Kaos u Asymmetrie: *strenggeflochtener dunkelblonder Zopf Anna Konda – Anna u Erich (Mein-
vater. FÜR=IMMER* verschwunden erst, nachdem er sich durch

mich verdoppelt.....) : das Photo aus der Jugendzeit der Mutter. – Schrill der Atem aus Deinem Mund, schrill zerscherbend auf dem Boden die Gläser – – hell der Porzellanklang jetzt, als meine Hand, zum Gaskocher greifend, gegen Deine Tasse stieß. *Liebe..... brennt das Licht Ernüchterung.* Aus beiden Brennern, rund wie das O im SCHWARZEN WORT TOD, die Gasströme zischend, rasch alle übrigen Räume des Buchladens füllend mit kühlscharfem Giftgeruch –. Dann löschte ich das Licht und ging, das Fauchen des Gasstroms als letztes Geräusch.–

Der Himmel über der Stadt war noch voller Müdigkeit, die dunkle Nachtluft sog ich in=mich als ein kühles Getränk.


## Dienstag, 7 Uhr 6

In den Fluren der Charité das Geschepper Morgenvisite. Ich muß schließen. Jeder von uns Beiden hat bekommen, was er braucht; auch Du: Vor-Jahren hat Dich ein Mann für den-Westen verlassen; Heute ich – für eine Rückkehr. Wer in dunklen, altvertrauten Zimmern geht, der sollte die Augen fest verschlossen halten; die Erinnerung, heißts, wird ihn weisen. Auch müssen wir Heute unsere Zeit nicht unterm dürren kalten Greisenblick des Abfindens & Sichdreinfügens beenden.

FRÜHER: PARIEREN
                    – HEUTE: REPARIEREN
FRÜHER: KAPITULIEREN
                    – HEUTE: REKAPITULIEREN
FRÜHER: ANIMIEREN
                    – HEUTE: REANIMIEREN

Der Pachtvertrag für Urgroßmutters Grabstelle in Birkheim erlischt in 3 Jahren. *Die End=Gültigkeit eines Abschieds in den* KRÜMELN ERDE IN MEINEN FINGERN – *nur wenige* BRÖCK-CHEN *ins* ERDLOCH *hinab* –. Du weißt also, wo Du mich finden kannst. Finde mich !nicht. Die Worte *Glaube Hoffnung*

*Liebe* & die Gefühle, die Menschen damit verbinden, sind mir wie 1 flacher Tümpel, dahinein schon der Vielzuvielen Körper gestiegen, treibend als Beinaherstickte im Trüben, die Mäuler aufgerissen vor Atemnot. *Liebe* – dieser Tümpel stinkt, und *Glück* – das Schmatzen der Leiber in solchem Morast; *Glück* ist mehr als der Mensch haben kann u: weniger als das Geräusch der Glücklichen, die Es hinter-sich haben.

Solltest Du Dein Versprechen nicht einhalten u an Diesemmorgen um 8 Uhr nicht hierher in die Charité kommen u diesen Brief lesen; sondern folgend dem Zwang aus Gewohnheit & Routine in die unser Leben geraten ist, Du auch Heute in den Buchladen gehn & dann wie-immer noch vor der Verkäuferin die Erste..... sein, die dort das Licht anschaltet – – :Zu Keinerzeit bin ich Deiner Tochter Vater gewesen; auch in der Kurzenzeit die mir noch bleibt, könnte ich Dich !niemals ersetzen. Menschen zu hüten habe ich nicht gelernt, allenfalls mich vor Menschen zu hüten.– Hieltest Du Dein Versprechen nicht, müßte Deine Tochter fort von-Hier, die Jahre bis zum Erwachsensein bei ihren Großeltern in Dresden zu verbringen –. *Die Abschiede* –,– sie reiste ab FÜR=IMMER, ihr letzter Rest Kindheit wäre vorbei. Und wieder für 1 Menschen *das-Beste* gewollt, u: ihm das Beste genommen: *die-Heimat*, verloren –.– Das 20. Jahrhundert, das Jahrhundert der Lager & Vertreibungen, nach soviel Freigelassenheit zu Idiotie u Grauen, vom Blut aus zerrissenen Lungen durchtränkter nächtiger Zeit, darin auch TECHNIK durch Freiheit zu Sklaverei sich steigern konnte; das Neue ist neue Idiotie & neues Grauen mit alter Blindheit Angst & Hoffnung, daraus DIE SCHULD hinaus bis in den-Kosmos & hinein bis in die Gene treibt. ?Nach wievielen Jahrhunderten wird das 20. Jahrhundert endlich zu-Ende sein, und ?Was kommt ?Wann Danach. Aber: Das 20. Jahrhundert, es hat ja soeben wieder begonnen.....

In der gesamten Stadt an Diesemmorgen glaube ich als schwere Wolke den Geruch von Gas..... Abschied und Ankommen, u keine Pflicht. Nachbarn könnten über mein

Verschwinden sagen: *Aufgemacht-&-gleichwieder-zugenäht. Der Spinner Wünschelos, ohne !seine Bücher hat er ins Dunkel sich zurückgezogen, unversöhnlich wie ein Tier.* Schlecht die Zeit für kleine Träume; nur die großen, von Krebsgefräßigkeit getriebenen Träume geben das Versprechen auf einen Moment Wirklichkeit. Ebenso das *betrügerische Glück* als *Glück-des-Betrügers*: nichts von seinem *inneren Leib* riskieren, dabei von Allerwelt Alles gewinnen wolln.....

## 30 Minuten vor 8

30 MINUTEN ZEIT – MIT HÖCHSTENS 8 KILO GEPÄCK ZUM BAHNHOF –. !Keine Pointen mehr. Auch Das ist durch mich hindurchgegangen. Ich gehe *FÜR= IMMER*. Und kehre ein ins Fleisch der Provinz.

IN WEITEREN STADIEN KOMMT ES DANN ZUM EINWACHSEN IN DIE UMGEBUNG, AUCH ÜBER DIE ORGANGRENZEN HINAUS (INVASION) [...] IM FORTGESCHRITTENEN STADIUM DES K. STELLT SICH BES. DIE FRAGE NACH DEN ZUSAMMENHÄNGEN ZW. TUMORWACHSTUM UND DEN GEGEBENHEITEN DES WIRTSORGANISMUS. GESICHERT IST, DASS DIE WACHSTUMSGESCHWINDIGKEIT VON DER HORMONELLEN SITUATION DES KÖRPERS, VON SEINEM ALTER UND VOM ZELLMILIEU ABHÄNGT. ES WIRD VERMUTET, DASS DIE FÄHIGKEIT DES MENSCHL. ABWEHRSYSTEMS, FREMDE ZELLEN ZU ERKENNEN, DER K.–ZELLE GEGENÜBER VERSAGT UND ES DAMIT ZUM UNGEHINDERTEN K.–WACHSTUM KOMMT.

Es geht weiter

Möchte euch unser Staub
dereinst leicht sein,
ein nützlicher Hustenreiz
für eure Computer. Und
ein antikes Ärgernis
euren chinesischen Chefs.

Heinz-Winfried Sabais

*Anmerkung.*

Die in Versalbuchstaben im Teil II eingerückt gesetzten Text-
teile sind, den jeweiligen Jahrgängen entsprechend, als au-
thentische Zeitungstexte der DDR-Tageszeitung »Neues
Deutschland« entnommen.

Zum abschließend im Teil III auszugsweise zitierten Text
über das Zellwachstum der Krebszellen siehe dtv Lexikon in
20 Bänden, München 1992, Band 10, S. 136.

# Inhalt